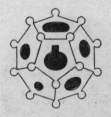

НАТАЛЬЯ
АЛЕКСАНДРОВА

АД
ДА ВИНЧИ

Издательский Дом «Нева»
Санкт-Петербург
Москва
2006

ББК 84 (2Рос-Рус)6
    А46

*В оформлении книги использована картина
Леонардо да Винчи «Мадонна Литта»*

Александрова Н.

А46   Ад да Винчи: Роман. — СПб.: Издательский
Дом «Нева», 2006. — 320 с.
ISBN 5-7654-4730-9

Дерзкое похищение из Эрмитажа шедевра Леонардо да Винчи «Мадонна Литта»...

Охота за особой королевской крови, наследницей
мистического знания...

Планы тайного общества обрести мировое господ-
ство...

В поисках картины Леонардо известный реставратор и находчивая журналистка сталкиваются со
смертельно опасными тайнами минувших столетий.
Кто и зачем нарисовал вторую «Мадонну Литта» одновременно с Леонардо? Что за Образ, Ключ и Кровь
разыскивают члены Ордена Амфиреуса? Главным героям предстоит совершить невозможное, чтобы пос-
ледователи Люцифера не смогли выпустить на свободу древнее зло...

ББК 84 (2Рос-Рус)6

ISBN 5-7654-4730-9

Высокий, необычайно худой человек поднимался по Иорданской лестнице Эрмитажа. Он не обращал внимания на блистающую позолотой лепнину стен, на белизну мраморных скульптур, на величественные гранитные колонны и стройные пилястры, на парящие высоко над головой, среди пышных облаков живописного плафона, фигуры античных богов. Его не трогала и не волновала вся эта бьющая в глаза роскошь. На лице его читалась одна страсть, одна мысль, одно непреодолимое волнение. Глаза этого человека скользили по окружающим его людям, не замечая их, и только когда ему случалось столкнуться с кем-то, нечаянно дотронуться до кого-то рукой или плечом, в этих глазах пробегало мимолетное отвращение. Надо сказать, что глаза этого человека были разного цвета – один карий, точнее – густого и глубокого янтарного оттенка, другой зеленый, как морская вода в полдень. Впрочем, лицо его было скорее некрасивым, даже неприятным. Слишком узкое и худое, оно напоминало профиль на стертой от времени старинной монете.

Поднявшись стремительными, нетерпеливыми шагами по боковым маршам лестницы, мужчина свернул налево и через просторный Фельдмаршальский зал свернул в полутемный коридор, украшенный ткаными коврами-шпалерами. В несколько огромных шагов преодолев этот коридор и снова свернув налево, высокий мужчина оказался в Павильонном зале. Миновав стройные ряды белых мраморных колонн, поддерживающих легкую галерею, не взглянув на «фонтаны слез» и пестрые мозаики пола, он пересек площадку Советской лестницы и вошел в здание Старого Эрмитажа. Не отвлекаясь на висящие по стенам картины, он переходил из комнаты в комнату, пока не оказался в завершающем анфиладу высоком и просторном зале. Лицо посетителя переменилось. Словно короткая судорога прошла по нему. Казалось, он увидел что-то страшное, что-то ненавистное, что-то необычайное. Раздвинув толпящихся людей, он приблизился к щиту, на котором была укреплена единственная интересовавшая его картина. Сухощавый англичанин, которого странный посетитель задел плечом, пробормотал что-то недовольное, но тот и не подумал извиниться. Оператор с телевизионной камерой, сосредоточенно снимавший посетителей зала, навел объектив на незнакомца. Он же своими разными глазами впился в картину, как будто хотел сжечь ее своим взором или сам намеревался войти в нее, стать ее частью, сделаться крошечной деталью фона, легким облачком, проплывающим в синем проеме одного из полукруглых окон. Англичанин недоуменно пожал плечами и отошел.

Высокий худой мужчина с разными глазами застыл, как будто врос в паркетный пол зала. Посетители музея подходили и отходили, смотрели на картину, обменивались впечатлениями. Только он молчал и не шевелился. Когда прозвенел звонок, предупреждающий о скором закрытии музея, он даже не шелохнулся.

Зал постепенно пустел.

Служительница взглянула на часы и поднялась со своего стула.

Она подошла к застывшей напротив картины неподвижной фигуре, негромко кашлянула и проговорила:

— Музей закрывается.

Странный человек как будто проснулся от глубокого, нездорового сна. Он повернулся к служительнице и уставился на нее своими разными глазами. И глаза эти неожиданно и удивительно изменились, стали прозрачными и бесцветными, как талая вода. И такими же холодными.

Служительница, столкнувшись с этим прозрачным ледяным взглядом, побледнела и попятилась. Ей показалось, что ее сердце сковало январским холодом. Одними губами, не сводя глаз со странного посетителя, она проговорила:

— Музей закрывается.

Ничего не ответив, странный посетитель развернулся и быстрыми шагами покинул зал.

— А ты чего ждешь, Михаил? — взяв себя в руки, служительница обратилась к оператору. — Музей закрывается, все разошлись.

— Сейчас-сейчас. — Полный молодой человек последний раз навел объектив на картину и зачехлил камеру. — Все равно освещение уже не то, пора закругляться, — с этими словами он, неуклюже переваливаясь, поспешил к выходу.

— Михаил, ты не забыл, что завтра у тебя занят весь день? — Маша говорила, прижимая мобильник подбородком, в то же время пытаясь объехать еле ползущий впереди «Фольксваген». — Ты обещал поснимать Новую Голландию для моей передачи...

— Да-да, — отозвался приятель таким тоном, как будто его мысли были заняты чем-то совсем другим.

— Эй! — окликнула его Маша, — Ливанский, ты здесь? Я тебе что, не вовремя звоню? У тебя там что — дама сердца?

— Единственная моя дама сердца — это ты! Просто, Машка, я тут такое снял...

— Какое — такое? Высадку инопланетян?

— Я тебе покажу... то есть снимал-то я обычный материал, но сейчас стал его просматривать и нашел...

Машу подрезал какой-то наглый «Опель», она выругалась, вывернула руль и сквозь зубы проговорила:

— Ливанский, я тебе позже перезвоню!

Александр Николаевич Лютостанский больше тридцати лет работал в Эрмитаже, и уже пятнадцать лет он был главным хранителем отдела итальянского искусства. И за все эти пятнадцать лет ни разу он не нарушил собственного неписаного правила. Каждое утро он приходил за полчаса до открытия и обходил свои сокровища. Прежде чем буйные толпы туристов заполнят эти залы, прежде чем в них зазвучат голоса на двунадесяти языках, он хотел один на один встретиться с каждой картиной, поздороваться с ней, как с близким человеком.

Александр Николаевич с достоинством поклонился невозмутимой мадонне Симоне Мартини, улыбнулся, как добрым старым знакомым, святым на двух маленьких нарядных картинах Бартоломео Капорали, дружески кивнул святому Доминику работы Боттичелли. Но самая главная встреча ждала его впереди. Хотя он видел эту картину каждый день, но до сих пор волновался перед встречей с ней, как юноша перед первым свиданием.

Толкнув высокие двери с бронзовым орнаментом, Александр Николаевич пересек просторный светлый зал... и замер, как громом пораженный.

Ничего более чудовищного он не мог себе представить. Такое не могло привидеться почтенному хранителю даже в ночном кошмаре.

Картина была на своем месте. По-прежнему голубело за полукруглыми окнами полуденное итальянское небо, по-прежнему пробегали по нему невесомые облака и темнели вершины невысоких холмов. Нежное лицо Мадонны, озаренное мягким, глубоким светом, как всегда, было любовно склонено к младенцу.

К младенцу?

То, что было на руках Мадонны, не поддавалось описанию. Это было слишком страшно, чтобы быть правдой. Слишком страшно, чтобы этому нашлось место в нашем мире. Александр Николаевич словно заглянул в ад.

Он закричал и попятился.

Закрыв глаза руками, медленно сосчитал до десяти, пытаясь успокоиться, взять себя в руки. Этого не может быть, просто не может быть... Наверное, ему почудилось то, что держала на своих руках Мадонна. Наверное, он болен... или переутомлен... или это просто странная игра света...

Хранитель отвел ладони от лица, осторожно, пугливо открыл глаза...

Ничего не изменилось. Перед ним было все то же адское видение.

За спиной хранителя послышались торопливые шаги.

– Кто-то кричал? – озабоченно спросила старая служительница. – Вам плохо, Александр Николаевич?

– По... посмотрите, Вера Львовна, – хранитель вытянул руку в направлении картины. – Кажется, я схожу с ума...

Старушка надела очки, приблизилась и посмотрела на картину.

В следующую секунду она беззвучно упала в обморок.

Александр Николаевич и сам испытывал сильнейшее желание упасть в обморок. Это могло на какое-то время заслонить его от кошмара. Но он не мог себе позволить такой безответственности. Он должен был принимать решения, и делать это нужно было очень быстро. Ведь совсем скоро музей откроется, сюда хлынут посетители и увидят *это*... такого хранитель никак не мог допустить.

В первую очередь он достал из связки нужный ключ и запер высокие резные двери. Затем он похлопал бесчувственную служительницу по щекам, а когда она зашевелилась и застонала, встал так, чтобы загородить от нее картину.

– Что... что случилось? – спросила женщина слабым, дрожащим голосом.

– Вам стало плохо, – проговорил хранитель с нажимом. – Поезжайте домой, Вера Львовна, полежите. Вам засчитают сегодняшнее дежурство. Только очень вас прошу – ни с кем не обсуждайте того, что вам... привиделось.

Он помог женщине подняться и проводил ее до второй двери зала, при этом стараясь держаться так, чтобы закрывать от нее стенд с картиной.

– И по дороге зайдите к Евгению Ивановичу, попросите, чтобы он пришел сюда.

Евгений Иванович Легов был начальником службы безопасности музея. Именно о нем Лютостанский подумал в первую же минуту, когда прошло потрясение от увиденного. Конечно, никакой милиции. Только собственными силами можно разбираться в происшествии. Милиция сразу же распустит слухи о сенсационном событии, набегут журналисты, шум поднимется на весь мир... а отвечать за все придется ему, главному хранителю!

Впрочем, отвечать ему придется в любом случае.

Ведь это едва ли не главное сокровище Эрмитажа, одно из десяти сохранившихся во всем мире полотен Леонардо да Винчи, знаменитая «Мадонна Литта»! И это сокровище находилось в его отделе, значит – он отвечает за все, что с ним произошло.

– Что у вас произошло? – вместо приветствия раздраженно спросил хранителя невысокий плотный человечек с круглой лысой головой, жизнерадостным румянцем на круглых щеках и маленькими детскими ручками.

Лютостанский не обиделся. Не в его положении обижаться. Он молча подвел Легова к стенду с картиной и показал на нее.

– Что… – начал Евгений Иванович, по профессиональной привычке осмотрев в первую очередь крепления стенда и стекло и увидев, что они в порядке. Но затем он перевел взгляд на картину, и румянец сбежал с его лица.

– Что это? – тихо спросил он, не сводя взгляда с картины.

– Если бы я знал… – очень тихо ответил ему Лютостанский.

Он тоже пристально смотрел на холст, и с каждой секундой в его душе крепло убеждение: перед ним был подлинник. Конечно, нужно вынуть картину из стенда, тщательно исследовать ее в лабораторных условиях, но он своим безошибочным чутьем профессионала, специалиста, всю жизнь отдавшего изучению и сохранению старинной живописи, чувствовал, что на стенде – не копия, не жалкая подделка, а подлинник, настоящее произведение искусства. Больше того, он мог поклясться, что это – творение великого Леонардо.

– Если бы я знал… – повторил он почти беззвучно.

Безобидная внешность Евгения Ивановича Легова не могла обмануть тех, кто его хорошо знал. Это был настоящий профессионал, мастер своего дела, жесткий и решительный. Полковник ФСБ, он на новой работе не утратил связей с этой организацией, что очень часто помогало ему в сложных и щекотливых ситуациях. Впрочем, не только ему, но и руководству Эрмитажа.

Через десять минут в зале Леонардо работали трое наиболее доверенных специалистов. Они проверяли контуры сигнализации, искали отпечатки пальцев на стенде и на стекле. И вся эта работа была безрезультатной. Казалось, что в зале побывал призрак.

Закончив осмотр стенда, Легов открыл его и достал картину.

Лютостанский, до этой минуты молча стоявший в стороне, быстро подошел к Евгению Ивановичу и протянул руки:

– Отдайте это мне.

– Это вещественное доказательство, – сухо проговорил Легов.

– Это картина, – твердо ответил хранитель. – Мы обследуем ее в своей лаборатории и сообщим вам все, что удастся выяснить.

– Наша лаборатория лучше технически оснащена! – попробовал возразить Евгений Иванович.

– Зато у нас – специалисты более высокого класса.

Хотя Легов мог настоять на своем, воспользоваться правами, которые давала ему должность, однако он внимательно посмотрел в глаза хранителя и отдал ему картину.

Лютостанский бережно взял ее в руки и почувствовал, что первое впечатление не обмануло его. Тот же холст, те же краски, тот же неповторимый мазок… это был подлинник. А самое главное – при коснувшись к картине, Александр Николаевич почувствовал знакомое покалывание в кончиках пальцев. Такое он испытывал, только прикасаясь к подлинным шедеврам.

— Слушай, легче второго пришествия дождаться, чем тебя! — Маша раздраженно выглядывала из машины, — договаривались же на десять! А сейчас уже одиннадцать скоро!

— Маня, ты вьешь из меня веревки! — картинно вздохнул Михаил. — Если бы кто-нибудь раньше, до знакомства с тобой, сказал мне, что найдется такая женщина, которая сумеет вытащить меня из постели раньше двух часов дня, я бы плюнул ему в лицо! Но вот, ты есть… Только ради твоих прекрасных зеленых глаз я встал сегодня в такую рань…

Маша хотела обругать его, но поглядела на забавную Мишкину фигуру и рассмеялась. Мишка, старинный приятель, удивительно походил на Винни-Пуха. Круглая голова без шеи покоилась прямо на плечах, при ходьбе Мишка пытался горделиво выпятить грудь, плавно переходящую во внушительное брюшко. Все это держалось на коротких ножках. Джинсы у Мишки вечно норовили сползти до неприличия, и он поддерживал их голубыми подтяжками. Вдобавок сегодня по случаю жаркой погоды на нем была панама в наивных голубых цветочках, что довершало сходство с плюшевым медведем.

— Куда едем? — Мишка взгромоздился на заднее сиденье машины и снял панаму. — Чего снимать будем?

— Новую Голландию, — бросила Маша, внимательно глядя в зеркало заднего вида.

— Ну, Маня, ну ты меня просто удивляешь… — огорчился Мишка. — Ну что ты еще надумала? Да про Новую Голландию только ленивый репортажа не сделал! Особенно после пожара!

Новая Голландия – остров в историческом центре города, омываемый рекой Мойкой и двумя каналами – Крюковым и Адмиралтейским. По преданиям, этот остров был любимым местом отдыха царя Петра Первого. Позже остров отдали Адмиралтейству. Там были устроены склады корабельного леса, а потом – разных военно-морских принадлежностей. Со временем склады стали не нужны, а поскольку подобраться к острову можно было лишь водным путем, то остров понемногу приходил в запустение. Но, будучи подвластен военному ведомству, по-прежнему тщательно охранялся. До тех пор, пока город не решил, что грех пропадать такому красивому уголку в центре, и не попросил вежливо военных оттуда. Военные уступили с большой неохотой – никто не любит отдавать даром то, что тебе принадлежало очень давно. Даже если это что-то тебе совершенно не нужно. Тем не менее, повинуясь приказу свыше, стали освобождать склады и вывозить имущество, а что не вывозится, то сжигали. Минувшей зимой и вспыхнул сильный пожар. Не то кто-то нарочно поджег, а скорее всего случайный человек бросил окурок, а военные охранять вверенный объект уже перестали.

Все это Маша прекрасно знала, и Мишка совершенно прав, потому что писали в свое время о Новой Голландии много и снимали тоже.

– У меня совершенно новая идея! – заявила Маша. – Так что поторапливайся, а то начнешь потом ныть, что освещение не то…

– Просто не женщина, а генератор идей, – ворчал Мишка, когда они остановились на набережной Мойки.

Пожар не тронул великолепных пропорций огромных ворот из темно-красного старого кирпича. Пока Михаил устанавливал камеру, Маша отошла в сторону и закурила. Не нужно лезть к Мишке с неквалифицированными советами, он отличный мастер своего дела, это все признают.

— Гонорар беру только натурой! — заявил Мишка, собирая свою аппаратуру.

Это значило, что его непременно нужно накормить обедом. Они нашли кафе неподалеку, где стояли столики прямо на улице и можно было видеть реку.

— Так что ты вчера откопал там, в Эрмитаже? — вспомнила Маша за едой.

Мишка в это время в упоении оглядывал огромную свиную отбивную на тарелке, держа в руках стакан с пивом.

— Да, одна удивительная вещь! — откликнулся он. — Но я тебе не скажу, чтобы не портить впечатление. Я тебе один кадр по почте послал, вечерком мне позвони, хочу узнать, что ты об этом думаешь… Может быть, у тебя возникнет очередная гениальная идея…

Маша вспомнила, что у нее сломан компьютер и что она не получает сейчас электронную почту, но предпочла промолчать, чтобы Мишка не ругался.

Мишка настроился посидеть в кафе со вкусом, у нее же были неотложные дела, поэтому они мило распростились, договорившись созвониться.

Мобильный, как всегда, истошно завизжал на трудном перекрестке.

— Машка! — орал ее непосредственный начальник Виталий Борисович. — Ты где находишься? Немедленно езжай в Эрмитаж, у них там что-то случилось, зал с мадоннами Леонардо закрыт! Вроде говорят — трубы лопнули!

— Ну и что? — по инерции спросила Маша.

— Как это — что? — удивился начальник. — Наша передача как называется? «Новости культуры». Шутка ли сказать — две мадонны самого Леонардо! А вдруг мировые шедевры повреждены? Езжай и не спорь, оттуда мне позвонишь!

— Скажите, какие новости, — ворчала Маша вполголоса, стараясь вписаться между задрипанной «Газелью» и синей «Тойотой», — подумаешь, культурное событие — в Эрмитаже трубы лопнули! Да если каждую аварию в передачах освещать, то мы все в сантехников превратимся! Или в электриков...

Виталий Борисович конечно перестраховщик. Но что делать, с начальством спорить — себе дороже, это все знают...

Водитель «Газели» крикнул вслед что-то обидное, но Маша сделала вид, что не поняла. Настроение у нее было плохое. Снова начальник использует ее для всяких мелких заданий, как будто она девочка на побегушках. Обещал же дать ей свой собственный раздел в передаче. У Маши была такая замечательная идея — сделать нечто вроде трехминутного клипа либо на стихи, либо на классическую музыку... В качестве иллюстрации снимать город, его улицы, дворцы, музеи, фонтаны, решетки... Иногда людей, только не очень много. Хорошо, что не рассказала об этом Мишке. Он-то бы конечно понял, но вот, судя по всему, работа опять срывается. Вечно начальник затыкает ею все дыры!

Маша оставила машину в переулке и перебежала Дворцовую площадь. Через весь двор тянулся внушительный хвост из посетителей. Еще бы — лето, самое время для туристов. Жители города редко ходят в Эрмитаж, как впрочем и французы — в Лувр, разве что сопровождают приехавших родственников и знакомых.

Маша вихрем промчалась мимо очереди, смешалась с толпой входящих и показала охраннику свое удостоверение. Парень окинул притворно-равнодушным взглядом стройную молодую женщину в белых брюках и зеленой маечке, под цвет глаз. Маша улыбнулась ему открыто и дружелюбно. Взгляд охранника потеплел, но Маша уже проскочила магнитный контур и схватила свою сумочку. Радуясь, что сегодня на ней босоножки на платформе, а не на высоких цокающих каблуках, Маша устремилась к главной лестнице. Мама рассказывала, что когда-то давно служительницы коршунами набрасывались на женщин в туфлях с каблуками-«гвоздиками» и заставляли надевать специальные войлочные тапочки, чтобы не портить бесценный паркет. Потом это прошло, но до сих пор еще служительницы, кто постарше, смотрели волком, услышав стук каблуков по паркету.

Поднявшись на второй этаж, туристы шли прямо, разглядывая помпезный Фельдмаршальский зал и громко удивляясь. Маша пролетела его, не поворачивая головы, свернула в темную Шпалерную галерею, где действительно все стены были увешаны ткаными шпалерами, прошла Павильонный зал, где толпа осаждала часы «Павлин». В детстве, когда мама водила в Эрмитаж, это был ее любимый зал, хотя часы тогда не работали. Все равно ужасно интересно было рассматривать механического павлина, и сову, и грибочки...

Сейчас Маша даже не взглянула в ту сторону, она торопилась. Миновав лестницу, она вошла в первый из залов итальянского искусства эпохи Возрождения. Все было как обычно, только посетителей больше, чем в другие дни. Маша немного умерила шаг, чтобы не обращать на себя внимания, и двигалась теперь в общем потоке. Идти было неудобно, потому что навстречу стремился почти такой же поток. Вот наконец последний зал, Маша еще с порога увидела, что двери в зал Леонардо закрыты. Люди растерянно топтались рядом, некоторые возмущенно гудели. У закрытой двери стояла монументальная дама, немолодая, но крепкая с виду и вещала звучным контральто:

— Граждане! Зал Леонардо да Винчи закрыт по техническим причинам! Просьба не скапливаться у дверей!

— А когда откроют? — раздавались выкрики.

— Сегодня точно не откроют! — отрубила дама.

— Да что там случилось-то?

Маша, которая стояла близко, увидела, что у служительницы в глазах мелькнула некоторая растерянность.

— Сказано — по техническим причинам! — Она решительно тряхнула завитыми волосами. — Мало ли что может быть!

— Безобразие! — заявила мамаша с толстым ребенком непонятного пола. — Такие деньги берут за вход…

«Так-так, — подумала Маша, незаметно пятясь, чтобы выбраться из толпы, — эта тетя у входа сама не знает, что там стряслось. Если бы трубы лопнули, ей бы уж сказали…»

Она вернулась назад, свернула в боковые залы и прошла параллельно, мимо залов Джорджоне и Тициана. Вот она, кающаяся Мария Магдалина. Глаза подняты к небу, руки прижаты к сердцу, губы шевелятся, вроде молится.

«Не верю, — подумала Маша мимоходом, — то есть настоящая Мария Магдалина, может, и раскаялась, да только эта натурщица у Тициана явно думает не о том, и губы не молитву шепчут… Впрочем, сейчас меня не это волнует…»

Она пробежала залы, боковой вход в зал Леонардо был тоже закрыт. Но он, кажется, всегда заперт. Маша, не останавливаясь, прошла дальше мимо лестницы, повернула налево, потом направо. Вот он, зал учеников Леонардо, который с другой стороны граничит с залом великого мастера. Этот зал открыт, только посетителей поменьше — просто не все знают, что можно попасть сюда с другой стороны. Маша скользнула взглядом по картинам, прочла имена художников, которые ей ничего не говорили, – Франческо Мельци, Чезаре да Сэсто… Картина этого Чезаре ей не понравилась. Ребенок противно улыбается и сбоку выглядывает злобный старик.

У запертых дверей, ведущих в зал Леонардо, никто не стоял, просто висела табличка, в которой у уважаемых посетителей администрация музея просила извинения из-за того, что зал закрыт опять-таки по техническим причинам.

«И что я скажу Виталию Борисычу? – приуныла Маша. – Что везде поцеловала замок и пришлось уйти? Самое интересное – что он скажет мне в ответ. Хотя это я и так знаю».

Начальник вечно твердит им, что для репортера нет ничего невозможного и не может быть никаких преград.

«Что значит – люди не хотят говорить? А ты спроси получше, найди верный подход, где-то подслушай, где-то подсмотри. Нам деньги платят за то, что мы даем людям информацию!»

Маша в задумчивости вернулась к боковой двери, той, которая всегда закрыта. Посетителей в этом зале было мало, служительница тихо сидела в углу и, кажется, дремала с открытыми глазами. Маша поболталась немного у двери, и ее ожидание было вознаграждено. Дверь неожиданно открылась, оттуда вышла группа людей.

Первым, настороженно озираясь, выбрался небольшого роста человечек с круглой лысой головой и маленькими детскими ручками. Выглядел он совершенно безобидно, пока Маша не столкнулась с ним взглядом. Эти глаза, несомненно, принадлежали человеку жесткому и твердо знающему, чего он хочет. Дальше из зала вышел высокий плечистый парень в форме охранника. В руке он держал переговорное устройство, а карман его оттопыривался самым недвусмысленным образом. В нем явно просматривался пистолет. Парень вполголоса бубнил что-то в переговорник. Следом из двери вышли еще два охранника, которые несли плоский деревянный ящик. Ящик был небольшой и, судя по всему, нетяжелый, но охранники несли его так бережно, что ребенок сообразил бы, что там находится картина.

Маша мысленно сделала стойку, как охотничья собака.

Самым последним вышел немолодой человек с аккуратной профессорской бородкой. Он хотел запереть двери, но тот плотный и маленький, что выскочил первым, вырвал у него ключи и сделал это сам. Маша успела заглянуть через его плечо в зал и увидела, что, в общем-то там ничего не изменилось. Нет никакой воды на полу, нет оголенных проводов… Картину явно эвакуировали. Но почему одну? Да потому, что именно с ней, с одной из мадонн, что-то случилось, поняла Маша. И никакие трубы тут ни при чем.

Процессия двинулась налево, через зал, где выставлено венецианское стекло. Все двигались в полном молчании, только первый охранник все еще напряженно говорил что-то в переговорник. Маша снова столкнулась взглядом с тем полноватым и лысым, кто явно был в процессии главным. Он так зыркнул, что ей захотелось немедленно очутиться где-нибудь в другом месте. Однако она не могла себе этого позволить. В Эрмитаже творилось что-то из ряда вон выходящее, это Маша теперь знала точно. Она чувствовала это своим репортерским носом. Вынесли одну картину, вторая осталась в зале. Вот интересно, с которой из двух мадонн приключилось что-то плохое? Мадонна Бенуа, там, где молодая женщина держит на коленях крупного лысого младенца и играет с ним, улыбаясь? Маше с детства больше нравилась другая Мадонна – та, что кормит своего сына грудью. Кудрявый золотоволосый младенец, чуть отвернувшись от матери, серьезно смотрит с картины на людей. Ребенок на этой картине очаровательный, и краски такие яркие, сочные...

Краем глаза наблюдая за процессией, Маша заметила, что они пересекли фойе и скрылись за дверью, где было написано «служебное помещение».

– Александр Николаевич! – окликнула озабоченная служительница пожилого мужчину с бородкой клинышком, который шел последним. – А как же...

– Потом, все потом! – отмахнулся он, причем Маша заметила, что лицо его было совершенно опустошенным, опрокинутым, как будто с его близкими случилось несчастье, да такое страшное и неожиданное, что человек и осознать-то его толком не может, к мысли этой никак не привыкнет.

– А кто это – Александр Николаевич? – вполголоса спросила Маша служительницу.

– Лютостанский, хранитель отдела итальянского искусства, – ответила та, находясь в прострации.

– А вот этот – такой полноватый дядечка с лысиной? – не отставала Маша.

– А что это вы все спрашиваете? – очнулась от тяжких дум музейная дама и поглядела неприветливо.

– А почему зал закрыт? Это ведь картину сейчас понесли? Которую? – напирала Маша.

– И сама не знаю, – пригорюнилась старушка, и Маша поняла, что ничего она больше не узнает. Служебная дверь, как она и думала, оказалась заперта.

«Ой-ой-ой, – подумала Маша, – не повторился ли, не дай бог, случай с "Данаей" Рембрандта? Тогда понятно, отчего этот хранитель выглядит так, как будто у него внезапно умерли все близкие родственники и любимая собака впридачу...»

Это случилось в 1985 году. Маша была тогда первоклассницей, так что хорошо помнила, как всколыхнулся весь город после ужасной истории с картиной. Какой-то ненормальный, кажется, литовец по фамилии Майгис, вылил на шедевр Рембрандта едва ли не литр соляной кислоты. Думали, что картина погибнет, но реставраторам удалось все же ее спасти. Реставрация продолжалась почти двадцать лет, и только совсем недавно возрожденную «Данаю» вернули в Эрмитаж. Майгиса долгое время держали в сумасшедшем доме. Рассказывали, что многим неуравновешенным типам не дает покоя комплекс Герострата. Так, в 1913 году какой-то псих изрезал ножом картину Репина «Иван Грозный убивает своего сына», и реставраторы до сих пор пытаются устранить повреждения.

Однако, такого не может быть, опомнилась Маша. «Даная» — большая картина, доступ к ней был открыт. А мадонны Леонардо закрыты прочным стеклом.

В расстроенных чувствах Маша спустилась на первый этаж. Похоже, что сегодня у нее неудачный день. Тут ее обогнали две музейные дамы, одну Машу узнала сразу. Это была та самая, что стояла у входа в зал Леонардо и отгоняла посетителей.

— Вы только подумайте! — возмущалась дама звучным контральто. — Вы только послушайте! У меня законный выходной, и вдруг звонит утром сам Лютостанкий и говорит, мол, Аглая Степановна, срочно выходите на работу! На вас вся надежда! Я — что случилось, что за пожар? Не пожар, говорит, а хуже, пожар потушить можно, а с этим уж и не знаю, что делать. Я говорю — сегодня же Птицына дежурит в зале Леонардо. А он мне — Вере, говорит, Львовне внезапно стало плохо, я ее отпустил, так что будьте любезны… Пользуется тем, что я близко живу! И тем, что характер у меня безотказный!

— Ужас! — поддакнула сослуживица.

Дамы скрылись за дверью туалета, а Маша вышла на улицу и повернула на набережную. У нее созрел план.

Стало быть, служительнице Вере Львовне Птицыной внезапно стало плохо. Отчего? Да оттого, что она увидела, что случилось с одной из картин. Если бы не видела, не заболела бы. Не зря говорят, что все болезни от стресса. Стало быть, у нее можно узнать, что же там случилось. Нужно только выяснить адрес старушки. Но с этим проблем не будет. Тут Маша в своей стихии. Недаром даже Виталий Борисыч признает, что в таких случаях с Машей трудно тягаться.

Маша быстро добежала до служебного входа. Там висела большая доска с объявлениями. Государственному Эрмитажу, как и всякой большой конторе, срочно требовались уборщицы, ночные дежурные, электрики, слесарь-сантехник и дворник на неполный рабочий день. Ниже было написано, чтобы желающие обращались в отдел кадров по такому-то телефону.

Маша аккуратно списала номер и побежала к своей машине. Там она набрала номер отдела кадров и представилась работником налоговой инспекции. Ей срочно требовались координаты сотрудницы Птицыной В. Л., потому что у нее в налоговой декларации за прошедший год был непорядок. Не прошло и пяти минут, как адрес ей дали. Вера Львовна жила рядом, на Миллионной. Маша решила не звонить, а прямо нагрянуть домой. Вряд ли Вера Львовна проговорится по телефону, а при встрече, вполне возможно, Маше удастся из нее кое-что вытянуть.

Объехав площадь стороной, она остановила машину на Миллионной. Нужный дом находился почти напротив знаменитых атлантов. Полюбовавшись на мускулистых гигантов из черного камня, поддерживающих своды Нового Эрмитажа, Маша свернула в подворотню. Красота тут же кончилась. Перед Машей был обычный, до предела запущенный петербургский двор. Она поднялась по выщербленным ступеням и нажала кнопку одного из звонков нужной квартиры. Разумеется, Вера Львовна жила в коммуналке. Открыл Маше мальчик лет десяти и махнул рукой куда-то влево — дома, дескать, стучите громче.

Маша постучала и осторожно повернула ручку, поскольку никто не отозвался. Комната была большая и светлая, с высокими потолками и красивым полукруглым окном. На широком подоконнике теснились комнатные цветы. В остальном обстановка была бедноватая. Но чисто и нет особого хлама.

— Вера Львовна! — окликнула Маша, не найдя хозяйки в обозримом пространстве. — Вы дома?

В ответ раздался приглушенный стон. Маша огляделась и обнаружила в углу старую шелковую ширму. Когда-то на ней были вышиты райские птицы и диковинные цветы, теперь же все просматривалось с трудом. За ширмой была спрятана кровать с никелированными шарами. На кровати прямо поверх кружевного покрывала лежала маленькая старушка. Пахло лекарствами.

Почувствовав рядом чужого человека, старушка пошевелилась и открыла воспаленные глаза.

— Вера Львовна, вы меня слышите? — наклонилась к ней Маша. — Что с вами случилось? Вам плохо?

Впрочем, и так было ясно, что старухе плохо. Волосы ее в беспорядке были разбросаны по подушке, щеки пылали.

— Монстр… — бормотала она. — Ужасный монстр… чудовище…

«Бредит», — поняла Маша.

— Вера Львовна, очнитесь! — Она осмелилась потрясти старуху за плечо, потом обтерла покрытое испариной лицо тут же валявшимся полотенцем. Старуха шире открыла глаза, в них появилось осознанное выражение.

— Там пузырек... — прошелестела она, — тридцать капель...

Маша нашла на тумбочке пузырек и накапала лекарство. Вера Львовна выпила и немного пришла в себя.

— Вы кто? — спросила она вполне нормальным голосом.

— Я из собеса, — брякнула Маша, чувствуя себя последней скотиной.

Никак не отреагировав на Машину ложь, старуха откинулась на подушки и прикрыла глаза.

— Что произошло сегодня утром в Эрмитаже? — едва слышно спросила Маша.

Она сильно трусила. Нужно было вызывать старухе врача и срочно уносить ноги из квартиры. А то как бы соседи милицию не вызвали. А вдруг бабушка при смерти? Но какой-то чертик внутри Маши подсказывал, что сейчас ей повезет.

— Ужасно... — неожиданно проговорила старуха, не открывая глаз. — Что теперь будет? Неужели Мадонна погибла?

— Какая Мадонна? — не удержалась Маша. — Которая?

— «Мадонна Литта»... Чудовище... Монстр... — старуха снова впала в беспамятство.

В коридоре Маша встретила женщину с хозяйственной сумкой, как видно, та вернулась из магазина.

— Вы что тут делаете? — вытаращила глаза женщина.

— Что ж это такое, вы бы хоть изредка соседку проведывали, — строго сказала Маша, — человеку плохо, а вы и в ус не дуете! «Скорую» вызывать нужно!

Женщина охнула и опрометью бросилась в комнату Веры Львовны.

В машине Маша подвела итоги. С картиной случилось что-то ужасное, иначе Вера Львовна не впала бы в такое состояние. Очевидно, у нее психологический шок. Случилось это именно с «Мадонной Литта», это ее так аккуратно выносили охранники. Куда же ее понесли? Очевидно в лабораторию, к экспертам, чтобы исследовать там с помощью специальной аппаратуры.

Тут возможны два варианта: либо картину исследуют прямо в Эрмитаже, своими силами, либо повезут куда-нибудь. Но зоркие Машины глаза успели заметить, что возле картины была только охрана музея, а не милиция. Милиции вообще не было в обозримом пространстве. И эта упорная скрытность – «по техническим причинам». Не хотят выносить сор из избы, стараются справиться своими силами. Стало быть, и экспертов возьмут своих.

Маша еще не успела додумать до конца эту мысль, а рука уже сама нажимала кнопки мобильного телефона. Вот она, записная книжка.

Не так давно, прошлой осенью, в Манеже проходила выставка работ российских реставраторов. И кто-то из их отдела ее освещал. Угу, Светка Воробьева, она еще жаловалась, что пришлось несколько дней толкаться в Манеже и вникать в специальные реставраторские проблемы. Зато репортаж получился у нее отличный, Маша даже сейчас почувствовала легкий укол профессиональной зависти.

Светка ответила быстро и продиктовала Маше три фамилии самых известных в городе реставраторов – Старыгин, Половцев и Вейсберг. Все трое числились в Эрмитаже.

Однако все равно пришлось ехать в отдел за «Желтыми страницами», потом Маша долго висела на телефоне, пытаясь найти нужных людей. И наконец получила вполне исчерпывающие сведения, что Половцев Виктор Сергеевич находится в отпуске,

Вейсберг Павел Фридрихович уже полгода в творческой командировке в Германии, в Дюссельдорфе, а Дмитрий Алексеевич Старыгин в принципе здесь, но подойти не может, потому что очень занят.

«Точно, это ему поручили разобраться с картиной», – сообразила Маша.

А потом ее закрутила текучка, и Старыгина она так и не поймала.

– Завтра заедешь за мной в половине девятого.

Плотный представительный мужчина захлопнул дверцу машины и шагнул к подъезду. Мотор «Мерседеса» тихо рыкнул, и машина скрылась за поворотом.

И в ту же секунду из глубокой тени возле подъезда показалась необыкновенно худая и высокая фигура.

Сердце бизнесмена тревожно забилось.

Неужели это именно то, чего он так боялся, в то же время легкомысленно думая, что уж с ним-то такое не произойдет? Неужели сейчас его убьют – по заказу конкурентов или просто из-за содержимого бумажника? Почему он не попросил шофера подождать, пока откроют дверь подъезда!

Рука сама потянулась к внутреннему карману, в котором лежал пистолет.

Но из темноты донесся холодный, безжизненный голос:

– Жизнь нашу создаем мы смертью других.

Бизнесмен вздрогнул и ответил:

– В мертвой вещи остается бессознательная жизнь.

Это было совсем не то, что он подумал. Впрочем, может быть, в глубине души он боялся этой встречи еще больше.

Он расстегнул манжет рубашки и закатал рукав, освободив запястье, на котором стала видна удивительная татуировка: маленькая ящерица с человеческими глазами, чудовище, уютно свернувшееся, как ребенок на руках матери.

И человек, вышедший из темноты, точно так же закатал рукав, обнажив точно такой же рисунок.

– Здравствуй, брат!

Двое людей соприкоснулись запястьями, так что чудовища на их коже на мгновение прижались друг к другу.

– Каждая часть хочет быть в своем целом!

Закончив этой ритуальной фразой церемонию, незнакомец понизил голос и проговорил:

– Мне нужен кров и новые документы.

– Нет проблем.

– Я не один.

Бизнесмен удивленно огляделся: никого больше поблизости не было. Тогда незнакомец вынул из-под полы темный сверток.

– Это именно то, что я думаю? – Во рту бизнесмена стало сухо и горько от волнения.

– Да, это Образ.

Луна вышла из-за облаков, на мгновение осветив лицо, узкое и худое, как профиль на стертой от времени старинной монете.

Рано утром Машу осенило. Нужно ехать к этому реставратору домой, причем как можно раньше, пока он не ушел на работу. Там, в служебном кабинете, он ей ничего не скажет, а если огорошить его дома… Из базы данных она знала уже, что Дмитрий Алексеевич Старыгин живет один. И это очень хорошо, им никто не помешает.

Стоя перед шкафом, Маша ненадолго задумалась, что бы такое надеть. Короткую юбку нельзя – это может сразу же оттолкнуть старичка. То есть некоторые, конечно, как раз от этого балдеют, но этот Старыгин, видно, не такой – серьезный человек, Светка

Воробьева говорила – очень талантливый и востребованный реставратор.

Так, джинсы тоже несолидно. В конце концов, выглянув в окно, Маша остановилась на зеленом брючном костюме. Жакет имел весьма смелый вырез, так что пришлось замаскировать его кулоном.

Перед выходом Маша тронула губы неяркой помадой и сказала сама себе в зеркало:

– Я – самая умная и талантливая. Я сделаю множество интересных передач, стану знаменитой. Сейчас я встречусь со Старыгиным и вытащу из него всю информацию.

Обретя таким образом уверенность в себе, Маша поехала по указанному адресу.

Когда она позвонила в квартиру Старыгина, часы показывали восемь утра. Маша вообще была ранняя пташка.

– Кто здесь? – раздался из-за двери недовольный, заспанный голос.

– Откройте, Дмитрий Алексеевич! – проговорила Маша. – Я к вам из Эрмитажа…

– От кого? – буркнул голос.

– От Александра Николаевича Лютостанского! – не моргнув глазом, соврала Маша.

Недаром вчера выяснила фамилию хранителя у служительницы. Шеф Виталий Борисович учил их, что лишняя информация никогда не помешает. Вот и пригодилась!

Ее ложь сработала, засовы заскрежетали, дверь открылась. На пороге появился неопрятный пожилой человек в мешковатом свитере и растянутых на коленях спортивных штанах.

– Ну что еще такое! – простонал он, щурясь от света. – Я же сказал вашему Лютостанскому… можно дать человеку выспаться!

– Вы так и будете держать меня на пороге? – Маша протиснулась мимо него в темную прихожую. — Вообще-то Лютостанский не мой, он скорее ваш… Я — корреспондент канала «Твой город»…

— Ах, значит, корреспондент! — Мужчина мгновенно разъярился и двинулся на Машу с самым угрожающим видом. — А ну, прочь из моего дома! Только корреспондентов мне не хватало! Врать еще, понимаешь, вздумала!

— Я не врала! — вскрикнула Маша, ловко увернувшись. — Мы друг друга не поняли! Я действительно была вчера в Эрмитаже, там мне дали ваш адрес!

— Шустрая какая! Снова все врешь! — возмущенно пропыхтел хозяин, безуспешно пытаясь поймать Машу и вытолкать ее из квартиры. — Эрмитаж не справочное бюро, адресов своих сотрудников не дает! А ну, выметайся!

— Вы всегда так обращаетесь с женщинами? — Маша снова отскочила в сторону, ушиблась об какую-то скамейку и скривилась от боли. — Да уйду, уйду я! Старый зануда!

Последние слова она добавила шепотом, но хозяин квартиры их расслышал и возмущенно выкрикнул:

— А ты — юная интриганка! Судя по замашкам, далеко пойдешь! Ты что — сломала петровскую скамью?

С этими словами он щелкнул выключателем.

Прихожую залил свет нескольких бронзовых бра, и Маша замерла в удивлении. Помещение было заставлено старинными креслами, скамьями, резными шкафами, как склад антикварного салона. Из угла выглядывала бронзовая статуя необыкновенной красоты. По стенам висели картины и гравюры. Маша не слишком хорошо разбиралась в таких вещах, но все это производило впечатление подлинности и одновременно избыточности. Всего было слишком много, казалось, что в этом доме практически не осталось места для людей, даже для одного человека.

– Сейчас… уйду… – повторила Маша, справившись с растерянностью, и только тогда заметила, что хозяин дома застыл с каким-то странным выражением на лице. Кстати, при ярком свете она заметила, что он не так стар, как ей показалось в первый момент. Может быть, ему только немного за сорок. Правда, в коротко остриженных волосах густо пробивалась седина, но она его не слишком портила.

– Ничего вашей скамейке не сделалось, – проговорила девушка, демонстративно потирая лодыжку.

– Откуда это у вас? – Мужчина протянул к Маше руку. Она невольно попятилась.

– Что… о чем вы?

– Вот это! – Он догнал ее, мрачно сверкнув глазами, и по-хозяйски взял в руку кулон, висевший на цепочке.

– Что вы себе позволяете! – Маша вспыхнула и попыталась еще отступить, но натянувшаяся цепочка не пускала ее. – Что у вас за манеры – при первой встрече заглядывать женщине за вырез?

Однако тут же она поняла, что хозяин квартиры совершенно ее не слушает. Он уставился на кулон, а вовсе не на ее прелести.

– Давайте договоримся, – голос Дмитрия Алексеевича стал совершенно другим, из него пропало прежнее раздражение, вместо него теперь звучал неподдельный интерес. – Я отвечу на ваши вопросы, а вы расскажете мне, откуда у вас пентагондодека-эдр… ведь вы о чем-то хотели меня расспросить? Не просто так притащились в несусветную рань и подняли меня с постели?

– Пента… что? – растерянно переспросила Маша.

– Вот эта штука называется пентагондодека-эдр, – мужчина все еще сжимал кулон в своей руке, и из-за этого Маша чувствовала себя, как собака на поводке.

— Ну что мы стоим в коридоре, — он наконец-то выпустил кулон. — Пойдемте, выпьем чаю.

«Похоже, товарищ со странностями, — подумала Маша, — говорит, что с постели его подняла, а сам в свитере. И кто же с утра пораньше чай пьет?»

Она уже хотела вежливо отказаться и уйти — слишком уж странным был этот человек, но ее остановил инстинкт репортера. Она чувствовала запах сенсации и не могла свернуть, как охотничья собака не может сойти со свежего следа.

— Сюда, проходите сюда! — Хозяин махнул ей в сторону открытой двери. — А я сейчас... Вы чай какой любите?

— Чай? — Маша задумалась. — А какой у вас есть?

— Любой, — в голосе хозяина прозвучала гордость. — Зеленый, жасминовый и простой, черный — десятка полтора сортов, красный, белый, желтый...

— Ну, давайте черный с бергамотом!

Хозяин скрылся в глубине квартиры, лавируя между своими антикварными табуретками, а Маша вошла в комнату.

Здесь было ничуть не свободнее, чем в прихожей. Все пространство было заполнено столиками, шкафчиками, креслами в разной степени разрушения, между ними стояли большие напольные вазы из китайского фарфора и какие-то предметы неизвестного назначения. С трудом найдя свободный диван относительно современного вида, застеленный пушистым оранжевым пледом, Маша попыталась сесть на него, но тут же вскочила, потому что плед под ней неожиданно шевельнулся и издал раздраженное шипение. В ужасе обернувшись, девушка увидела огромного рыжего кота, который открыл один глаз и смотрел на нее с явным неодобрением.

— Вы уже познакомились с Василием? — проговорил хозяин, появляясь в дверях с серебряным подносом. — Правда ведь, красавец? Один недостаток —

очень линяет, поэтому на всем – рыжая шерсть. Ну, я подобрал плед такого же оттенка...

Маша еще раз оглядела хозяина. Он успел переодеться в приличные брюки и домашнюю шелковую куртку, и выглядел теперь вполне респектабельно. И почему это он сперва показался ей неопрятным стариком?

– С Василием мы познакомились, – ответила она кокетливо, – а вот с вами... То есть, конечно, я знаю, что вас зовут Дмитрий Алексеевич, а меня – Маша. Я репортер телеканала...

– Бог с ним, с вашим каналом, – прервал ее хозяин, выставляя на низкий инкрустированный столик две чашки тонкого розового фарфора, такой же чайник, вазочку с печеньем и темным сахаром. – Вы лучше расскажите, откуда у вас эта вещь.

– Почему вас так заинтересовал этот кулон? – проговорила Маша. – Мне подарил его дедушка, отец моего отца. Я почти не помню его, родители давно развелись, и мы жили с мамой. Он приехал к нам совершенно неожиданно, мама тогда очень удивилась... Мне было лет пять, но я это хорошо помню. Он подарил мне этот кулон и что-то такое сказал про четыре семерки и про то, что эта вещь должна принести мне счастье. Я ничего не поняла и спрашивала потом у мамы, но она отмахнулась и ответила, что старик совершенно выжил из ума и лучше бы подарил что-нибудь нужное или хоть пару серебряных ложек, а не эту совершенно бесполезную вещь.

Маша отцепила кулон от цепочки и протянула его хозяину квартиры:

– Как вы это назвали?

Дмитрий Алексеевич бережно взял легкий светло-желтый шарик, составленный из двенадцати пятиугольников, некоторые из которых имели отверстия разной формы.

— Это — так называемый пентагондодекаэдр, самая загадочная вещь, попадавшая в руки археологов. Никто не знает, для чего он был предназначен. Их находили несколько раз в предгорьях Альп, но все известные — бронзовые, а ваш сделан из слоновой кости. Кто был ваш дедушка?

— Его фамилия была Магницкий, а больше я ничего не знаю... и не видела его с тех самых пор...

— Арсений Иванович Магницкий! — воскликнул мужчина. — Выдающийся специалист по античному искусству, таинственно погибший в восемьдесят втором году!

— В восемьдесят втором? — переспросила Маша. — Но как раз тогда он подарил мне эту вещь... А что значит — таинственно погибший? Что еще за тайны мадридского двора?

— Как-нибудь потом, — отмахнулся Дмитрий Алексеевич. — Почему вы не пьете чай?

— Бог с ним, с вашим чаем. — Маша поставила чашку на стол. — Вы обещали мне ответить на несколько вопросов.

— Какие вопросы? — Дмитрий Алексеевич принялся переставлять предметы на столике, пряча глаза от своей собеседницы. — Василий, ты слышал, чтобы я что-нибудь такое обещал?

Кот мурлыкнул, показывая всем своим видом, что он ничего подобного не слышал.

— Вот видите, Василий говорит, что не слышал...

— Прекратите! — Маша наклонилась вперед, пристально уставившись на реставратора. — И не вмешивайте сюда своего кота! У вас с ним явно был предварительный сговор! Вы обещали мне ответить — и будьте любезны держать слово!

— Ну что еще за вопросы?

— Что случилось с Мадонной Литта?

— Ничего не случилось. — Дмитрий Алексеевич снова спрятал глаза. — Кто вам сказал, что с ней что-то случилось? Висит себе в зале на радость толпам туристов...

– Вы не умеете врать. – Маша откинулась на спинку дивана и глубоко вздохнула. – И учиться этому вам уже поздно. Вас выдает ваше лицо.

Она сделала небольшую паузу и продолжила:

– Во-первых, со вчерашнего утра закрыт зал Леонардо.

– Трубы лопнули, – поспешно сообщил мужчина. – Вы же знаете, эти вечные проблемы с трубами...

– Ага, и по этому поводу туда согнали всю эрмитажную охрану, чуть ли не выставили у дверей часовых с автоматами!

– А что вы думаете? В зале находятся такие ценности...

– Я уже говорила – вы не умеете врать! Я видела, как картину унесли в служебное помещение...

– Ну да, ее готовят к выставке в Италии...

– Хватит юлить! Что с ней случилось? Что там за монстр?

– Монстр? – Старыгин побледнел. – Что вы об этом знаете? И откуда? Кто вам наболтал?

– Ага! – воскликнула Маша победно. – Попались! А ну, выкладывайте, что там такое!

– Маша, клянусь вам – я не могу. С меня взяли подписку о неразглашении...

– Если вы ничего мне не расскажете, я буду вынуждена использовать грязные методы. Я ведь журналистка, а про нас чего только не болтают! У нас ведь нет ни чести, ни совести. Я расскажу в своей передаче совершенный бред со ссылкой на вас, а вы потом сколько угодно оправдывайтесь перед своим начальством...

– Маша, если бы вы знали... – тихо проговорил Дмитрий Алексеевич, сцепив руки. – Никакой бред не сравнится с тем... Ладно, давайте договоримся так: вы будете молчать, по крайней мере пока, а я потом, позже, расскажу все вам, и только вам. Как это у вас называется – эксклюзивное интервью!

– Ну да, – недоверчиво покосилась на него Маша. – А как дойдет до дела, опять начнете юлить, призывать кота в свидетели...

– Я вам обещаю!

Маша хотела что-то возразить, но в это время тревожно зазвонил ее мобильный.

Звонила Светлана Воробьева.

– Машка! – проговорила она торопливым растерянным голосом. – Ты где сейчас?

– Да так... работаю...

– Приезжай скорее на студию!

– А что случилось?

– Мишку убили!

– Кого? – недоверчиво переспросила Маша. – Какого Мишку?

– Да Мишку же! Ливанского!

– Это что – такой прикол?

– О чем ты говоришь! Его убили, убили, ты понимаешь? Нам только сейчас сообщили, а я дежурю-ю... – похоже, Светка ревела.

Маша побледнела и уставилась в стену перед собой.

Мишка Ливанский, старый друг, вместе с которым она сделала столько репортажей, выпила столько кофе и пива, болтливый, прожорливый, веселый Мишка... Может быть, это его очередной розыгрыш? Но нет, на такое даже он не способен!

– Что случилось? – озабоченно спросил Старыгин. – На вас просто лица нет!

– Случилось? – переспросила Маша, уставившись на Дмитрия Алексеевича, как будто удивляясь, что он тут делает. – Да, случилось... Извините, я пойду... спасибо за чай... вот вам моя визитка, если вы все же захотите мне что-то рассказать...

Старыгин закрыл за гостьей дверь и облегченно вздохнул. Слава богу, она ничего из него не вытянула…

Тут же он почувствовал укол совести: у девушки случилось какое-то несчастье, только поэтому она неожиданно сорвалась и уехала. Девушка ему безумно интересна, то есть не она, а этот предмет, что она использует в качестве украшения. Нужно обязательно познакомиться с ней поближе, только потом, потому что в ближайшее время он будет очень занят.

Он бросил взгляд на бронзовые ампирные часы и заторопился: ему давно уже пора было на работу.

В отделе творился форменный бедлам. Светка оповестила всех, кто знал Михаила, а знакомых у него было великое множество. И сейчас все толкались в тесном помещении, и телефон раскалился от звонков. Было душно и пахло валерианкой, которую Светка пила сама и предлагала всем вновь приходящим.

— Ты можешь толком объяснить, что случилось? — набросилась на нее Маша, отводя противно воняющий стаканчик.

— Шел вечером, да и не поздно даже, — всхлипывала Светлана, — напали, ограбили и убили. На камеру, наверное, польстились…

Маша опустилась на стул. Ну да, вчера они расстались на набережной Мойки, Мишка сидел в кафе, потом, видно, поехал еще куда-нибудь… И камера, как всегда, при нем, он с ней почти не расставался. Маша так ясно увидела Мишкину неуклюжую фигуру в панаме, и эти голубые подтяжки…

— Выпей валерианочки, — участливо предложила Светка.

— Хватит рыдать! — сердито сказал Виталий Борисович, вешая трубку. — Мишкина жена звонила.

– Какая еще жена? – хором удивился коллектив.

– Бывшая! Говорит, пришла утром в квартиру, а там форменный разгром. И дверь открыта.

– Значит, они ключи у Мишки взяли и решили чем-нибудь в квартире поживиться! – догадалась Светка.

– Да нет, говорит, ничего не взяли, только разворотили все и побили. Кассеты еще пропали, а компьютер разломали.

По инерции Маша вспомнила, что ее собственный компьютер сломан. И что Мишка послал ей какой-то файл с фотографией. И вообще, это очень странно, что на него напали. То есть это-то как раз не странно, таких случаев множество. Мишка небось выпивши был, легкая добыча для бандитов. Но вот чтобы еще и квартиру ограбили! То есть не ограбили, а все разломали. И кассеты пропали.

«Они что-то искали, – поняла Маша, – и это наверняка связано с работой Мишки в Эрмитаже. Что же он там такое снимал? Нужно выяснить».

Она не слышала изумленных и негодующих возгласов коллег, потому что неслась по коридору к выходу.

Умелец из фирмы, вызванный Машей, возился с компьютером минут сорок. В ответ на ее вопрос, что случилось, он пренебрежительно бросил: «Вирус» и больше не произнес ни слова. Закончив работу, он поглядел на Машу с плохо скрытым презрением и прошелся, глядя в сторону, насчет некоторых безграмотных тетех, которые по полгода не меняют антивирусные программы и цепляют поэтому из Интернета всякую дрянь, а потом еще удивляются, когда компьютер перестает работать. Маша едва дождалась, когда он уйдет, и проверила электронную почту. От Мишки пришла фотография.

Очень худой мужчина весь в черном стоял против картины. Маша вертела снимок так и этак, увеличила его и поняла, что картина – «Мадонна Литта». Виднелись лик самой Мадонны и золотые кудри младенца. С картиной, судя по всему, все было в порядке. Но вот с мужчиной… Был он болезненно худ, лицо мрачно, щеки ввалились, и профиль его напоминал профиль со старинной полустертой монеты. Маше был виден один глаз – карий, вернее не карий, а янтарно-желтый.

Мужчина стоял перед картиной, застыв, как бронзовое изваяние. Чувствовалось, что стоит он так уже давно и может стоять сколь угодно долго. Маша еще увеличила некоторые фрагменты и убедилась, что янтарный глаз мужчины полыхал ненавистью. И еще одна пугающая странность: на снимке было отчетливо видно, как от мужчины в сторону картины двигалось темное зловещее облако, которое грозило поглотить Мадонну с ее младенцем, и не было им спасения.

– Что за чушь! – Маша потрясла головой. – Это просто игра света. Мишка большой мастер… был.

Однако Маша вспомнила, что приятель вчера сам удивлялся, что же такое у него получилось, стало быть, он вовсе не добивался такого эффекта. Он даже послал Маше снимок, чтобы она оценила его непредвзято.

«Этот тип в черном несомненно причинил вред картине. Может быть, это его имела в виду бедная Вера Львовна, говоря про монстра? Какое неприятное лицо… зловещее…»

Внезапно Машу осенило. Мишку убили из-за этого снимка. Он торчал позавчера целый день в Эрмитаже и снимал зал Леонардо, а этот тип испугался, что попадет на снимок… Так оно и вышло.

Маша вытерла слезы. Было очень жалко Мишку.

Немецкий композитор Йозеф Гайдн, перед тем как приступить к сочинению музыки, надевал свой лучший камзол, пудреный парик и только тогда приближался к инструменту. Он считал, что музыка требует к себе не меньшего уважения, чем царственные особы.

Реставратор Дмитрий Алексеевич Старыгин не меньше уважал свою работу. Тем более что сегодня ему предстояло прикоснуться к одному из величайших шедевров в истории живописи. Если бы на то была его воля, он надел бы свой лучший костюм. Однако работа реставратора, как и живописца, очень грязная, поэтому он снял пиджак и надел серый халат, перемазанный красками и растворителями, опустил на окнах лаборатории плотные светонепроницаемые шторы и благоговейно взял в руки драгоценный холст.

Всякий настоящий мастер своего дела больше, чем современным инструментам и приборам, доверяет своим рукам и глазам. Это касается и врачей, и реставраторов, и экспертов в других областях. Рассказывают про знаменитого хирурга, которому было уже больше восьмидесяти лет: он почти совершенно утратил зрение, но каждый день его привозили в больницу, и он своими гениальными руками прощупывал самых сложных больных и ставил диагноз точнее любого прибора.

Как всякий настоящий мастер, Дмитрий Алексеевич Старыгин тоже доверял собственным рукам и глазам. Он включил яркую лампу, перевернул картину кверху изнанкой и наклонился над ней. Долго и внимательно он рассматривал структуру ткани и прикасался пальцами к ее волокнам. Сомнений не было: это был подлинный холст. Точнее, холст, вполне соответствующий по возрасту и характеру плетения холсту подлинника. Только после этого реставратор перевернул картину и оглядел ее лицевую сторону. На этот раз увиденное не так потрясло его, как при первой встрече. Хотя взгляд маленького монстра по-прежнему вызывал легкий озноб…

Кто же рассказал этой журналистке про монстра на картине? Ведь она употребила именно это слово – монстр…

Вспомнив о журналистке, он снова почувствовал легкий укол совести. Все-таки он обошелся с ней отвратительно… а девушка вовсе не плохая, не чета большинству своих коллег. Надо же – внучка Арсения Магницкого…

Посторонние мысли не мешали рукам и глазам реставратора делать привычную работу. Он тщательно, сантиметр за сантиметром обследовал красочный слой, характер мазка… они были одинаковыми по всей поверхности картины. То есть, по крайней мере на этом этапе исследования, можно было сделать вывод, что чудовище написано тогда же и тем же мастером, что и сама Мадонна. Впрочем, вывод этот предварительный, впереди еще предстоит долгая и кропотливая работа, исследование химического состава красок, лака и холста, обследование картины современными приборами…

Старыгин включил ультрафиолетовую лампу и взглянул на картину при ее свете.

И удивленно отстранился.

Это еще что такое?

В правой верхней части картины было крупно, отчетливо написано число, состоящее из четырех семерок.

Цифры были написаны на холсте специальными невидимыми чернилами, поэтому они стали видны только при ультрафиолетовом свете.

Четыре семерки… что-то такое говорила про четыре семерки эта журналистка, Маша Магницкая…

Реставратор наморщил лоб, припоминая.

Кажется, ее дед, знаменитый археолог Магницкий, сказал что-то о четырех семерках, когда дарил ей пентагондодекаэдр. Надо же, такую уникальную, единственную в своем роде вещь он подарил маленькой девочке, которая совершенно не могла оценить такой подарок! И почему именно ей?

Старыгин еще раз посмотрел на четырехзначное число и вдруг решился. Он достал из кармана визитку журналистки и набрал номер ее мобильного телефона.

— Это Старыгин, — проговорил он голосом, невежливым от неловкости. — Я хотел бы кое-что вам показать. Приезжайте в Эрмитаж. Прямо сейчас. Или вы не можете?

Он вспомнил, что у нее что-то стряслось, какое-то несчастье, и чувство неловкости еще больше усугубилось.

Девушка помолчала несколько секунд, но потом решительно проговорила:

— Да, я приеду. Примерно через полчаса.

Старыгин встретил Машу у служебного входа музея. Он подвел ее к посту охраны и внушительным тоном проговорил:

— Это ко мне, консультант.

— Паспорт, — безразличным тоном проговорил молодой охранник.

Маша достала книжечку паспорта и протянула ее дежурному. Тот раскрыл ее и принялся старательно записывать паспортные данные в толстую прошнурованную книгу.

«Все переведено на компьютеры, — подумал Старыгин, рассеянно следя за дежурным, — и только книги регистрации посетителей остались такими же, как пятьдесят лет назад…»

Он случайно бросил взгляд на раскрытый паспорт и вдруг замер, как будто увидел там вместо Машиной фотографии изображение такого же монстра, как на картине Леонардо.

– Что с вами? – спросила Маша, спрятав документ в сумочку. – Мы идем?

– Идем, – задумчиво проговорил Старыгин.

Так вот о чем говорил Магницкий! Так вот почему он подарил бесценный раритет именно этой девочке!

Он с новым интересом посмотрел на Машу.

– Идем, – повторил он и направился к лестнице.

– Никогда не была в этой части Эрмитажа, – призналась Маша, едва поспевая за реставратором.

– Мы могли бы пройти через общий вход и подняться по Советской лестнице, но так немного короче…

– По Советской? – переспросила Маша. – А разве ей не вернули прежнее название?

– Какое – прежнее? – Старыгин удивленно покосился на девушку.

– Ну, прежнее, дореволюционное…

– Дореволюционное? – Реставратор рассмеялся. – Но это и есть дореволюционное название! Эта лестница называлась Советской, потому что по ней поднимались на свои заседания члены Государственного совета. Того самого, который в полном составе изобразил на своей картине Репин. А Иорданская лестница долгое время называлась Посольской, потому что по ней поднимались послы иностранных государств, направляясь на аудиенцию к государю. Поэтому ее и сделали такой величественной и пышной, чтобы представители держав сразу, едва войдя во дворец, проникались величием Российской империи…

– Да? – недоверчиво переспросила Маша. – А нам учительница в школе говорила, что Советская лестница так названа после революции, потому что по ней поднимались революционные массы, чтобы арестовать Временное правительство.

— Много чего говорили наши учителя, не всему можно верить. А мы, кстати, уже пришли.

Старыгин толкнул массивную дверь и пропустил девушку в свою лабораторию.

Она быстро привыкла к царящей внутри полутьме и шагнула к столу, на котором находилась картина.

Тщательно выписанный фон, свободно ниспадающие складки одежды, нежное лицо Мадонны, ее ласковый взгляд, обращенный к тому, кого она держала на руках…

Маша опустила глаза ниже и издала изумленный, испуганный возглас.

На руках Мадонны удобно расположилось маленькое чудовище, крошечный монстр. И так же, как божественное дитя на картине каждый день, век за веком, повернув кудрявую головку, смотрело на восхищенных зрителей своим полусонным, мечтательным взором — так и этот маленький монстр смотрел прямо в глаза потрясенным людям. Но в этом взгляде читался весь ужас, вся ненависть, весь цинизм мира.

Маша словно заглянула в ад.

— Что это?

— Хотел бы я это знать! — отозвался Старыгин. — Присядьте, я вижу, что вы едва держитесь на ногах. Только осторожнее с этим креслом…

Маша придвинула к себе старинное резное кресло и без сил опустилась в него. В комнате внезапно погас свет.

— Я же говорил вам… — пробормотал Старыгин, что-то переставляя в темноте. — У нас ужасная проводка, и когда резко переставляешь это кресло, провод выпадает из гнезда и свет гаснет…

Он чем-то щелкнул, и в лаборатории снова стало светло.

— Извините… — Маша на секунду прикрыла глаза. — Честно говоря, я была в шоке…

— Я вас понимаю, — Старыгин кивнул, — когда я это первый раз увидел, я сам был в шоке…

— Но… но как это возможно? Кто мог пририсовать это чудовище? И когда он это мог сделать? Ведь оно выписано очень тщательно… по крайней мере, насколько я могу судить… Или картину подменили? А где подлинник? Он пропал?

— Слишком много вопросов, — поморщился Старыгин. — Пока я могу сказать только одно: вы правы, чудовище выписано очень тщательно, мастерски. Более того, оно написано той же рукой, тем же мастером, что и лицо Мадонны.

— Значит, картину заменили копией, фальшивкой?

— В этом еще нужно разбираться. Во всяком случае, холст такого же качества, как подлинный, и такого же возраста, ему тоже примерно сто пятьдесят лет…

— Как — сто пятьдесят? — удивленно переспросила Маша. — Вы хотели сказать — пятьсот? Ведь «Мадонна Литта» создана примерно в тысяча четыреста девяносто первом году…

— Браво, — усмехнулся Старыгин. — Ставлю вам пятерку, вы хорошо подготовились. По большинству предположений картина действительно создана в тысяча четыреста девяносто первом, но Леонардо писал ее на деревянной доске. Когда в тысяча восемьсот шестьдесят пятом году она была куплена у герцога Литты в Милане, состояние ее было таким плохим, что ее пришлось немедленно перенести с дерева на холст. Для этого эрмитажный столяр Сидоров придумал специальную технологию, за это его наградили медалью… Но я, честно говоря, хотел поговорить с вами о другом. Когда вы родились?

— Что? При чем тут это? — Маша недоуменно уставилась на собеседника. — Ну седьмого июля. А почему это вас так интересует?

— А какого года?

— Семьдесят седьмого. Я пока что не делаю тайну из своего возраста. Но все-таки почему вас так заинтересовали мои биографические данные?

— Я случайно взглянул на ваш паспорт, — признался Старыгин, — и хотел проверить, не ошибся ли я. Не показалось ли мне. Ведь такое удивительное совпадение…

— Да какое совпадение? О чем вы говорите?

— Подумайте сами. Седьмое число седьмого месяца семьдесят седьмого года. Четыре семерки.

— Ну и что в этом такого? — Маша пожала плечами.

— Вы помните — ваш дед, когда подарил вам пентагондодекаэдр, тоже говорил о четырех семерках! И не случайно он подарил такой редкий предмет именно вам, тогда совсем маленькой девочке! И, кстати, он сделал это совсем незадолго до своей смерти!

— Все равно я ничего не понимаю. Почему вас так взволновали эти четыре семерки?

— По двум причинам.

Старыгин шагнул к столу с картиной и включил ультрафиолетовую лампу.

— Вот одна из этих причин.

Маша наклонилась над холстом и увидела четырехзначное число. Это число, связанное непонятным образом с датой ее рождения, а еще больше — волнение реставратора заставили ее сердце чаще забиться, внушили ощущение серьезности происходящего.

— А… вторая причина? — проговорила девушка, распрямившись и невольно понизив голос.

— Сейчас я вам покажу эту вторую причину. Пойдемте.

Ничего не объясняя, он вышел из лаборатории, запер дверь и повел Машу по коридорам здания. Эти служебные коридоры мало напоминали великолепные анфилады музея. Плохо освещенные, довольно узкие. Маша с трудом верила, что находится в Эрмитаже. Несколько раз свернув и поднявшись по лестнице, они оказались перед дверью с медной табличкой «Кабинет рукописей».

— Сейчас перед вами откроется самый красивый вид в нашем городе, — с явной гордостью сообщил Дмитрий Алексеевич своей спутнице.

— Ну уж и самый красивый…

— Вот увидите!

Старыгин нажал на кнопку звонка, и почти тотчас дверь открыла невысокая сутулая женщина лет сорока с приятным улыбчивым лицом.

— Дима! — радостно проговорила она при виде Старыгина. — Ты к нам? Заходи, мы тебя угостим печеньем… А кто эта девушка?

— Консультант из института прикладной химии, — не моргнув глазом, соврал Старыгин. — А мы к тебе буквально на одну минуту, нам нужно взглянуть на трактат «О происхождении сущего и числах, его объясняющих».

— Ты имеешь в виду малый трактат Николая Аретинского? А какое отношение он имеет к прикладной химии?

— Самое прямое!

— Только здесь! — озабоченно ответила женщина. — Выносить нельзя, даже тебе!

— Понятное дело! Я знаю, как у вас все строго! Нам нужно только прочесть один абзац.

Женщина развернулась и, слегка прихрамывая, пошла по узкому коридору между двумя рядами высоченных стеллажей, до самого потолка уставленных картонными папками и коробками. Маша перехватила мимолетный ревнивый взгляд хранительницы рукописей и усмехнулась: похоже, та явно питала к Дмитрию Алексеевичу не вполне служебный интерес.

Коридор кончился, и они оказались в просторном кабинете с двумя огромными окнами.

Маша ахнула: она действительно никогда не видела ничего подобного. Одно окно выходило на Неву, ослепительно сверкающую под щедрым июльским солнцем, второе – на Зимнюю канавку и здание Эрмитажного театра. На другом берегу Невы виднелась Петропавловская крепость.

– Я вам говорил, – вполголоса промолвил Старыгин, заметив Машин восторг. – Правда ведь, замечательно?

В его голосе звучала такая гордость, как будто это он сам так расставил здания и провел реки, чтобы создать этот неповторимый вид.

Хранительница кабинета уселась за компьютер и защелкала клавишами.

– Малый трактат Николая Аретинского… – пробормотала она, вглядываясь в колонки цифр на экране монитора. – Вот он, единица хранения номер… Тридцать четвертый шкаф, седьмая полка…

Она встала из-за стола и своей неровной, будто ныряющей походкой прошла к одному из стеллажей.

– Дима, помоги мне, пожалуйста…

Старыгин приподнялся на цыпочки и достал с одной из верхних полок большую картонную коробку.

– Только для тебя, – вздохнула хранительница и снова бросила на Машу недовольный взгляд.

Маше вдруг захотелось совершить какой-нибудь хулиганский поступок: показать зануде-хранительнице язык или разбить графин с водой, стоящий на подоконнике, либо же разбросать листочки из многочисленных папок, лежащих на письменном столе. Хотя за листочки, пожалуй, могут и побить, они тут все на своих бумажках повернутые… Маша ограничилась тем, что поглядела на хранительницу очень холодно и высокомерно.

– Вот оно! – победно проговорил Дмитрий Алексеевич, не обратив ни малейшего внимания на обмен женскими взглядами. Он открыл коробку и осторожно выложил на стол темный от времени манускрипт, каждый лист которого был аккуратно упакован в прозрачную пленку.

Маша взглянула через плечо реставратора и разочарованно вздохнула: документ был написан от руки почти совершенно выцветшими коричневатыми чернилами и каким-то удивительным почерком, очень красивым, но неразборчивым. Самое же главное – он был написан на совершенно незнакомом Маше языке.

– Какой это язык? – спросила Маша, искоса взглянув на реставратора.

– Латынь, разумеется.

– И вы можете это прочесть?

– Конечно, – он даже, кажется, был удивлен ее вопросом, как будто каждый современный человек просто обязан понимать по латыни.

Маша почувствовала легкое раздражение: эти эрмитажные работники, похоже, смотрят на всех остальных людей свысока, как на полуграмотных недоучек.

Старыгин осторожно перевернул несколько хрупких страниц манускрипта, достал из кармана старинную лупу в красивой бронзовой оправе и начал медленно читать, на ходу переводя текст с латыни:

– Если бы ты встретил число, составленное из трех шестерок, знай, что это есть число Зверя, число Врага, и проистекает из этого числа многий грех, и гнев, и многие несчастья, и число это любезно Отцу Лжи, хозяину порока, врагу рода человеческого. Посему избегай всячески этого числа и всего, под ним рожденного.

Если же ты встретишь число, составленное из четырех семерок, знай, что это есть число Света, и проистекает из этого числа свет, радость и прощение, ибо семь есть число, угодное Создателю, семь есть благое, священное число, а четыре семерки четырежды священны и четырежды угодны Господу нашему. Число это приносит благоденствие и благость, и человек, родившийся под этим числом, имеет большую силу и крепость противостоять греху и одолеть козни Отца Лжи. Да будет благословение на этом человеке, и да преодолеет он преграды и препоны на пути своем…

Старыгин тщательно сложил старинную рукопись и убрал трактат обратно в коробку.

— Вот она, вторая причина, о которой я вам говорил.

Маша моргнула, и в ту же секунду развеялся странный гипноз, в который она впала под влиянием слов средневекового автора. Она встряхнула головой, чтобы окончательно отогнать наваждение, и проговорила:

— Дмитрий Алексеевич, неужели вы всерьез относитесь к этой средневековой ахинее?

— Во всяком случае, тот, кто написал на картине число из четырех семерок, относился к этому достаточно серьезно. И так же серьезно относился к этому ваш дед, всемирно известный археолог, когда подарил вам эту бесценную безделицу. — Дмитрий Алексеевич задумчиво посмотрел на кулон из слоновой кости.

Маша собиралась снять кулон, но когда была дома, это совершенно вылетело у нее из головы. Старыгин подошел ближе и взял костяной кулон в руки. Совсем рядом с Машиным лицом оказались его глаза — очень серьезные. Пахло от него краской, скипидаром и еще какой-то химией.

— Кстати, — добавил Старыгин, — на вашем месте я не носил бы пентагондодекаэдр так на виду. Кроме того что он имеет вполне реальную и очень высокую цену, мне кажется, есть человек, для которого его цена гораздо выше всех денег мира.

– Что еще за человек?

– Тот, кто подменил картину. Тот, кто написал на второй картине число из четырех семерок. Тот, кто, на мой взгляд, еще не считает свою миссию законченной.

– Дима, – напомнила о себе хранительница кабинета, – ты закончил с трактатом? Может быть, все же сварить тебе кофе? И твоей спутнице из… гм… химического института?

– Спасибо, Танечка, – рассеянно отозвался Дмитрий Алексеевич, не отводя глаз от кулона, – мы пойдем. Очень много работы.

С непонятным злорадством Маша заметила искру разочарования, промелькнувшую в глазах хранительницы. Подумать только – «Танечка!». В таком-то возрасте! Да столько не живут!

– А почему вы отказались от кофе с печеньем? – не утерпела Маша, когда они шли назад длинными коридорами.

– А? – Старыгин очнулся от задумчивости и улыбнулся. – Я вам скажу. Танечка, конечно, чудесная женщина и отличный специалист в своем деле, но кофе варить она абсолютно не умеет. А если вы хотите кофе, то я вас угощу в мастерской. Только, – он воровато оглянулся по сторонам, – это большая тайна. Если наш пожарник узнает, что я храню в мастерской кофеварку, он съест меня живьем!

– Ценю ваше доверие, – заметила Маша без улыбки.

– Когда мне было лет десять, – начал Дмитрий Алексеевич, разлив кофе, – я был ужасным авантюристом.

— Не похоже! — Маша насмешливо посмотрела на него поверх своей чашки.

— Внешность обманчива. Впрочём, в этом возрасте все дети имеют склонность к приключениям. Кто-то убегает из дому, чтобы бороться за свободу Африки, кто-то мечтает записаться юнгой на корабль, а мы с друзьями решили остаться на ночь в Эрмитаже.

— В наше время у подростков несколько иные интересы, — проговорила Маша.

— Может быть, — Дмитрий Алексеевич пожал плечами, — с современными подростками я не сталкиваюсь.

— Ваше счастье! — вздохнула Маша, вспомнив, чем закончилось ее общение с племянниками десяти и тринадцати лет. Кажется, потом их родителям пришлось делать незапланированный ремонт в квартире.

— Короче, мы решили таким образом проверить свою храбрость, а заодно посмотреть, как тут все выглядит ночью. Нас было трое — двое мальчишек и одна девочка, Лена… — Старыгин на мгновение замолчал, и Маша неожиданно для самой себя испытала что-то вроде ревности.

— Может быть, именно ее присутствие и повлияло на наше решение, — продолжил Старыгин, улыбнувшись своим воспоминаниям. — В общем, перед самым закрытием музея мы спрятались за одну из витрин. Тогда ни о какой электронной сигнализации еще и не слышали, тетки-служительницы обошли залы, осмотрели их довольно таки поверхностно и ушли по домам. Ну а мы выбрались из своего укрытия и отправились в путешествие по ночному Эрмитажу. Признаюсь, это было одно из самых сильных впечатлений в моей жизни. Весь музей был в нашем распоряжении, он был наш, только наш!

Старыгин мечтательно прикрыл глаза, казалось, уйдя в свои воспоминания.

— Картинами мы тогда не очень интересовались, они казались нам скучными, непонятными, а вот старинное оружие, часы-павлин и всякие другие музейные диковины поразительно действовали на наше воображение. Но тут случилась одна из таких встреч, которые бывают раз в жизни, да и то, наверное, не у всех. Мы вошли в очередной зал, и я увидел эту картину… Она была почти спрятана в тени, и вдруг на нее упал лунный луч, и я увидел нежное лицо матери, ее полузакрытые глаза, устремленные на младенца, и его самого, скосившего глаза и глядевшего, кажется, прямо на меня. Я не знал тогда, что она называется «Мадонна Литта», не знал даже имени Леонардо, но я не мог отвести от этой картины глаз. Не знаю, что со мной случилось, но я замер перед ней, словно врос в пол, и очнулся, только когда меня окликнул Борька, мой приятель:

— Что ты там застрял перед этой теткой? Бежим, там такое!

Мы двинулись дальше в это удивительное путешествие. Все этой ночью казалось необыкновенным и волнующим…

— Опять же, присутствие Лены… — не удержалась Маша.

— И это тоже, — спокойно кивнул Старыгин. — В общем, мы переходили из зала в зал и не подозревали, что нас уже ищут.

— Значит, все-таки сработала сигнализация?

— Какая там сигнализация! — отмахнулся Старыгин. — Просто мы не учли одного существенного момента. Дело было зимой, мы, естественно, пришли в пальто и сдали эти самые пальто в гардероб. И представьте себе ужас гардеробщицы, когда после закрытия музея у нее на вешалке остались висеть три детских пальтишка! Что она могла подумать? Трое детей потерялись в музее, с ними произошло какое-то несчастье! Она позвала свою знакомую, работавшую ночной дежурной, и рассказала ей о происшествии. Та, понятное дело, тоже перепугалась, но только уже больше из-за того, что в музее находятся посторонние люди. Время было суровое, и ей, среди прочего, могло за такой непорядок здорово нагореть. В общем, несколько ночных дежурных посовещались и решили, не сообщая ничего начальству, своими силами изловить злоумышленников и выдворить из музея. Тем более что размеры пальто явственно говорили о малом возрасте этих самых злоумышленников и о том, что справиться с ними будет нетрудно.

А мы в это время добрались до самого интересного места, по крайней мере, как нам тогда казалось, – до Рыцарского зала. Старинное разукрашенное оружие, рыцари в настоящих сверкающих доспехах, огромные кони, совершенно как живые… Я попытался вытащить рыцарский меч из ножен, к счастью, сил на это не хватило. Тогда Борька, чтобы не уступить мне в лихости и молодечестве, решил взобраться на лошадь. Только было он приступил к исполнению этой задачи, как из соседнего зала донеслись приближающиеся шаги и голоса дежурных. Мы, понятное дело, ужасно перепугались, решили, что нас тут же арестуют, и спрятались в самый укромный уголок – за ту самую лошадь, которую так и не успел покорить Борька.

Старыгин снова на мгновение замолчал, как будто перед его глазами ожили те давние воспоминания.

– В зал вошли несколько женщин, они громко переговаривались и заглядывали во все углы. И тут Ленка от страха громко заревела… В общем, нас вытащили из укрытия и с позором выпроводили из Эрмитажа. Пообещали сообщить в школу, но дальше этого обещания дело, разумеется, не пошло — ведь этим дежурным самим совершенно ни к чему был скандал.

— В общем, та ночная встреча определила весь ваш дальнейший жизненный путь, — насмешливо подытожила рассказ Маша. — Именно тогда вы решили стать реставратором.

— Нет, не тогда, — возразил Дмитрий Алексеевич, — гораздо позднее. Впрочем, вы совершенно правы, я слишком увлекся своими детскими воспоминаниями.

Кофе был выпит, Маша посидела еще немного, глядя, как Старыгин склонился над картиной, и решила, что пора уходить. Вряд ли она еще что-нибудь выяснит, сидя в лаборатории рядом со Старыгиным. Конечно, насчет четырех семерок и пентагондодекаэдра все очень таинственно и интересно, но ни на миллиметр не приближает ее к решению задачи. А задача перед всеми сейчас стоит только одна: определить, что случилось с «Мадонной Литта». Куда делась картина, что с ней случилось и как ее вернуть? То есть об этом пускай заботятся другие, а Машино дело — осветить все это, сделать шикарный репортаж. Очень скоро пропажа Мадонны Леонардо станет достоянием гласности. И тогда по горячим следам нужно быстро сообщить людям информацию, причем как можно более подробную.

Пока она знает одно: картину заменили на точно такую же, только вместо младенца на этом холсте Мадонна держит на руках маленькое чудовище. И еще Старыгин показал ей на картине надпись — четыре семерки. Надпись эта как-то связана с ней, с Машей, потому что покойный дед когда-то тоже бормотал что-то про четыре семерки. Маша была не настолько мала, чтобы это не запомнить.

Возвращаться сейчас на работу Маша не хотела — там все в растрепанных чувствах, переживают из-за

Мишки, готовятся к похоронам. Мишке все равно уже ничем не поможешь, они там прекрасно управятся и без нее.

Настал момент узнать, что же дед имел в виду, когда подарил ей этот кулон. И единственный человек, который может пролить на это свет, – это Машин отец.

– Дмитрий Алексеевич, мне пора, – сказала Маша в спину, обтянутую запачканным рабочим халатом.

– Да-да, – рассеянно отозвался Старыгин, – разумеется…

Маша обиделась: мог бы хотя бы из вежливости ее удержать – мол, посидите еще, куда же вы так быстро… Сам, между прочим, ее вызвал, а сам не желает знаться!

Но Старыгин так глубоко погрузился в работу, что флюиды Машиной обиды отскочили от него, как теннисный мячик.

– Если я буду вам нужна, – язвительно начала Маша, – или захотите полюбоваться на пентагондодекаэдр, звоните!

– Всенепременнейше! – Он оторвался от картины и смотрел вежливо, но в глубине глаз просвечивало нетерпение – уходи, мол, скорее, не мешай заниматься любимым делом. Сарказма в Машином голосе он совершенно не уловил.

Маша пожала плечами и вышла.

На улице она тяжко вздохнула. Очень не хотелось звонить отцу. Но не такой Маша была человек, чтобы из-за своих личных отношений пренебрегать работой. Раз надо – значит, надо. И сделать это нужно как можно скорее.

К телефону подошла его жена. Маша мысленно посетовала на свое невезение. Отцу явно не везло в семейной жизни. После Машиной матери у него было еще две жены. Судя по тому, как мама отзывалась о своем бывшем муже, расстались они очень плохо. Маша совершенно не хотела разбираться, кто уж там был виноват. Но в детстве они с отцом виделись крайне редко, раза два в год. Потом Маше стало неинтересно – жила без отца в детстве, а уж во взрослом состоянии и подавно прожить можно. Отец тоже не очень настаивал – он разводился со своей второй женой и женился на третьей. И уж эта, последняя, оказалась такой уникальной стервой, что поискать. Машу она на дух не переносила, причем непонятно за что. Виделись они с отцом очень редко, Маша никогда не просила у него ни денег, ни другой помощи.

Отец был дома, но болен и не расположен говорить по телефону. Но Маша заявила, что у нее очень срочный разговор, дело не терпит отлагательств.

– Что случилось? – послышался в трубке встревоженный голос. – Что-нибудь с мамой?

– Успокойся, – ответила Маша, – с мамой все в порядке, она отдыхает в Турции. Мне нужно поговорить с тобой насчет… дедушки.

– Дедушки? – изумился отец.

– Ну да, профессора Магницкого, а почему ты так удивился? – раздраженно спросила Маша. – В конце концов, я имею право знать, как он умер и чем занимался при жизни.

В трубке долго молчали, очевидно, отец переваривал услышанное.

– Так я могу приехать? – осведомилась Маша, не дождавшись вразумительного ответа.

Отец понял, что она не оставит его в покое, и неохотно согласился. Маша удовлетворенно поглядела на телефон. Любое дело, хотя бы самое пустяковое, нужно доводить до конца. А если встреча неприятная, то тем более нужно осуществить ее как можно быстрее.

Когда Маша решила, что будет журналистом, она выработала себе ряд правил, которым неуклонно следовала в работе и в жизни. Покойный Мишка слегка подсмеивался над ней, называл не женщиной, а машиной…

«Не думать больше о Мишке! – приказала себе Маша. – А то у меня ничего не получится при встрече с отцом!»

Закончив работу в зале Леонардо, обследовав в нем каждый сантиметр стены, каждый фрагмент паркетного пола, подчиненные Евгения Ивановича Легова расширили зону поиска и перешли в соседние помещения. Здесь работать было не в пример сложнее, потому что залы были полны посетителями. Чтобы не порождать распространение ненужных слухов, музейным служительницам сказали, что проходит плановая проверка электропроводки, и сотрудники службы безопасности усиленно изображали электриков. Правда, получалось это у них не очень похоже.

Сам Евгений Иванович опрашивал одного за другим вахтеров и дежурных, находившихся в музее ночью. Тех, чья смена уже закончилась, попросили задержаться и перед уходом зайти в кабинет начальника службы безопасности.

Уже третий человек, явившийся в кабинет Легова, отставной военный, дежуривший ночью возле служебного выхода, расположенного непосредственно рядом с дирекцией, сообщил, что во втором часу ночи из музея вышел мужчина.

– Что за мужчина? – с плохо скрытым раздражением спросил отставника Евгений Иванович. – Почему он не записан в журнале посещений?

– Потому что предъявил постоянный пропуск, – преданно вытаращив на начальство блекло-голубые глаза, отчеканил дежурный. – Которые посетители, тех положено непременно записывать в журнал: когда пришел, когда ушел, а которые сотрудники, тех не положено. Я инструкцию досконально соблюдаю! Я в войсках связи двадцать лет отслужил, я порядок знаю!

— А фамилию, фамилию его вы не запомнили?

— Никак нет! — ответил отставник с легким сожалением. — Память уже не та! Вот в молодости я устав строевой и караульной службы целыми страницами мог...

— Не надо про устав! — прервал его Легов. — Но хоть как он выглядел-то, вы можете сказать?

— Обыкновенно выглядел. Молодой такой, высокий... волосы немножко седоватые...

— Молодой — а волосы седоватые? — недоверчиво переспросил Евгений Иванович.

— Ну да, а что такого?

— Ну, молодой — это сколько примерно лет? Двадцать? Двадцать пять? Тридцать?

— Ну, допустим, примерно как вы... лет, может, сорок или чуть побольше...

— Ясно, — протянул Легов, не понять, то ли одобрительно, то ли насмешливо. — А опознать его в случае чего сможете?

— А как же! — радостно воскликнул отставник. — Я и фоторобот могу составить, в милиции один раз приходилось... когда к соседям в квартиру злоумышленник влез...

— Привлечем, — кивнул Легов.

Дверь кабинета приоткрылась, в щелку заглянул помощник Легова Севастьянов.

— Никита, я же, кажется, просил не мешать! — недовольно поморщился Легов.

— Евгений Иванович, ребята там кое-что нашли, вы бы взглянули! Может, это важно...

— Ладно, — Легов повернулся к дежурному: — Если еще что-то вспомните, непременно сообщите, а пока можете быть свободны. Спасибо за помощь.

— А как же насчет фоторобота? — огорчился отставник, почувствовав угасание интереса к своей особе.

— Ладно, пройдите в соседний кабинет, к Николаеву, скажете — я прислал!

Быстро пройдя вслед за Никитой по полупустым служебным коридорам, Легов через неприметную дверцу вышел в один из самых популярных залов Эрмитажа — Рыцарский зал. Перед закованными в сверкающую броню рыцарями на огромных конях, как всегда, толпились восхищенные мальчишки. Чуть в стороне стояли двое сотрудников службы безопасности.

— Евгений Иванович, — вполголоса сообщил один из них, шагнув навстречу начальнику. — Мы это вот там нашли, в уголке… Может, конечно, кто-то из посетителей обронил, а может, и нет… вещица необычная…

Он протянул Легову на ладони небольшой темный предмет, упакованный в прозрачный пластиковый пакетик, чтобы сохранить отпечатки пальцев. Евгений Иванович поднес пакетик к свету и рассмотрел его содержимое.

Это был старинный футляр из тисненой темной кожи с кое-где сохранившимися следами позолоты.

— Что за футляр такой? — поинтересовался Никита, заглядывая через плечо шефа. — От ручки, что ли?

— Нет, не от ручки. Где, говоришь, вы это нашли? — Легов снова повернулся к дожидающемуся приказа секьюрити.

— Вот там, в уголке, за лошадью…

— Ну-ка, встань на то место!

Парень послушно нырнул за мощный лошадиный круп и замер, мгновенно слившись с темнотой. Легов прошел через зал от двери до двери, то и дело взглядывая в сторону лошади. Спрятавшийся за ней парень не был виден.

— Вот где он прятался... — задумчиво протянул Евгений Иванович. — При вечернем обходе его и не заметили.

— Кто – он? – вполголоса поинтересовался Никита.

— Если бы я знал!

Он снова достал из кармана пакетик с вещественным доказательством и проговорил:

— Где-то я такой футлярчик уже видел! У кого-то из здешних корифеев! Вспомнить бы только, у кого!

Евгений Иванович чувствовал себя двойственно.

Как сотрудник Эрмитажа он всячески хотел избежать скандала, сохранить незапятнанным имя музея и решить проблему собственными силами, не вынося сор из избы. Но как офицер ФСБ он должен был держать в курсе свое непосредственное начальство и сообщать ему обо всех деталях расследования.

Дверь Маше открыл отец. Он очень постарел за те полтора года, что они не виделись, заметно прибавилось седых волос, лицо осунулось, глаза запали.

— Ты серьезно болен? – испугалась Маша.

— Да пустое! Простыл, понимаешь, в такую жару... — отмахнулся отец. — Ты проходи, а то тут сквозняк...

Послышался стук каблуков, и в прихожей возникла его жена – эффектная брюнетка в красном открытом платье. Маша мгновенно определила и стоимость платья, и то, что маникюр и укладка совсем свежие, только что из салона красоты.

«Лучше бы за мужем поухаживала, – подумала она, – человек с температурой сам на звонки бегает...»

Маша знала, что третья жена моложе отца лет на пятнадцать. Видно было, что она тщательно поддерживает это временное расстояние, и даже пытается его увеличить. Что-то буркнув в ответ на Машино приветствие, она зверем глянула на торт, который Маша купила в последний момент, вспомнив, что нехорошо приходить в дом с пустыми руками.

«На диете, наверное, – сообразила Маша, – вот и злится…»

– Что ты хочешь узнать о своем деде? – спросил отец. – Это нужно для очередного репортажа?

– Нет, это нужно лично мне, – твердо ответила Маша. – Чем он занимался и как он погиб? Ведь он трагически погиб? Где это было? В экспедиции?

Они прошли в комнату, где, как Маша поняла, отец проводил время, когда болел. В комнате было душновато и не прибрано, пахло пылью. Отец торопливо убрал в ящик какие-то лекарства.

– Твой дед был крупным археологом, специалистом по древним религиям, – сказал он, сев на диван и обтерев лоб платком. – Даже в то время, когда с выездом было очень сложно, он много ездил, потому что работы его были известны за границей.

– Как он погиб и где?

– В Риме, в восемьдесят втором году. Это была нелепая случайность, автокатастрофа. Грузовик потерял управление и врезался в такси, на котором твой дед ехал в аэропорт.

Маша быстро подсчитала в уме: в восемьдесят втором ей как раз было пять лет, стало быть, дед подарил ей пентагондодекаэдр накануне своей смерти.

– Больше ты ничего не знаешь?

Отец, не отвечая, рылся в ящиках письменного стола. Открылась дверь, и его жена внесла поднос, на котором стояли две кружки с чаем и два неправдоподобно больших куска торта на простых фаянсовых тарелках. Она молча плюхнула поднос на письменный стол и вышла. Маша мгновенно озверела.

«Чашки нарочно самые простые, чуть не с отбитыми краями, ложки тоже из нержавейки, как будто серебряных в доме нету. И кусище торта такой, что ни за что не съесть. А больше ничего, хоть бы конфет поставила! Это она хочет показать, что я для нее не гостья. Сама, мол, торт принесла, сама его и ешь, а нам твоего ничего не надо!»

Отец пытался делать вид, что ничего не случилось. Маша улыбнулась ему и подумала, что его семейная жизнь ее совершенно не касается. Она пришла сюда по делу, сейчас быстренько выяснит все про деда и уйдет.

Отец отставил чашку и снова углубился в ящики письменного стола. Наконец он с торжествующим возгласом достал оттуда потертую кожаную папочку. В ней лежала вырезка из газеты.

— Это по-итальянски, — сказал отец, — в свое время я сделал перевод, — он протянул Маше машинописный листочек.

В заметке сообщалось про аварию на шоссе, ведущем от Рима к порту Чивитавеккья. Шофер грузовика не справился с управлением, грузовик занесло на повороте, и он столкнулся с такси. Водитель такси выжил, а пассажир — профессор из России погиб на месте.

— Это не все, — отец смотрел очень серьезно, — раз уж ты проявила такой интерес... Вот у меня есть письмо. Его прислал вместе с вырезкой коллега твоего деда профессор Дамиано Манчини.

Профессор писал по-английски, так что перевода не потребовалось. Профессор выражал синьору Магницкому глубокие соболезнования в связи со смертью его отца, известного и глубоко им почитаемого ученого из старинного рода Бодуэн де Куртенэ, и далее в очень осторожных выражениях сообщал, что насчет аварии все не так просто, у властей и полиции есть некоторые сомнения, возможно, авария подстроена. Ведется расследование, и он, профессор Манчини, обещает держать синьора Магницкого в курсе дела.

— Больше писем не было, — сказал отец, когда Маша поглядела на него после чтения, — очевидно, расследование ничего не показало. Но я, как ты понимаешь, не очень ждал, да и не мог вступать в переписку. Тогда было такое время… не то, что сейчас. Тем более что моего отца, твоего деда, все равно не вернуть.

— А что это он пишет — дед из старинного рода Бодуэн де Куртенэ? Это еще при чем?

— А ты не знала? — отец грустно улыбнулся. — Это настоящая фамилия твоего деда — Бодуэн де Куртенэ. Очень старинный род, их предок, герцог Болдуин, участвовал в крестовых походах и в двенадцатом веке был королем Иерусалима.

— Какое в Иерусалиме могло быть королевство? — фыркнула Маша. — Ты ничего не путаешь? Это звучит, как новоржевская империя!

— Это у тебя в голове сплошная путаница! — рассердился отец. — Я всегда говорил, что нынешнее журналистское образование ничего не стоит. Чему вас там учат? Ты хоть слышала что-нибудь о Крестовых походах?

— Конечно! — Маша тоже повысила голос. — Рыцари Западной Европы вдруг подхватились и решили освобождать христианские святыни от мусульман! В двенадцатом веке!

— Ну так вот, возглавлял их Готфрид Бульонский, а герцог Фландрии Болдуин — это его родной брат. Сколько, по-твоему, было всего крестовых походов?

— Ну… три.

— Гораздо больше! И четвертый возглавлял Болдуин, потому что Готфрид Бульонский к тому времени уже умер. Они таки завоевали Иерусалим, и тогда образовалось христианское Иерусалимское королевство, которое продержалось больше ста лет, потом мусульмане окончательно разбили христиан и прочно утвердились на святой земле.

— Теперь ясно. Неясно только, какое отношение к этому имеет мой дед, — насмешливо сказала Маша.

— Потомки короля Болдуина разбрелись по свету. Как уж они дошли до России — понятия не имею. В девятнадцатом веке в Университете работал известный профессор с такой фамилией, потом — еще один, филолог, наверное его сын.

— Тоже наши родственники? — усмехнулась Маша.

— Про это ничего не знаю, — отец был серьезен, — знаю только, что твой дед много претерпел в молодости из-за своей чересчур звучной фамилии и, когда женился, решил взять фамилию жены — Магницкий. В то время, сама понимаешь, так было спокойнее. С такими аристократическими предками у него просто не было шансов чего-либо достичь в науке!

Дверь распахнулась резко, как будто пнули ногой. Вошла жена, собрала чашки с недопитым чаем.

— Тоже мне, родовая аристократия! — прошипела она сквозь зубы, так чтобы слышала Маша.

— Жаль, что ты так мало знаешь о деде, — грустно сказал отец.

— А ты мне рассказывал? — вскипела Маша. — Что-то я не помню, чтобы ты со мной часто общался в детстве.

Она тут же пожалела о своих словах, потому что отец сгорбился и сразу постарел лет на десять.

— Ну ладно, — примирительно сказала она, — вряд ли происхождение моего деда имеет отношение к его смерти. А ты веришь, что гибель его — это не случайность?

– Это было так давно… – отец склонил голову. – Знаешь, вот ты спросила, и теперь я вспоминаю… перед той поездкой он вел себя… не то чтобы странно, но он прощался со мной так, как будто не надеялся увидеться снова. Тогда я подумал, что отец предчувствовал свою смерть – ну он все-таки был немолод…

– Возможно, этому есть более реальное объяснение? – прервала его Маша.

– Ты рассуждаешь, как репортер, – грустно сказал отец, – все нужно выяснить до конца, во все внести ясность… – он закашлялся, и Маша отметила, что кашель у него нехороший, такого не бывает при обычной простуде.

– Я не знаю, чем конкретно он занимался перед своей поездкой в Рим, зачем он вообще туда ездил, – сказал отец, отдышавшись, – он не рассказывал мне подробно. Откровенно говоря, у нас с ним тогда были не самые лучшие отношения. Он не одобрял, что мы с твоей матерью развелись, не одобрял, что я совсем с тобой не вижусь… Но, понимаешь, твоя мама…

– Не будем об этом, – решительно прервала Маша, испугавшись, что сейчас ее втянут в какие-нибудь прошлые семейные дрязги и разбирательства.

– Да, я вспомнил! – оживился отец. – Он спрашивал тогда ваш адрес, хотел тебя навестить…

– Не помню, – как можно равнодушнее сказала Маша и порадовалась, что, перед тем как позвонить в квартиру отца, сняла кулон и убрала его в сумочку.

Сейчас ее все время не оставляла мысль, что жена отца стоит под дверью и слушает их разговор. Вряд ли она поймет, что пентагондодекаэдр – очень ценная вещь, но может заподозрить, что дед оставил Маше какие-нибудь старинные драгоценности или монеты. И тогда она станет настраивать отца против нее.

— Он оставил мне свои записи, — послушно вспоминал отец, — рукопись неоконченной книги, какие-то заметки для статей, переписку. Все это после его смерти забрали люди из института. Сказали, что сдадут в архив. Остались только личные дневники, у отца был такой почерк, что никто его не мог разобрать...

— Да что ты? — оживилась Маша. — А можно мне посмотреть?

Отец в задумчивости уставился на ящики, потом вышел в коридор. Послышался грохот, скрип дверцы шкафа, что-то упало со звоном. Маша в это время аккуратно переписала адрес с конверта, в котором находилось письмо профессора Дамиано Манчини. Начальник Виталий Борисович учил, что репортер не должен пренебрегать никакой, даже самой малой крупицей информации.

— Алина! — послышался голос отца. — Куда делась с антресолей коробка с бумагами?

Маша не разобрала слов, но, судя по интонации, Алина отозвалась хамски. Она приоткрыла дверь и прислушалась.

— Ты что — выбросила ее? — Судя по голосу, отец разозлился.

— Кому нужно твое старье! — заорала жена. — Всю квартиру к черту захламил! На дачу я отвезла твои бумажки, может, хоть на растопку пригодятся!

— На растопку? — ахнул отец и снова закашлялся.

Он стоял в прихожей, согнувшись, и никак не мог унять приступ. Маша провела его в комнату и помогла сесть на диван, а сама полетела за водой. На кухне Алина как ни в чем не бывало выщипывала брови перед настольным зеркалом.

— Ты, зараза! — не выдержала Маша. — Отца в могилу свести хочешь? Ценные бумаги на растопку пустила!

— Тебе-то какое дело? — прошипела та. — Что ты приперлась в чужой дом?

Маша отнесла отцу воды и решила, что ей здесь больше нечего делать.

Дмитрий Алексеевич отложил скальпель, которым он осторожно соскребал краску для лабораторного анализа, и снова, который уже раз вгляделся в изображение маленького чудовища на руках Мадонны. Этот монстр невольно притягивал взгляд реставратора, то и дело заставлял возвращаться к себе его мысли.

Старыгин достал свою любимую лупу в бронзовой оправе и принялся рассматривать уродливое создание – его маленькие скрюченные лапки, его плоскую отвратительную морду, изогнутый хвост... Отдельные части чудовища казались Дмитрию Алексеевичу удивительно знакомыми, он где-то видел похожие существа. Наверняка в каком-то из средневековых бестиариев, старинных книг, посвященных описанию существующих в далеких краях или вымышленных зверей. На страницах этих манускриптов гиппопотам соседствовал с крылатым быком, крокодил – с двухголовой змеей, якобы обитающей в долине Нила, верблюд – со сказочной птицей рох. И действительно, с точки зрения человека средневековья полосатая африканская лошадь казалась нисколько не менее удивительной, чем грифон или мантикора.

Если он видел подобное существо в каком-то бестиарии, то нужно обратиться к Антонио Сорди, коллеге из библиотеки Ватикана, который как никто другой знает подобную средневековую литературу.

В очередной раз порадовавшись чудесам прогресса, Старыгин отсканировал чудовище с картины, ввел изображе.... ...ьютер и тут же отослал его по электронной почте в Рим, сопроводив коротким письмом Антонио. Затем он снова занялся исследованием красочного слоя картины.

Однако не прошло и часа, как почтовая программа известила его о получении нового письма.

Это был ответ от Антонио.

«Дорогой друг, — писал итальянец, — сообщите скорее, где Вы отыскали такое удивительное изображение! Насколько я могу судить, это помесь василиска и амфисбены, причем выполненная рукой великого мастера. Как Вам, несомненно, известно, оба эти существа подробно описаны Леонардо да Винчи в одной из его записных книжек, так называемом манускрипте "Н". Возможно ли, что присланное Вами изображение принадлежит руке Леонардо? Если это так, то Вы совершили открытие, которое обессмертит Ваше имя! Могу поздравить Вас с такой удивительной находкой! Надеюсь в ближайшее время увидеть вас в Риме. С глубоким уважением, Антонио Сорди».

Василиск и амфисбена! Два мифических существа, описанных Леонардо да Винчи!

Старыгин вскочил и заходил по мастерской, в волнении сжимая руки.

Как написал Антонио? Манускрипт «Н»? К сожалению, в Эрмитаже нет рукописей Леонардо, но в кабинете рукописей ему могут дать подробную консультацию.

Дмитрий Алексеевич снял измазанный краской рабочий халат, надел пиджак и поспешил хорошо знакомой дорогой в кабинет рукописей.

Танечка встретила его с неизменной радостью.

— Дима! Заходи, я как раз заварила кофе! А где же твоя… химическая консультантка?

— После, после! — Старыгин замахал руками. — Все после! Расскажи, пожалуйста, что ты знаешь о так называемом манускрипте «Н» Леонардо да Винчи?

— Манускрипт «Н»? — Таня на секунду задумалась. — Ну как же! Как ты, конечно, знаешь, большую часть рукописей Леонардо унаследовал его друг и ученик Франческо Мельци. За десять дней до смерти, 23 апреля 1519 года, в замке Клу близ Амбуаза, во Франции, Леонардо написал завещание, по которому Франческо, совсем тогда молодой человек, получил в наследство все бывшие тогда при нем рисунки, портреты и инструменты. Франческо Мельци был верным учеником Леонардо. Он бережно хранил его рукописи, делал из них выписки и составил первый сборник, так называемый Ватиканский кодекс. Ни одного документа, написанного рукой учителя, Мельци не продал, несмотря на то что ему делали чрезвычайно щедрые предложения.

После смерти Франческо Мельци в 1570 году сын его, доктор Орацио Мельци, не имевший никакого представления о ценности рукописей Леонардо, свалил их на чердак и позабыл. Началось расхищение манускриптов, которые становятся объектом спекуляции. Большая часть попала в руки книготорговца Помпео Леони, который из части листов составил так называемый Атлантический Кодекс, переплетя их в красную кожу и сделав на обложке надпись «Рисунки машин и тайных искусств». У того же Помпео Леони два тома манускриптов приобрел английский посланник граф Арондель, впоследствии оба эти тома перешли в собственность английской короны и хранятся сейчас в Британском музее и Виндзорской библиотеке. После смерти Помпео Леони находившиеся у него рукописи Леонардо достались его наследнику, Клеодоре Кальки, от которого после еще одного владельца они перешли в Амброзианскую библиотеку в Милане. Здесь оказались Атлантический Кодекс и еще десять рукописей, которые с тех пор известны под названием манускриптов А, В, Е, F, G, H, I, L и M.

— Ага! — воскликнул Старыгин. — Вот, наконец, и возник мой манускрипт «Н»! Значит, он находится в Милане?

– Не спеши, Дима! Превратности европейской истории еще раз нарушили целостность этого собрания рукописей. Когда в 1796 году Бонапарт завоевал Ломбардию, то из Милана все манускрипты Леонардо вместе со многими другими культурными ценностями якобы для сохранности были отправлены в Париж. Атлантический Кодекс попал в Национальную библиотеку, а двенадцать отдельных рукописей – в библиотеку Французского института. В 1797 году Вентури, профессор университета в Модене, был по служебным делам в Париже, изучил эти рукописи и опубликовал выдержки из них.

– Так что – все эти рукописи так и остались во Франции?

– Нет, после Реставрации вывезенные из Италии сокровища искусства по мирному договору должны были быть возвращены, однако в Милан возвратили только Атлантический Кодекс, а остальные рукописи Леонардо так и остались в библиотеке Французского института. Кстати, если тебе интересно, у меня есть хороший экземпляр издания профессора Вентури…

– Танечка! Ты просто ангел! – Старыгин молитвенно сложил руки. – Я об этом даже не мечтал! Я тебя обожаю!

– Запишу этот комплимент в отдельную книжечку, которую буду в старости перечитывать долгими зимними вечерами! – С этими словами Татьяна вскарабкалась по лесенке и достала с верхней полки стеллажа толстый том, переплетенный в телячью кожу, с золотым тиснением на корешке.

– Вот он, твой манускрипт «Н», – проговорила она, протягивая раскрытую на середине книгу.

Дмитрий Алексеевич бережно взял книгу в руки и начал читать, на ходу переводя на русский:

«Василиск. Он родится в провинции Киренаике и величиной не больше 12 дюймов, и на голове у него белое пятно наподобие диадемы; со свистом гонит он всех змей, вид имеет змеи, но движется не извиваясь, а наполовину поднявшись прямо перед собой. Говорят, что когда один из них был убит палкой неким человеком на коне, то яд его распространился по палке и умер не только человек, но и конь. Губит он нивы, и не те только, к которым прикасается, но и те, на которые дышит…»

— Замечательное создание! — с чувством проговорил Старыгин. — Просто не животное, а оружие массового поражения! Ну-ка, а вот что пишет Леонардо про амфисбену:

«Амфисбена. У нее две головы, одна — на своем месте, а другая на хвосте, как будто не довольно…»

Дмитрий Алексеевич перевернул страницу книги и вдруг удивленно замолк.

— Что там, Дима? — окликнула его Татьяна. — Почему ты замолчал?

— Посмотри сюда, ты поймешь, — Старыгин протянул ей книгу. — Насколько я понимаю, это не твои пометки! Вряд ли вы наносите библиографические знаки таким грубым способом!

Татьяна взяла у него том, взглянула на раскрытую страницу и ахнула. На полях книги по желтоватой старинной бумаге тянулась непонятная надпись, сделанная красным фломастером. Длинная цепочка отчетливых, крупно написанных цифр.

— Какой ужас! — проговорила наконец женщина, положив открытую книгу на стол. — Какое варварство! Так испортить редчайшее издание!

— Хорошо, что я был у тебя на глазах и ты не подумаешь на меня! — с вымученной усмешкой промолвил Старыгин.

— Как ты можешь, Дима! — отмахнулась Татьяна. — Я прекрасно знаю, что ты на такое не способен!

— Кто брал у тебя в последнее время эту книгу?

– В том-то и дело, Дима, что никто! С ней уже несколько лет никто не работал! Да если бы кто-то и брал, неужели ты думаешь, что наш сотрудник мог бы так варварски обойтись с таким редким изданием?

– Позволь-ка… – Старыгин наклонился над книгой и принялся разглядывать надпись через свою любимую лупу.

– Почему ты носишь лупу без футляра? – недоуменно спросила его Татьяна. – Ведь она может поцарапаться или разбиться, а вещь старинная, очень красивая…

– Где-то потерял футляр… – равнодушно проговорил Старыгин. – Надо будет подобрать новый… Хочу тебе сказать, что эта надпись совсем свежая, сделана не больше, чем два-три дня тому назад…

– Ничего не понимаю! – Татьяна недоуменно пожала плечами. – У нас в эти дни вообще не было посторонних! Но по крайней мере свежую надпись будет намного легче свести.

– Это точно, – подтвердил Дмитрий Алексеевич. – Я принесу тебе подходящий растворитель, который не повредит старинную бумагу. А ты позволишь мне скопировать эту надпись?

– Конечно, – кивнула Татьяна. – Не понимаю, зачем тебе это понадобилось, но делай с ней все, что хочешь.

Старыгин не стал объяснять своей подруге, чем заинтересовала его надпись на странице старинного кодекса. Он не хотел пугать ее, не хотел втягивать в непонятные, необъяснимые события, разворачивающиеся вокруг картины Леонардо да Винчи.

Странная надпись приковала к себе его внимание тем, что цифра «7» в ней была написана в точности так же, как каждая из четырех невидимых семерок на таинственном холсте из зала Леонардо. Точно тем же почерком, точно той же рукой. Дмитрий Алексеевич нисколько не сомневался в этом. При его опыте реставратора отличить один почерк от другого не составляло ни малейшего труда.

Кроме того, само место, где была найдена надпись, говорило о ее важности и о том, что цепочка цифр имеет прямое отношение к таинственной картине. На эту книгу, на эту страницу в ней указало страшное создание на руках Мадонны...

Старыгин рассеянно простился с Татьяной и поспешил к себе в лабораторию, не утешив расстроенную женщину. Ему не терпелось попытаться прочесть загадочное послание.

Положив сделанный в кабинете рукописей список на стол, Старыгин задумался. Он не был специалистом по шифрам и кодам, не имел даже математического образования, однако что-то подсказывало ему, что этот код он сумеет прочесть. Ведь тот, кто написал цепочку цифр на странице старинной книги, явно хотел, чтобы его послание было прочтено и понято. Причем он адресовал свое письмо скорее всего именно ему. То есть не конкретно Дмитрию Старыгину, а тому человеку, который будет изучать загадочную картину и у которого при этом достанет знаний и сообразительности, чтобы узнать, из частей каких мифических созданий составлен маленький монстр на руках Мадонны.

Старыгин предполагал, что каждая цифра в цепочке обозначает какую-то букву. Но какую?

Для начала он выписал в столбик все буквы русского алфавита и заменил каждую цифру соответствующей по порядку буквой.

В результате у него получился бессмысленный набор букв.

Он повторил то же самое, написав алфавит в обратном порядке, от «Я» до «А», и снова проделал подмену.

Результат получился таким же бессвязным.

Может быть, нужно выписать буквы не в одну колонку, а в несколько? Но во сколько – в две, в три, в четыре?

Старыгин бросил карандаш и выпрямился. Так можно гадать сколько угодно, нисколько не приближаясь к истине! А она, может быть, где-то совсем близко, совсем рядом! Истина… Veritas по латыни…

Дмитрий Алексеевич подскочил, как от удара. Почему он выписывал буквы русского алфавита? Ведь все записи, с которыми ему приходилось иметь дело в ходе работы, были сделаны на итальянском, латинском, французском языках, то есть буквами латинского алфавита!

Он торопливо выписал в столбик латинские буквы и принялся одну за другой заменять ими цифры из таинственной надписи.

И очень скоро на листке перед ним появилась фраза, которую он без труда перевел с латыни на русский:

«Найдешь ее в госпоже катакомб».

Ее? Старыгин почти не сомневался, что речь идет о пропавшей картине, о «Мадонне Литта» кисти Леонардо. Но что значит окончание надписи? Где искать исчезнувшую картину? И что такое госпожа катакомб?

Катакомбы в первую очередь ассоциировались у него с первыми христианами, которые вынуждены были, скрываясь от преследований, совершать свои богослужения под землей, в темноте и сырости подземелий, катакомбах Вечного города.

В очередной раз порадовавшись достижениям технического прогресса, Старыгин вышел в Интернет и сделал запрос по теме «Достопримечательности Рима».

Тут же ему выдали несколько рекламных текстов, предлагавших отправиться в путешествие и ознакомиться с красотами и древностями итальянской столицы.

Дмитрий Алексеевич быстро пробежал взглядом несколько страниц и наконец нашел то, что надо.

«На Виа Салариа находятся катакомбы Святой Присциллы. Это место в древних источниках называли госпожой катакомб, поскольку там находятся захоронения многих первых христиан, в первую очередь — первых семи римских пап, в том числе святого Марцеллина и его преемника Марцелла…»

Вот оно! Вот куда ведет найденная на странице старинной книги подсказка! В Рим, в катакомбы Святой Присциллы! Неслучайно всего какой-нибудь час назад Антонио Сорди написал, что надеется вскоре увидеть его в Риме!

Старыгин перевел дыхание и остановил полет своей фантазии.

С чего он взял, что анониму, который испортил красными чернилами ценную старинную книгу, можно верить? Скорее всего, это обман, хитрая уловка. Его хотят направить по ложному следу…

Но что-то, какой-то внутренний голос продолжал повторять: Рим, Виа Салариа…

Высокий, необыкновенно худой человек опустился на ковер и легко принял позу лотоса. Он был необычайно гибок и мускулист и без труда мог принять самую трудную позу йоги. Чиркнув спичкой, он зажег тонкую ароматическую свечу на медной подставке и втянул сладковатый, пряный дым. Мужчина скосил глаза на свое запястье. Ящерица, изображенная на смуглой коже, казалось, ожила, ее маленькие глазки загорелись угрожающим красным огнем.

— Час нашего торжества близок, — прошептал мужчина, обращаясь то ли к этому странному созданию, то ли к кому-то невидимому, чье присутствие он ощущал в любой миг дня и ночи.

Особенно ночи.

Давно уже худой мужчина не мог заснуть, и ночные часы были заполнены мучительными, беспокойными мыслями. Правда, теперь он был на полпути к осуществлению главной цели своей жизни, он уже сделал много, очень много, и Повелитель должен быть им доволен... но многое еще предстояло завершить.

Ароматный дым заполнил его легкие, и мужчина почувствовал приближение знакомого головокружения, приближение того удивительного, не поддающегося описанию состояния, которое в последнее время заменяло ему сон.

Ему показалось, что ящерица на запястье шевельнулась и шире открыла глаза. Мужчина устремил в эти глаза свой собственный взгляд, встретился с горящими глазами маленького чудовища, полностью растворился в них. Перед его разноцветными глазами, как обычно в часы медитации, поплыли цветные облака, не те легкие, блекло-голубые, которые проплывали в окнах на заднем плане Картины, а яркие, розовые, как цветы шиповника, с густой багровой подкладкой... Розовые облака проплыли и постепенно растворились в пылающем дымно-красном свете, и на смену им пришли вращающиеся круги, кольца, спирали, прерывистые, беспорядочно пересекающиеся линии. Это было предвестием приближающегося Видения.

Мужчина расслабился, открывая Иной Силе свое сознание, все самые потаенные его уголки. Он ждал и надеялся.

И вот сквозь густые клубы ароматного дыма, как проявляющийся фотоснимок, постепенно показался темный, сырой коридор, неверное колеблющееся пламя свечи, неровная стена в потеках сырости и явственно проступающее на ней изображение. Знакомое, очень знакомое место.

Из-за поворота коридора появились двое, мужчина и женщина. То ли из-за темноты, то ли по какой-то другой причине никак не удавалось разглядеть женское лицо. Впрочем, это было не так уж важно. Важно было другое: это именно она, та самая женщина, которая поможет ему завершить самое главное дело жизни…

Значит, его план удастся, у него получится все, что задумано. Он, как паук, застывший в центре огромной паутины, дождался своего часа, и теперь останется только потянуть за нужную ниточку и завершить начатое. Они попались в расставленную им ловушку. Они сами придут туда, куда он их направил. Ему останется только ждать их там.

Но вдруг в душе медитирующего человека зазвучала какая-то тревожная нота, в ней проснулось неясное беспокойство. И причина этого неосознанного беспокойства заключалась именно в ней, в этой женщине. Она что-то делала не так, как нужно… или что-то знала, чего не должна была знать… или у нее было то, что могло помешать выполнению великой миссии…

Разноглазый человек втянул расширенными ноздрями сладковатый дым, сосредоточился, пытаясь понять, откуда исходит это смутное беспокойство… это было важно, очень важно…

Но вдруг в его сознание вторгся посторонний звук, посторонний голос.

— Брат, я принес то, что ты просил…

Видение разрушилось, растаяло, исчезло, как ноздреватый снег под яркими лучами весеннего солнца. Без следа пропали темный коридор и те два человека, которые шли по нему, приближаясь к священному изображению.

Раскрыв свои разноцветные глаза, худой человек увидел перед собой того самодовольного, вальяжного мужчину, который предоставил ему кров.

Как его зовут? Кажется, Николай… Конечно, он его брат по вере, он служит Повелителю, но что-то подсказывало разноглазому, что служение это – неискреннее, что Николай ненадежен.

И то, что он так не вовремя появился, разрушив видение, помешав найти причину нарастающего беспокойства, вызывало бесконечное раздражение.

– Я помешал тебе? – спросил Николай. – Прости меня, брат. Я принес тебе новые документы. И я хотел спросить – долго ли ты еще здесь пробудешь?

Голос Николая прозвучал спокойно, даже равнодушно, но разноглазый человек своими обостренными от бессонницы и нервного напряжения чувствами уловил таящийся в глубине его души страх. Он интересуется, долго ли я здесь пробуду. Он не просто интересуется. Он беспокоится. Он боится.

Страх несовместим с искренним служением Повелителю. Страх – удел слабых, удел тех, кто ничего не видит за тусклой оболочкой обыденного, тех, кому не дана высокая сущность видений… больше того – страх опасен… Не потому ли он так боится, что готов предать?

– Спасибо, брат, – вполголоса проговорил худой мужчина и поднял на Николая свои глаза – один карий, точнее – янтарно-желтый, второй густо-зеленый, как полуденное море.

– Спасибо, брат, – повторил он, мягко и легко поднимаясь на ноги. – Повелитель воздаст тебе сторицей за твое верное служение.

– Я служу Ему не за награду, – Николай смущенно потупился. – Я служу Ему по зову сердца…

«Как бы не так! – раздраженно подумал разноглазый. – Он слишком многим обязан нам… Когда у них в стране все разваливалось, когда одни люди создавали на руинах огромные состояния, а другие разорялись и гибли, мы помогли ему. Именно нам он обязан своим сегодняшним благополучием… По зову сердца, надо же…»

Он шагнул навстречу Николаю, осторожно взял из его руки прозрачную папку с документами, положил ее на стол. Встретился с его глазами, словно притягивая, впитывая его взгляд.

И прочитал в этом взгляде готовность предать. Предать от страха, от пустоты, от бессилия.

Николай вздрогнул, попятился. С его удивительным гостем происходило что-то странное, что-то удивительное: его разноцветные глаза вдруг утратили свой цвет, стали прозрачными, как талая вода, и такими же холодными…

Николай еще немного отступил и почувствовал спиной стену.

— Почему… за что… — пробормотал он трясущимися от страха глазами. — Ведь я служил вам… верно служил…

— Ты служил нам, — повторил гость, — и поэтому тебе будет дарована великая милость. Самая великая милость, которая может быть дарована смертному: легкая, безболезненная смерть.

Он протянул вперед свою легкую, сухую, как ветка высохшего дерева, руку и едва коснулся горла своего гостеприимного хозяина. Тот тихо ахнул и мешком рухнул на мягкий ковер. Глаза его подернулись бесцветной пленкой забвения и уставились в потолок, будто Николай прочел там какие-то пылающие письмена.

Его гость опустился на одно колено и сухими холодными пальцами закрыл эти глаза.

— Нос немного тоньше, — озабоченно проговорил отставной военный, вглядываясь в экран монитора, — и с небольшой горбинкой. Да, примерно такой… уши меньше… плотнее прижаты к голове… нет, не такие, снизу закруглены… вот это больше похоже…

Он уже второй час сидел рядом с сотрудником службы безопасности за компьютером, пытаясь создать фоторобот, стараясь восстановить облик того человека, который вышел через служебный подъезд Эрмитажа в ночь его дежурства, в ночь странного преступления. Непривычное занятие очень утомило его.

– Теперь волосы. – На экране появилась одна прическа, другая, третья…

Сзади тихо подошел Евгений Иванович Легов и заинтересованно уставился на экран. Постепенно проступавшее там лицо показалось ему знакомым.

– Костя, поменяй подбородок, – попросил Легов своего подчиненного, – поставь более закругленный… вот так… теперь углуби носогубную складку…

– Вот, это он! – радостно воскликнул ночной дежурный. – Точно, он! Как живой получился!

– Вы уверены? – на всякий случай переспросил Евгений Иванович. Он сам не верил в такую удивительную удачу.

– Он, он самый! – уверенно подтвердил отставник. – Теперь просто одно лицо!

– Распечатай, – коротко распорядился Легов.

– Сколько экземпляров? Штук двадцать, чтобы раздать всем нашим ребятам?

– Нет, одного экземпляра достаточно. Только для меня.

Сложив вдвое листок с распечаткой фоторобота, он вышел из кабинета и поднялся на второй этаж.

– Как дела, Дмитрий Алексеевич? – самым нежным голосом проворковала Маша по телефону. – Как продвигается ваша работа?

Нынешним утром она решила, что глупо дуться на этого реставратора, помешанного на работе. Глупо язвить, он все равно ничего не заметит. В конце концов, Маше тоже нужно, чтобы он помог ей исключительно по работе. Стала бы она интересоваться этим типом просто так! Да вот еще, очень надо! Сорок лет, а то и больше, одежда немодная и сидит мешковато, да еще всегда в рыжей шерсти от кота. Вечно витает в эмпиреях, не видит, что происходит у него под носом. Ему ближе какой-нибудь шестнадцатый век, чем нынешнее время, во всяком случае, он лучше в нем ориентируется. В общем, полное ископаемое.

Но он обещал Маше эксклюзивное интервью. Сейчас он оказался в самом центре событий с картиной. И уж если волею судеб, их дорожки пересеклись, то Маша своего не упустит. Это интервью может стать переломным моментом во всей ее журналистской карьере.

– Дмитрий Алексеевич, дорогой, вы меня не забыли? – Она решилась добавить в голос чуть больше интимности.

– Как бы я мог забыть, если мы расстались только вчера? – весело откликнулся Старыгин.

– Есть новости?

– Ну, я раскопал кое-что, так что если вы не слишком заняты…

– Я еду!

Старыгин положил трубку и поймал себя на том, что улыбается.

Маша появилась через сорок минут, чудом ей удалось миновать все пробки.

– Я принесла хороший молотый кофе! – заявила она, – и миндальные пирожные для вас!

– Почему для меня? – удивился Старыгин.

– Потому что вы – сладкоежка, как все мужчины!

– Не буду отпираться, – смиренно склонил голову Старыгин. – Только откуда вы узнали такие интимные подробности про меня?

— Мне нашептал их кот Василий! Но расскажите же, что вам удалось выяснить!

— Да, но сначала я должен закончить работу. А вы пока сварите нам кофе!

Старыгин наклонился над картиной и не видел, какую физиономию скорчила Маша. Что за командирский тон! Как будто она горничная! Но ради эксклюзивного материала она готова не только варить этому типу кофе, но и жарить яичницу на завтрак!

Утверждение вышло несколько двусмысленным, хорошо, что она не сказала этого вслух.

— Во времена Леонардо большинство итальянских художников писали темперой, то есть красками на основе яичного желтка, — Дмитрий Алексеевич говорил, продолжая в то же время исследовать поверхность холста. — Основой для их картин служили доски, чаще всего тополевые. Правда, во многих областях Италии применяли свою местную древесину: для феррарских живописцев были характерны ореховые доски, буковую древесину использовали представители болонской школы, ель — венецианские художники, пихту — живописцы Ломбардии. Сам же Леонардо считал лучшими основами для живописи доски из кипариса, ореха и груши. Он очень много экспериментировал и с красками. В его рукописях осталось множество оригинальных рецептов красок и грунтов. В основном он писал смесью масла и темперы, но часто составлял более сложные сочетания, добиваясь особенной, воздушной прозрачности и глубины цвета.

Старыгин вздохнул и добавил:

— Правда, его эксперименты имели и негативную сторону. Большинство изобретенных им красок оказались непрочными, они разрушались под действием времени, так что уже в XVI веке Джорджо Вазари, автор жизнеописаний знаменитых итальянских живописцев, ваятелей и зодчих, писал, что многие работы Леонардо пребывают в плачевном состоянии.

— А эта картина? Каково состояние красок?

— Неплохое, видно, хранили ее по всем правилам, берегли от сильного солнечного света и от сырости. В свое время я исследовал состав красок той картины, настоящей, так вот, могу сказать с большой долей уверенности, что почти все краски по составу совпадают.

— То есть вы хотите сказать, что эту картину нарисовал сам Леонардо да Винчи?

— Для того чтобы это утверждать, нужно еще многое сделать, — сухо ответил Старыгин, — но краски, безусловно, те же. Мэтр в своих записях дал точные рецепты. Вот, слушайте! — Старыгин отскочил от картины и стал рыться на столе, заваленном бумагами. Вытащил книжку и открыл на нужной странице.

— Вот, например, этот дивный голубой цвет:

«Чтобы сделать индиго. Возьми цветов синили и крахмала в равных долях и замешай вместе с мочой и уксусом, и сделай из этого порошок, и высуши его на солнце, и если это окажется слишком белым, добавь цветов синили, делая пасту той темноты цвета, которая тебе потребна».

— «Вместе с мочой?» — Маша сморщила нос, глядя на голубые одежды Мадонны.

— Есть более диковинные рецепты. Вот, для желтой глазури:

«Одна унция цинковой окиси, три четверти индийского шафрана, одна четверть буры, и все вместе разотри. Потом возьмешь три четверти бобовой муки, три унции сухих крупных фиг, одну четверть воробьиных ягод и немного меду; и смешай, и сделай пасту».

— Здорово! — восхитилась Маша. — Особенно про воробьиные ягоды! Знать бы еще, что это такое...

Неожиданно дверь комнаты распахнулась. На пороге появился невысокий, полный человечек с круглой лысой головой. Весь он был какой-то кругленький, обтекаемый и казался совершенно безобидным и добродушным. Особенно усиливали это впечатление маленькие детские ручки и круглые щеки, покрытые жизнерадостным румянцем. Впрочем, это впечатление явно было обманчивым, скорее всего, оно было тщательно продуманной маской, которую этот человек носил для того, чтобы вводить в заблуждение своих собеседников. Маша вспомнила, что именно он руководил переноской картины в день странного происшествия. Тогда он вовсе не выглядел добродушным, напротив, он был решительным, собранным и жестким.

– Здравствуй, Дмитрий Алексеевич! – произнес вошедший, остановившись на пороге и широко улыбнувшись.

– Здравствуйте, Евгений Иванович! – Старыгин распрямился, обернулся к двери и уставился на гостя. – А что это вы без стука входите?

– А что – ты чем-то предосудительным занимаешься? – спросил тот с самым невинным видом. – А, да! У тебя тут гостья! – он хитро усмехнулся: – Познакомь!

– Это Мария, – неохотно проговорил Старыгин. – А это – Евгений Иванович Легов, он занимается…

– Не надо, не надо всех этих должностей и титулов! – Легов замахал маленькими ручками. – Просто Евгений… Иванович, этого вполне достаточно! Так чем вы тут, друзья мои, занимаетесь?

– Работаем, – мрачно ответил реставратор.

– Ты-то, допустим, работаешь, – зыркнул на него Легов, – а девушка что – для вдохновения?

– Девушка… обучается, – Дмитрий Алексеевич отвернулся и склонился над картиной, показывая всем своим видом, что он очень занят и ему недосуг общаться со всякими чиновниками, пусть даже очень важными.

Маша опустила глаза и сделала несколько незаметных шагов в сторону кофеварки. Раз этот тип какое-то начальство, вовсе незачем ему знать, что Дмитрий Алексеевич незаконно держит в мастерской кофеварку. Она незаметно выдернула вилку из сети и прикрыла кофеварку газетой.

— Это хорошо, что обучается, — кивнул Легов. — Смена — это дело важное. И актуальное. Передача опыта, так сказать. Я вот только хотел тебе, Дмитрий Алексеевич, две бумажки показать, может, ты мне поможешь с ними разобраться.

— Что за бумажки? — спросил Старыгин, скосив глаза на Евгения Ивановича.

— Да вот тут нашли в зале, а разобраться не можем. — Легов полез в карман и вытащил оттуда смятый листок, на котором что-то было напечатано очень мелким шрифтом.

— Дайте сюда, — Старыгин достал свою любимую лупу и поднёс её к листку. — Черт его знает, какие-то цифры... ничего не понимаю, зачем вы мне это показываете?

— А вот зачем! — Легов неожиданно ловким движением выхватил лупу из руки реставратора. — Это ваше?

— Ну да, — Старыгин пожал плечами с несколько беспокойным видом. Он пока ничего не понимал, но холодный блеск в глазах Легова вызвал у него в душе смутную тревогу, особенно же насторожило то, что Евгений Иванович, до сих пор фамильярно-начальственно тыкавший ему, неожиданно перешел на «вы», как будто их уже разгородил широкий стол следователя.

— Ну да, — повторил Дмитрий Алексеевич, — это моя лупа, все знают...

— Да-да, все знают... — дурашливо передразнил его Легов. — А вот это тоже ваше?

Жестом провинциального фокусника он выхватил из кармана какой-то небольшой темный предмет. Маша, которая зачарованно следила за происходящим, разглядела в руках начальника службы безопасности небольшой старинный футляр из тисненой кожи, на котором еще виднелась полустертая позолота. Маша тут же подумала, что зря она беспокоилась о кофеварке, дело тут гораздо серьезнее. Старыгину грозит нечто гораздо больше, чем служебное взыскание.

Легов ловким жестом вложил лупу в кожаный футляр и изобразил на своем круглом лице искреннее удивление.

— Смотри-ка ты, входит!

«Входит и выходит, замечательно выходит!» — мысленно произнесла Маша слова ослика Иа-Иа. Впрочем, ей, как и остальным участникам сцены явно было не до смеха.

— Разумеется, входит, — сквозь зубы процедил Старыгин. — Что за цирк вы здесь устраиваете? Это мой футляр, я его потерял несколько дней назад...

— А где потеряли, случайно не помните? — спросил Легов, не сводя с реставратора холодного, настороженного взгляда.

— Понятия не имею, — Дмитрий Алексеевич снова выразительно пожал плечами. — Что вы со мной в кошки-мышки играете? Говорите прямо, что вам нужно?

— Подойдем, мы к этому непременно подойдем! — Легов снова фальшиво заулыбался, действительно сделавшись похожим на хитрого толстого кота, играющего с измученной полуживой мышью. — Хотите, Дмитрий Алексеевич, я подскажу, где вы потеряли этот футлярчик? По дружбе, так сказать?

— Ну и где же?

— В Рыцарском зале, за лошадью! — выпалил Легов, пристально наблюдая за реакцией Старыгина на эти слова.

Маша невольно вздрогнула: она почему-то вспомнила рассказ Старыгина о том, как тот в детстве прятался от ночных сторожей за этой самой лошадью. У нее мелькнула дикая мысль, что именно тогда он и потерял там футляр...

— Не понимаю, как он туда попал! — равнодушно ответил Старыгин. — И уж совсем не понимаю вашего оживления по этому поводу!

— А вот я догадываюсь, когда вы потеряли там этот футлярчик, — вкрадчивым елейным голосом проговорил Евгений Иванович. — Когда вы там прятались в ночь ограбления!

— Что за чушь вы несете! — в голосе Старыгина прозвучало нескрываемое раздражение. — В какую ночь? Какого ограбления?

— В ту ночь, когда вы похитили «Мадонну Литта»! — произнес Легов неожиданно звучным, торжественным голосом.

— Вы бредите, Евгений Иванович! — Старыгин скривился, как будто в рот ему попало что-то горькое. — Извинитесь за это бредовое обвинение! Я — украл Мадонну?

— Верните картину, Старыгин! — строго проговорил Легов. — Только это сможет облегчить ваше положение! Я по старой дружбе попытаюсь воздействовать на руководство... Мы учтем ваши многочисленные заслуги... В противном случае — пеняйте на себя!

— Да вы только послушайте, что он говорит! — Старыгин повернулся к Маше, как бы призывая ее в свидетели. — Я — украл «Мадонну Литта»! Да с какой стати? Уж я-то лучше кого-нибудь другого знаю, что продать ее невозможно!

— Вы девушку-то в свои дела не впутывайте! — прогремел Легов. — Или уже впутали? Она — ваша соучастница? — он мимоходом скользнул взглядом Машиному лицу. — С этим мы разберемся...

А насчет того, зачем вам понадобилось красть картину, я очень даже догадываюсь! Знаю я вашего брата, интеллигента! Вам ведь что важнее всего? Самомнение свое потешить! Мол, я могу картину намалевать не хуже всякого да Винчи! Нарисую, и вы все в восхищение придете! И разговоров, разговоров-то вокруг сколько будет! Какая реклама, или, как сейчас говорят, — какой пиар! А то, что про мое участие никто не будет знать — так это не важно, главное, что сам будешь от гордости лопаться!

— И слушать не хочу весь этот бред! — Старыгин отвернулся и снова склонился над картиной. — Приходите снова, если придумаете что-нибудь поумнее!

— Поумнее? — Легов усмехнулся. — Где уж нам поумнее! Мы ведь люди простые, грубые! Университет, правда, тоже закончили, но до вас нам ой как далеко! А если хотите что-нибудь поумнее — так не угодно ли на это взглянуть?

Он вытащил из кармана сложенный вдвое листок и победным жестом протянул его Старыгину.

— Это еще что такое? — Дмитрий Алексеевич недоуменно уставился на рисунок. — Уж это точно не рука Леонардо!

— Целиком с вами согласен, — усмехнулся Легов, — на компьютере состряпали. На милицейском жаргоне такой портретик называется фотороботом! Никого из знакомых случайно не узнаете? Или нет, как вы говорите, портретного сходства?

— Ну себя самого узнаю, — неохотно признал Старыгин. — И что с того? Если хотите, могу вам подарить свою фотографию, шесть на восемь, там я еще больше похож...

— Когда понадобится, фотографии мы сами сделаем! Только не шесть на восемь, а три на четыре. В фас и в профиль. А этот фоторобот тем интересен, что составил его ночной дежурный в тот самый день... точнее, в ту самую ночь, когда была похищена «Мадонна Литта». Этот самый ночной дежурный видел, как вы глубокой ночью выходили через служебный выход музея. И у вас в руках, между прочим, находился некий предмет, который вполне мог быть похищенной картиной… И я думаю, что это и была именно она, «Мадонна Литта»!

Легов подскочил к реставратору, уставился на него побелевшими глазами и выпалил:

– Игра окончена, Старыгин! Дежурный опознал вас по фотографии в личном деле! Признайтесь, куда вы дели картину, – или сгниете в тюрьме, и все ваши заслуги нисколько не помогут!

Легов стал страшен. В нем не осталось ничего от прежнего смешного и безобидного человечка, кажется, он даже стал выше ростом. Маша вздрогнула. Она поняла, что этот человек способен не задумываясь сломать чужую судьбу во имя своих амбиций, что он твердо уверился в виновности Дмитрия Алексеевича, выбрал его на роль подозреваемого и теперь ни за что не отступит от принятого решения, он действительно сгноит невинного человека в тюрьме… а в том, что Старыгин ни в чем не виноват, Маша не сомневалась ни секунды. Легов по своему положению пытался свести все к простому: кто-то украл дорогую картину из вверенного ему Эрмитажа. Он обязан картину найти и вернуть. Если же это сделать невозможно, то Легову нужно хотя бы кого-то предъявить начальству в качестве подозреваемого и отчитаться в своей деятельности.

Но ведь картину не просто украли. Ее подменили. И только разобравшись, для чего это сделали, можно отыскать следы настоящей «Мадонны Литта». Если Старыгина сейчас арестуют, разбираться никто не станет. То есть может быть потом… но время дорого. Что-то подсказывало Маше, что нужно спешить. Они могут не успеть…

Легов достал из кармана какой-то тяжелый, тускло сверкнувший предмет. Маша с ужасом поняла, что это наручники.

Решение пришло внезапно. Точнее, не было никакого решения, она начала действовать под влиянием какого-то мгновенного бессознательного импульса. Вспомнив про особенности здешней электропроводки, Маша передвинула старинное резное кресло ближе к двери. В ту же секунду свет в лаборатории погас, комната погрузилась в кромешную темноту. С той стороны, где находился Легов, донеслось приглушенное проклятье. Евгений Иванович, натыкаясь на мебель, двинулся к столу и наткнулся на Машу. Он прошипел что-то нечленораздельное и мертвой хваткой вцепился в ее руку.

И тогда Маша сделала такое, чего никак не ожидала от себя. Видимо, решив, что, как говорят, семь бед – один ответ, она нащупала в темноте тяжелую настольную лампу и с размаху ударила туда, откуда раздавалось взбешенное бормотание Легова. Из темноты донесся изумленный сдавленный возглас, рука Евгения Ивановича разжалась, и он с глухим звуком рухнул на пол.

– Дмитрий, бежим! – прошептала Маша и каким-то шестым чувством нащупала в темноте холодную руку реставратора. – Бежим отсюда!

Через секунду они выскочили из лаборатории. Старыгин удивленно вытаращился на Машу.

– Ну вы даете! Честно говоря, не ожидал!

– Я и сама не ожидала, – призналась девушка. – У вас есть ключ?

Он мгновенно понял ее и запер дверь лаборатории.

– Правда, он наверняка предупредил все посты… – озабоченно проговорила Маша. – Через служебный выход вас не пропустят…

— Не надо через служебный, — Старыгин потащил ее за руку к лестничной площадке. — Вы знаете, где нужно прятать лист?

— Конечно! Кто же этого не знает! — Маша усмехнулась, едва поспевая за реставратором. — Лист надо прятать в лесу!

— Тогда человека нужно прятать в Эрмитаже! Здесь каждый день проходят десятки тысяч посетителей, среди которых нетрудно затеряться! — Старыгин выскочил на площадку, подошел к стеклянной двери... и тут же отшатнулся: за этой дверью стоял плечистый парень из числа подчиненных Легова. Заметив Старыгина, охранник бросился к двери, дернул ее... дверь была заперта. Он вытащил переговорное устройство и что-то быстро заговорил.

— Скорее! — выкрикнул Старыгин и потащил Машу вперед по коридору. Через минуту они оказались около другой двери, за которой толпились посетители перед картинами испанских мастеров. Старыгин и Маша вбежали в зал и смешались с толпой шумных финнов.

Толстая рослая финка в голубых шортах и вылинявшей джинсовой панаме повернулась к Старыгину, хлопнула его по спине и радостно воскликнула на ужасном английском:

— Хэллоу, френд!

— Hallo, — вежливо отозвался реставратор.

— Итс вери бьютифал! — сообщила общительная дочь севера, окинув широким жестом все окружающее ее великолепие.

— Yes, — сдержанно подтвердил Дмитрий Алексеевич, настороженно оглядываясь по сторонам.

В соседнем зале появились двое сотрудников службы безопасности, пробирающихся между галдящими туристами, внимательно просеивая их взглядом.

Маша широко улыбнулась финке и жизнерадостно воскликнула:

— Do you want to exchange? Хотите меняться? Souvenir!

— Чендж? О'кей! — финка явно обрадовалась проявленному к ней вниманию. Маша сняла со своей шеи шелковый платок, протянула его финке и в обмен стащила с ее головы панаму, тотчас нахлобучив ее на голову своему спутнику. Критически оглядев Старыгина, сняла с ближайшего финна черные очки и надела на реставратора. Финн удивленно оглянулся, но его соотечественница засияла, указав на Дмитрия Алексеевича:

— Итс май френд!

Один из охранников вошел в зал, скользнул взглядом по толпе туристов. Старыгин повернулся к нему спиной и сделал вид, что разглядывает лепнину потолка. Секьюрити что-то вполголоса проговорил в переговорное устройство и пошел дальше. Маша облегченно перевела дыхание.

— И что мы теперь будем делать? — прошептал Старыгин, отстранившись от разрезвившейся финки. — Все равно они меня найдут, рано или поздно… а вы вообще зря впутались в эту историю! Пока не поздно, отправляйтесь домой! Вы здесь совершенно ни при чем!

— Ну уж нет! — Маша придала своему лицу лихой и независимый вид. — Вы не забыли, что обещали мне эксклюзивное интервью? А ради такого материала я готова хоть к черту в пасть!

— Интервью! — передразнил ее Дмитрий Алексеевич. — Похоже, в ближайшее время единственным интервью, которое мне придется давать, будет протокол допроса! Легов не человек, а бультерьер! Если он в кого вцепится, то уж зубов не разожмет, особенно после того, что вы… что мы с ним сделали.

— Значит, у нас единственный выход: нужно найти настоящего похитителя и пропавшую картину. Тогда вы будете полностью освобождены от всяких подозрений, а я получу великолепный материал! Единственная беда — мы не имеем ни малейшего представления, где ее искать…

— Вот в этом вы не совсем правы, — задумчиво проговорил Старыгин, — кое-какие наводки у меня есть…

Он вкратце рассказал Маше о разговоре с итальянским коллегой и о надписи, найденной на полях старинного издания трактатов Леонардо. О надписи, утверждающей, что картина находится в римских катакомбах. Маша выслушала его, широко раскрыв глаза, и выпалила:

— Значит, нужно ехать в Рим! Мы найдем картину, вы освободитесь от обвинений, да еще и прославитесь, а я…

— Помню, помню! Вы получите потрясающий материал! Единственная проблема — как попасть в Италию. Легов наверняка примет все меры, чтобы меня не выпустили…

— Не успеет, — Маша понизила голос и сверкала глазами, как настоящая заговорщица. — Пока он все обдумает, пока решится сообщить о происшедшем своему высокому начальству, пока дадут указание службе паспортного контроля, мы уже будем в Риме!

— Как это? Такие вещи так быстро не делаются! Это все же Италия, а не Турция или Египет…

— Ерунда! — Маша отмахнулась от его слов, как от назойливой мухи. — Это я беру на себя! — и она потянула за собой Дмитрия Алексеевича к выходу из Эрмитажа.

Дородная финка проводила реставратора и свою панаму полным сожаления взглядом.

Перед самым выходом из музея Маша и Старыгин снова смешались с толпой туристов, на этот раз американцев, и благополучно преодолели последний пост охраны.

Выбравшись на Дворцовую набережную, Маша облегченно перевела дыхание и замахала рукой проезжающим машинам.

— Зачем, моя машина стоит совсем близко! — попытался остановить ее Старыгин.

— Дмитрий Алексеевич! — с укоризной протянула Маша. — Вы меня удивляете! Вашу машину прекрасно знает Легов, и я не сомневаюсь, что около нее нас уже поджидает парочка крепких ребят! А если нет — ее через полчаса объявят в розыск!

— Вы правы! — Старыгин смущенно развел руками.

— Что бы вы без меня делали!

Рядом с ними остановился синий «Фольксваген».

— На Владимирскую площадь! — скомандовала Маша, устраиваясь рядом со Старыгиным на заднем сиденье.

Поднявшись на второй этаж старого дома на Владимирской, Маша открыла офисную дверь и вошла в просторный холл.

— Алла Георгиевна у себя? — строго спросила она у охранника и, не дожидаясь ответа, толкнула дверь кабинета.

— Манюня! — радостно воскликнула невысокая полная девушка, поднимаясь из-за стола. — Как живешь?

— Хорошо, но сложно, — уклончиво отозвалась Маша. — Алка, нужна твоя помощь!

— Ты же знаешь, для тебя — что угодно, кроме денег, — и Алла расхохоталась.

— Познакомься, это Дмитрий, — представила Маша своего спутника. — Мы с ним хотели прокатиться на недельку в Италию…

— В чем проблема? — Алла окинула Старыгина долгим оценивающим взглядом и поглядела на Машу:

вроде кавалер староват и одет просто, но на вкус и цвет товарища нет…

Маша ответила ей безмятежный взором, тогда Алла развернула большой рекламный буклет.

– Через месяц будет отличный тур по городам Северной Италии, для тебя, само собой, скидка… Или вы хотите просто полежать… на солнышке? – по лицу Аллы скользнула улыбка.

– В том-то и проблема, – прервала Маша подругу, – Дмитрий чудом освободился на неделю, и мы хотели бы уехать прямо сейчас… Лучше сегодня, в крайнем случае завтра…

– Ой, Манюня, но ты ведь знаешь – итальянцы такие зануды! Так быстро документы не сделают…

– Я ведь говорил… – начал Старыгин, но Маша показала ему кулак.

– Хотите в Турцию или в Египет? – продолжала Алла. – Там безвизовый режим, можно попробовать… хотя все равно так быстро вряд ли получится…

– А если я сделаю материал о твоей фирме? – проговорила Маша голосом змея-искусителя. – Совершенно бесплатный?

– Это, конечно, здорово, – задумалась Алла, – но все-таки Италия… ты меня понимаешь…

– Очень хорошо понимаю, – Маша достала из кармана мобильный телефон. – А если я расскажу Олегу, что ты вытворяла в прошлом году в Шарм-эль-Шейхе?

– Ты откуда знаешь? – прищурилась Алла. – Ты там никогда не была!

– Мне рассказал один человек. Некоторые мужчины бывают ужасно болтливы…

– Гад какой! – лицо Аллы вытянулось. – Я думала, что мы подруги!

– Конечно, подруги! – Маша начала набирать номер. – Если бы мы не были подругами, я бы Олегу давно уже все рассказала! Причем совершенно безвозмездно!

– Машка, ну ты и стерва!

– Жизнь такая, – Маша прижала трубку к уху и пропела: – Привет, Олежек! Как живешь?

– Я тебе все сделаю! – прошипела Алла, делая страшные глаза. – Черт с тобой!

– Я тоже нормально, – ворковала Маша. – А где Алка? Что-то у нее мобильник не отвечает! Да? Ну ладно, позвоню ей на работу! Спасибо, дорогой!

– Сделаю, – сквозь зубы процедила Алла. – Есть у меня там человек прикормленный, я его для особых клиентов берегу! Он хоть за час все оформит!

– Для бандитов в бегах, значит, можешь в лепешку расшибиться, а для подруги – слабо? И кто же из нас после этого стерва?

– Знаешь, сколько они платят? – Алла закатила глаза. – Ничего я не стерва, я просто деловая женщина! Иначе в нашем мире не проживешь! Ладно, давайте ваши документы! Но только про бесплатный материал не забудь, ты мне обещала!

– Конечно! – Маша перегнулась через стол и чмокнула Аллу в щеку. – Вот для чего нужны настоящие подруги!

– Кошмар какой! – воскликнул Старыгин, когда они оказались на улице. – Маша, вы меня пугаете! Можно ли так обращаться со своими подругами?

– Вы лучше бойтесь того, что сделает с вами Легов, когда нападет! – рассердилась Маша. – Так что слушайтесь меня и выбросьте из головы всякую ерунду.

– Мобильники нужно отключить, – сказала Маша в аэропорту, – боюсь, по моему они тоже смогут нас вычислить.

И как раз в это время телефон зазвонил.

– Маша! – голос отца звучал хрипло. – Я тебя искал. Ты все время пропадаешь! Знаешь, я тут был на даче и нашел там дневник твоего деда. Одну из тетрадей, остальные пропали.

«Сожгла, зараза, в печке!» – поняла Маша, но ничего не сказала, чтобы еще больше не расстраивать отца.

– Что там, в дневнике? – осторожно спросила она.

– Я не успел прочитать, да это и невозможно... У твоего деда был ужасный почерк! Но кажется, что-то про Рим...

– Про Рим? – Маша отвернулась от Старыгина и понизила голос. – Папа, мне очень нужен этот дневник. Ты не мог бы привезти его мне прямо сейчас?

Отец согласился совершенно неожиданно для нее. Минут через сорок Маша извинилась и сказала, что ей ненадолго нужно уйти. Она не хотела показывать Старыгину отца, а тем более то, что он ей привезет. В конце концов, это их семейное дело.

– Дайте телефон! – сказал он. – Договорюсь с соседкой, чтобы навещала Василия. У нее есть ключи от моей квартиры.

– Только недолго! – предупредила Маша, убедилась, что Старыгин не смотрит на нее, и выскочила из здания аэропорта.

Отец не подвел, приехал вовремя. Он передал ей потрепанную тетрадку, которая очень удачно уместилась в сумочке. На прощанье Маша чмокнула его в щеку. Кожа была сухая и воспаленная, и вообще выглядел он очень плохо.

– Ты был у врача? – дрогнувшим голосом спросила она.

Отец только махнул рукой.

– Приветствуем вас на борту нашего самолета! – хорошо поставленным голосом проговорила симпатичная черноволосая стюардесса, выйдя на середину прохода.

Она произнесла привычный, набивший оскомину текст – сообщила маршрут, высоту и скорость полета, температуру за бортом и в салоне, время прибытия в Рим, показала, как пользоваться спасательным поясом и кислородной маской...

— Ну, Алка, вот уж подсудобила нам компанию! — тихонько сказала Маша.

Группа, к которой их прикрепили, состояла из личностей самого устрашающего вида. Были там коротко стриженные молодые люди, с хорошо развитыми мускулами и значительно менее развитыми головами, лежащими прямо на широких плечах, как на блюде. Отсутствие шеи компенсировалось общей накачанностью и грозным выражением лиц. Еще была в группе пара мужчин среднего возраста, с суровыми задубевшими лицами, покрытыми такими глубокими морщинами, что невольно вспоминались ирригационные работы в засушливых районах Средней Азии. Даже непосвященному человеку сразу же становилось ясно, что морщины эти можно заработать только в далеких сибирских лагерях. Вторую половину группы составляли громкоголосые, ярко одетые девицы, все без исключения сильно накрашенные и с наращенными ногтями. Они то и дело переговаривались через весь салон громкими вульгарными голосами:

— Люсинда, ты где эту кофточку отхватила?

— В «Эскаде», не поверишь, всего за восемьсот бакинских!

— Да уж, эти двое, что постарше, — явные уголовники, куда уж им за границу... — протянул Старыгин.

— Ну, я думаю, что Алка представила их как группу воспитателей образцово-показательного детского сада, — усмехнулась Маша, — или учителей начальных классов. В любом случае мы — сами по себе. А эти, кажется, после Рима едут в Милан, на традиционную неделю интенсивного шопинга...

4*

Дмитрий Алексеевич прикрыл глаза и откинулся на спинку кресла.

Приняв решение лететь в Рим, он успокоился и с виду совершенно не переживал, что Легов обвинил его в краже картины. Когда же удалось застать дома соседку и она уверила его, что с котом все будет в порядке, Старыгин и вовсе пришел в умиротворенное состояние духа. Маша же, напротив, была до предела взвинчена, она поражалась спокойствию своего спутника. Неужели он может спокойно спать, когда за ним, как собаки за дичью, гонятся десятки людей, когда над ним нависло обвинение в тяжком преступлении? Неужели, в конце концов, ему совсем не хочется с ней поговорить?

Она скосила на Старыгина глаза. Его лицо, на котором начала проступать седоватая щетина, выглядело удивительно трогательным и беззащитным. Маше захотелось погладить эту колючую щеку…

Она встряхнула головой, сбрасывая минутное наваждение. Что это с ней? Он совершенно ей не симпатичен… просто стар, в конце концов! Отвратительный старый зануда, помешанный на своих облезлых холстах и выцветших красках!

Она хотела было пролистать дневник деда, но решила, что сделает это в более спокойной обстановке. А то Старыгин проснется и станет задавать вопросы. Ей же совершенно не хочется никому ничего про себя рассказывать. Тем более что никому это не интересно.

Ей стало немного легче, и она уже собралась было тоже задремать, когда Старыгин, не открывая глаз, проговорил:

— А ведь вы на нее похожи.

— На кого? — Маша вздрогнула от неожиданности и покраснела: не хватало еще, чтобы он подумал, будто она его разглядывает! Еще возомнит невесть что!

Старыгин приподнялся, открыл глаза. Маше почудилось, что в глубине их затаилась усмешка.

– На нее, на модель Леонардо… на ту женщину, которая позировала ему для «Мадонны Литта».

– Скажете тоже… – пробормотала Маша, пытаясь скрыть свою растерянность. Все-таки ему удалось ее смутить! – А правда, что авторство Леонардо долгое время подвергалось сомнению?

– Подвергалось, и до сих пор подвергается, – заговорил Старыгин обычным тоном. – Правда, известен этюд головы «Мадонны Литта», датируемый примерно 1480 годом, но это доказывает только то, что Леонардо был причастен к работе над этой картиной. Многие эксперты считают, что ее закончил кто-то из его учеников, чаще других называют имя Джиованни Бальтраффио. Датировка создания картины тоже не вполне ясна. Один из самых крупных специалистов, директор Идеального музея Леонардо на родине художника, в Винчи, Алессандро Веццози в своей книге 1996 года датирует работу 1485–1487 годами, некоторые другие специалисты относят ее к 1490–1491 году.

– Мне всегда «Мадонна Литта» нравилась больше, чем другая Мадонна в Эрмитаже, – призналась Маша, – младенец здесь очень красивый…

– Так часто смотрел на эту картину, что помню ее наизусть, – сказал Старыгин, – эта улыбка матери, наблюдающей за своим ребенком. А вы знаете, что так изображали мадонн только до середины шестнадцатого века. Папа римский Павел IV счел неблагопристойным оголение груди девы Марии, и Тридентский собор в одна тысяча пятьсот пятьдесят девятом году запретил изображение оголенных святых?

– По-моему, это лицемерие, – Маша пожала плечами и в который раз поразилась, до чего Дмитрий Алексеевич умный. Сейчас это ее почему-то не раздражало.

За разговором время пролетело незаметно, и самолет наконец коснулся бетонной дорожки в аэропорту Вечного города. Бывалые пассажиры дружно поаплодировали пилоту за мягкую посадку и потянулись к выходу.

Поскольку ни у Маши, ни у Старыгина не было багажа, они быстро прошли паспортный контроль и вышли на автостоянку. Дмитрий Алексеевич оглянулся и пожал плечами:

– Что-то не видно Антонио... а ведь он клятвенно обещал нас встретить!

В кармане у него зазвонил мобильный телефон.

– Вы считаете, что уже можно его включать? – удивилась Маша. – Хотя здесь Легов, наверно, нас не достанет.

Старыгин поднес телефон к уху.

Звонил Антонио Сорди.

– Дмитрий, со мной такая странная история... расскажу потом... извини, я не успеваю в аэропорт, возьми такси и приезжай ко мне!

– Нет проблем, – проговорил Старыгин и потянул Машу к стоянке такси.

К счастью, возле тротуара уже стояла свободная машина. Старыгин распахнул дверцу и взял Машу под локоть, чтобы помочь ей забраться в салон. Девушка наклонилась, сделала шаг... и попятилась. Ее лицо залила бледность. Сжав руку Старыгина, она прошептала:

– Только не в эту машину!

Дмитрий Алексеевич не стал задавать ей никаких вопросов. Он отступил в сторону и захлопнул дверцу. Со стороны аэропорта уже неслась низенькая толстая женщина с огромным чемоданом, истошно вопя:

– Такси, такси!

Однако таксист, как ни странно, не стал ее дожидаться. Как только женщина с чемоданом подбежала к стоянке, машина издевательски фыркнула мотором и укатила. Разочарованная пассажирка разразилась длинной возмущенной тирадой на итальянском, очень напоминающей оперный речитатив.

– В чем дело, Маша? – вполголоса спросил Старыгин. – Чем вам не понравилось это такси?

– Мне не понравился водитель. Я встречала его накануне нашего отъезда в Петербурге... в Эрмитаже. Мне это показалось чересчур подозрительным.

– Вы уверены?

– Совершенно.

Маша сказала не всю правду. Скорее – не совсем правду.

Человека, который сидел за рулем такси, она видела не в Эрмитаже, а у себя дома, на экране компьютера. Именно он был запечатлен на том снимке, который прислал ей незадолго до своей смерти Мишка Ливанский. Она без сомнения узнала это узкое, худое лицо, напоминающее профиль на полустертой старинной монете, узнала карий, точнее, янтарно-желтый глаз... Теперь она увидела оба глаза этого человека, и это еще больше ее удивило. Второй его глаз был другого цвета – он был густо-зеленый, как морская вода.

– Дмитрий, Дмитрий! – раздался вдруг громкий голос.

Старыгин обернулся.

В нескольких метрах от них остановилась машина, из которой выскочил подвижный смуглый человек невысокого роста с узенькими, словно нарисованными черными усиками. Этот экспансивный господин, похожий то ли на коммивояжера, то ли на киноартиста средней руки, был на самом деле крупнейшим специалистом по средневековому искусству профессором Антонио Сорди.

— Дмитрий, здравствуй! Как я рад тебя видеть! — Антонио заключил Старыгина в объятия, тут же отстранился, отступил на шаг, осмотрел приятеля, склонив голову к плечу, и зацокал языком:

— Дмитрий, ты неважно выглядишь! У тебя утомленный вид! Ну ничего, поживешь у меня на вилле... Наверное, тебе не хватает витаминов, у вас в России всегда было плохо с фруктами...

— Сейчас у нас очень хорошо с фруктами, — попытался прервать итальянца Старыгин, но это было все равно, что пытаться остановить горный поток.

— О, ты ведь приехал не один! — Антонио наконец заметил стоящую в сторонке Машу и перешел на английский. — Познакомь меня с твоей прелестной спутницей!

— Конечно, — Дмитрий представил их друг другу, и все сели в машину.

— Представь, — продолжил итальянец, как только машина выехала на шоссе, — только я выехал из дома, как лопнуло колесо! Его кто-то прорезал, прорезал ножом! Прямо как в кино! А сегодня утром кто-то пробрался в мой дом и разорвал всю почту...

— Нам нельзя ехать к вам домой, — прервала итальянца Маша. — За нами следят, и, судя по тому, что вы рассказали, ваш адрес они уже знают. Лучше отвезите нас в какую-нибудь небольшую гостиницу.

Антонио удивленно взглянул на Машу.

— Мафия? — спросил он после короткого молчания. — Или КГБ? Дмитрий, в какие дела ты влез? Надеюсь, это не связано с наркотиками или терроризмом?

— Не связано, — ответила за Старыгина Маша. — Это связано с Леонардо да Винчи. Но в любом случае, нам нужно скрыться, затеряться... — и она вкратце рассказала о подозрительном таксисте.

— Тогда вам нужно не в гостиницу, — Антонио посерьезнел. — В любой гостинице вас моментально найдут... Я знаю, куда вам нужно!

Он наклонился к шоферу и что-то проговорил по-итальянски. Тот кивнул и свернул с шоссе.

Машина долго петляла по каким-то узким улочкам. Маша глядела в окно, надеясь увидеть какое-нибудь из всемирно известных зданий – Колизей, собор Святого Петра или замок Святого Ангела, однако мимо промелькнула только какая-то неприметная церквушка. Такси еще несколько раз свернуло, съехало с очередного холма и остановилось перед огромными коваными воротами.

Антонио выскочил из машины, помог выбраться из нее Маше и позвонил в звонок возле ворот.

Очень скоро отворилась маленькая калитка, в нее выглянула немолодая женщина в строгом черном платье. Антонио что-то ей долго и убедительно говорил, женщина внимательно его выслушала, после чего удалилась, закрыв за собой калитку.

– Что это за место? Куда ты нас привез? – поинтересовался Старыгин.

– И как мы теперь отсюда уедем? – добавила Маша, увидев, что такси, на котором они приехали, уже укатило, а никаких других машин на тихой улице не было.

– Не волнуйтесь, все будет прекрасно! – успокоил гостей Антонио, театрально округлив глаза. – А что это за место… Вы сейчас увидите, что это за место!

Действительно, через несколько минут калитка снова открылась, на этот раз появился высокий дородный мужчина в черном костюме с воротничком священника. Выслушав Антонио, он благосклонно кивнул и жестом предложил гостям следовать за собой.

За воротами оказался огромный тенистый сад, заросший благоухающими цветами и густыми зарослями южных растений. Сквозь зелень тут и там проглядывал мрамор статуй, в стороне от дорожки мирно журчал фонтан.

— Что это за чудесное место? — шепотом спросила Маша.

— Я не сомневался, что вам здесь понравится! — с гордостью проговорил Антонио. — Это так называемый папский дом, место, предназначенное для приема паломников, людей, приезжающих из католических стран для аудиенции у папы и ознакомления со святынями Рима. Здесь вам будет гораздо легче затеряться, чем в любой гостинице.

В глубине сада скрывался красивый трехэтажный каменный дом. Провожатый провел гостей внутрь и передал их еще одной молчаливой женщине в черном платье. Та провела их на второй этаж и указала двери двух соседних комнат. Маша уже думала, что женщина немая или дала обет вечного молчания, но та разразилась довольно длинной итальянской тирадой.

— Сестра приветствует вас и предлагает, как только устроитесь, спуститься в трапезную.

— А где ключи от комнат? — осведомилась Маша, повернув ручку двери.

— Ключи и замки здесь не приняты, как в монастырских кельях, — пояснил Антонио. — У паломников не может быть тайн друг от друга, и случаев воровства в этом святом месте никогда не бывало.

Маша пожала плечами и вошла в комнату.

При всей аскетической простоте, помещение было довольно просторным и удобным, имелся в номере и вполне приличный душ. Правда, принимать душ при незапертой двери было не слишком уютно, но Маша не удержалась.

Она долго стояла под горячими струями и наконец смыла с себя и дорожную пыль, и усталость, и томящую ее тревогу.

Через некоторое время она спустилась в трапезную.

Это было большое сводчатое помещение с чисто выбеленными стенами и длинными деревянными столами, уставленными снедью. Старыгин и его итальянский друг уже сидели за одним из столов. Антонио помахал Маше, приглашая к ним присоединиться.

Столы были накрыты грубыми льняными скатертями, на них стояли глиняные тарелки и высокие бокалы простого стекла. В глубоких мисках дымились ароматное тушеное мясо, спагетти под томатным соусом, в мисках поменьше манили взгляд оливки и белая фасоль. На больших блюдах лежал крупно нарезанный серый хлеб – чиабатта. Тут и там стояли кувшины с водой и молодым белым вином. Маша внезапно почувствовала зверский голод.

Антонио галантно ухаживал за ней, подкладывая то одного, то другого блюда, подливая вино. Все оказалось очень простым, но удивительно вкусным.

– Как в монастыре, – проговорила Маша с полным ртом.

– Да, здесь и создан для паломников почти монастырский уклад, – подтвердил Антонио. – Я рассказывал Дмитрию о том, что мне удалось найти после того, как мы с ним обменялись письмами. Впрочем, это разговор специалистов, вам это, наверное, не будет интересно…

– Напротив, – Маша полуобернулась к итальянцу. – Ведь мы приехали сюда именно для того, чтобы выяснить кое-что, касающееся… ваших и его профессиональных интересов!

– Ну что ж, тогда я продолжу, – Антонио подлил всем еще вина. – Итак, Дмитрий, после твоего письма я задумался, где еще могли попадаться рядом упоминания василиска и амфисбены. Кроме манускрипта «Н» Леонардо, разумеется…

– В «Естественной истории» Плиния, – вставил реплику Дмитрий Алексеевич.

– Само собой, само собой, – подтвердил Антонио. – Но я имею в виду нечто другое, нечто не столь известное. И вот, после некоторых раздумий я вспомнил про трактат Николая Аретинского…

– «О происхождении сущего и числах, его объясняющих»? – уточнил Старыгин, обменявшись с Машей выразительным взглядом. Она вспомнила посещение кабинета рукописей, вспомнила прочитанный там старинный трактат.

– Нет, – Антонио отрицательно помотал головой. – «О тайных знаках и скрытых указаниях».

– Никогда о таком не слышал! – Глаза Старыгина заинтересованно блеснули.

– Неудивительно, – итальянец гордо улыбнулся. – Я не так давно обнаружил его в Милане, в библиотеке Амброзиана. Трактат больше ста лет пролежал у них в ящике со средневековыми кулинарными рецептами! Никому и в голову не приходило, что сохранился полный экземпляр этого трактата! Так вот, вчера я позвонил своему миланскому другу, сотруднику библиотеки, и он прислал мне по электронной почте несколько интересующих меня страниц.

– И что же ты нашел? – Старыгин делал вид, что спокойно пьет вино, но от Маши не укрылся возбужденный блеск его глаз.

– Вот что, – Антонио расстегнул портфель и вынул из него несколько листков. Старыгин потянулся к ним, но Антонио остановил его, улыбнувшись:

– Я думаю, будет лучше, если я сам это прочту. Тогда мы сможем сразу же удовлетворить интерес твоей прекрасной спутницы.

– Скажи лучше, что не хочешь лишить себя удовольствия прочесть это вслух! – усмехнулся Старыгин.

Антонио, не ответив приятелю, развернул листки и начал читать латинский текст, переводя затем каждую фразу на английский.

«... Если же встретятся два оные создания, то иногда случается, что они спариваются, и тогда от чудовищного этого союза рождается существо вдвойне ужасное. Ибо соединяет оно в себе сущность василиска и амфисбены, превосходя своих родителей злобой и коварством. Первое, что делает это чудовище, родившись, – пожирает мать свою, амфисбену. Называют это создание амфиреусом, ибо вдвойне царь. он над всеми злобными порождениями природы. Есть, однако, на Востоке тайное общество, поклоняющееся амфиреусу и избравшее его своим божеством, поскольку говорят, будто человек, приручивший оное чудовище, не будет знать никаких преград и достигнет высшей власти. Однако, чтобы приручить это существо, необходим...»

Антонио замолчал и сложил свои листки.

– Что же ты остановился на полуслове? – разочарованно проговорил Старыгин. – Что же необходимо для приручения этого сказочного монстра? Печень вурдалака? Моча осьминога?

– Увы! – Итальянец пожал плечами. – В этом месте рукопись повреждена, так что наше любопытство останется неудовлетворенным. Однако сам по себе пассаж небезынтересный...

– Еще бы! – Старыгин усмехнулся. – Тебе не кажется, что существо, чье изображение я посылал тебе на днях, удивительно подходит на роль амфиреуса?

– Согласен, – Антонио утвердительно опустил веки. – Но знаешь, что самое интригующее в этой истории?

– Не тяни! – Старыгин всем корпусом повернулся к итальянцу. – Что еще у тебя припасено?

– Тайное общество, упоминаемое Аретинцем, действительно существовало! – негромко произнес Антонио, оглядевшись по сторонам, как будто опасаясь, что его подслушивают.

— Мало ли было в средние века тайных сект, обществ, полуязыческих общин…

— Больше того, их следы можно обнаружить не только в средневековье, но и в восемнадцатом, и в девятнадцатом веке…

Возле стола безмолвно возникла женщина в черном платье, она забрала опустевший кувшин из-под вина и поставила на его место полный.

Антонио дождался, когда она отойдет достаточно далеко, и закончил значительным, взволнованным голосом:

— И даже в наше время!

— Ну уж это ты загнул! — Старыгин усмехнулся и подозрительно взглянул на итальянца — не шутит ли тот. Но лицо Антонио было удивительно серьезно, даже трагично. Он то и дело косился на женщину в черном, которая застыла возле стены с каменным выражением лица и казалась совершенно безучастной, однако, несомненно, прислушивалась к разговору.

— Я не шучу, — проговорил Антонио, понизив голос. — Однако, если вы не против, мы продолжим этот разговор в саду. Знаете эту поговорку — кажется, здесь и стены имеют уши…

Маша, на которую подействовало выпитое вино, звонко рассмеялась: она представила себе стену, покрытую многочисленными ушами самой разной формы…

Собеседники поднялись из-за стола и вышли в сад.

На улице уже темнело, и сад наполнился удивительно нежными ароматами и едва слышными звуками — шорохом листвы, стрекотом цикад, приглушенным журчанием фонтана. Антонио сел на скамью под пальмой и пригласил своих спутников расположиться рядом.

— Зря, Дмитрий, ты так несерьезно отнесся к моим словам, — проговорил он, снова оглядевшись по сторонам и убедившись, что кроме них в саду нет ни души. – Человеческая история на всем ее протяжении пронизана деятельностью тайных обществ, они всегда играли огромную роль, и наше время – не исключение. За спиной у всего мира прядется нить тайных решений, тайные общества, возможно, принимают решения, определяющие судьбы человечества, ведут скрытые от посторонних глаз войны. Большие и маленькие, связанные между собой или изолированные, они вмешиваются в политику большинства государств!

– Да, я слышал, что у вас в Италии несколько лет назад разразился политический скандал, связанный с масонской ложей...

– Да, – Антонио кивнул, – целый ряд высокопоставленных чиновников оказался в рядах ложи. Но это – только верхушка айсберга, только то, что стало известно общественности. На самом деле тайных обществ намного больше, чем считают журналисты и обыватели, и они проникли в правительства не одной только Италии, но большинства развитых стран. Я уж не говорю о странах третьего мира...

Антонио на некоторое время замолчал, а потом продолжил с удивительным волнением:

– Много лет назад, в ранней молодости, я участвовал в экспедиции в одну из отдаленных областей Нигерии. В тех местах невозможно ни шагу ступить без опытного проводника из местного населения. Мы нашли такого человека. Это был охотник, красивый высокий негр лет тридцати, отличный следопыт и замечательный рассказчик. Он поведал нам немало удивительных историй про жизнь своих соплеменников, а тропический лес знал как свои пять пальцев. С ним мы совершили немало многодневных переходов и убедились, что в лесу он чувствует себя как дома. Правда, был у него один существенный недостаток...

Антонио сделал небольшую паузу и прислушался: ему показалось, что к шороху листвы примешался какой-то посторонний звук. Через минуту он успокоился и продолжил:

— Как многие его соотечественники, он имел слабость к виски и, что особенно неприятно, не умел пить, очень быстро пьянел и под действием алкоголя делался очень развязен, болтлив, а иногда даже буен. Несколько раз нам приходилось связывать его, причем для этого требовались усилия трех-четырех человек... Наутро он ничего не помнил и снова был исполнителен и вежлив. Его настоящее имя произнести не мог ни один из нас, и для простоты мы называли его Бобби. Кажется, ему очень нравилось это имя, с ним он чувствовал себя ближе к белым людям и свысока смотрел на своих соплеменников...

Антонио сделал еще одну паузу. Кажется, ему трудно было продолжать.

— Однажды, — снова заговорил он, — Бобби где-то раздобыл виски и здорово напился. Он забрался ко мне в палатку и начал рассказывать что-то ужасное. Он говорил о людях-муру, о членах тайного Общества Леопарда, поклоняющихся своему мифическому хищному предку и устраивающих в отдаленном уголке леса тайные ритуалы, во время которых они превращаются в леопардов.

— Муру превращаются в леопардов, да! — бубнил Бобби, сверкая глазами. — Это такая же правда, как то, что я сейчас вижу тебя, молодой белый господин! У них вырастают хвосты, и когти, и длинные клыки, как у леопарда, они подкарауливают антилопу и нападают на нее, а иногда они нападают на человека! Если человек провинился перед леопардом или перед кем-то из старейшин муру, они подстерегают его в лесу и – раз! – набрасываются на него, прыгают с дерева и перегрызают ему горло! От них не спасешься, не скроешься, не поможет ни нож, ни копье, ни винтовка!

Я не очень внимательно слушал его: все эти басни лесных жителей казались мне нелепыми россказнями вроде детских страшилок, которыми малыши пугают друг друга на ночь. Вдруг на стене палатки мелькнул чей-то силуэт. Бобби побледнел и затрясся... вы видели когда-нибудь, как бледнеет негр? Это не самое приятное зрелище, уверяю вас... Он стал бормотать что-то вовсе непонятное, перешел на свой родной язык, только изредка в его речи проскальзывали английские слова, из которых я понял, что он наговорил мне слишком много лишнего и теперь боится мести людей-муру, людей-леопардов. Потом он немного успокоился и стал просить у меня еще виски. Я, разумеется, ничего ему не дал – на следующий день нам предстоял длинный переход, и он нужен был как проводник.

Но на следующий день испортилась погода, и мы отложили поход. Бобби не помнил наш вечерний разговор. Он выглядел вполне бодрым и жизнерадостным и отправился в лес подстрелить какую-нибудь дичь к обеду. Когда он не вернулся к полудню, мы не слишком обеспокоились: как я уже говорил, он был опытный охотник и прекрасно чувствовал себя в лесу. Однако во второй половине дня в наш лагерь прибежали двое местных мальчишек, перепуганные до полусмерти. Они говорили что-то непонятное, то и дело повторяя слово «муру». Мы вдвоем с руководителем экспедиции пошли по их следам и в получасе от лагеря нашли останки Бобби. Собственно, мы узнали его только по винтовке и фляжке. Несчастный был буквально разорван на куски, и над этими кровавыми ошметками уже трудились грифы и гиены.

– Слабак, – мрачно проговорил мой шеф. – Разве опытный охотник подпустит так близко леопарда? Придется искать нового проводника... а жаль, Бобби был славный малый! И хороший рассказчик, с ним любая дорога казалась вдвое короче. И надо теперь повысить меры безопасности: если леопард хоть раз отведал человечины, он войдет во вкус и превратится в людоеда. Странно, – добавил он, оглядев растерзанный труп, – леопард почему-то почти ничего не съел... должно быть, его кто-то спугнул!

Из-за смерти проводника мы вынуждены были задержаться на месте и вызвать полицию. Приехали четверо полицейских, трое местных и один белый. Они постояли над останками Бобби, поцокали языками и дружно проговорили: – Леопард! Его убил леопард-людоед! Можете похоронить несчастного!

Потом они отправились к нам в палатку перекусить и, как водится, выпить. Когда закончилась третья бутылка виски, я отозвал белого полицейского в сторону и рассказал о вчерашнем разговоре с Бобби, о том, что он поведал мне о людях-муру.

– Дурак, – коротко ответил полицейский. – Он сам подписал свой смертный приговор, рассказав чужаку о ритуалах муру. Люди-леопарды этого не прощают. Они посчитали, что леопард, их священный тотем, оскорблен, и решили смыть оскорбление кровью виновного.

– Неужели в том, что он рассказывал, есть хоть капля правды? – с ужасом спросил я полицейского.

– Капля? – тот расхохотался. – Да это все правда, от начала и до конца! Больше того, это только малая доля правды!

– Как можно поверить, что люди превращаются в леопардов? – не отступал я. – Мы с вами живем в конце двадцатого века, во время телевидения и космических полетов...

– Это там, у вас, в Европе и Америке двадцатый век! – прошептал полицейский, пригнувшись к моему уху. – А здесь – каменный! Здесь все возможно!

Впрочем, – продолжил он, – конечно, муру не превращаются в настоящих леопардов, у них не отрастают хвосты и когти. Вместо хвоста во время своих ритуалов они привязывают к поясу цепь, обернутую пятнистой тканью, вместо когтей прикрепляют к ладони остро заточенные раковины или бритвенные лезвия – вот вам и дань прогрессу! Но вот дух леопарда во время ритуала действительно вселяется в каждого из них, и они набрасываются на свою жертву, как леопард на антилопу! В тайнике, в самой глубине леса они прячут свою страшную амуницию – шкуры леопарда, «когти» и звериные маски, надевая которые, они и превращаются в ночных убийц. Я представляю, как они расправились с вашим проводником. На четвереньках подобрались к тропе, по которой он шел, вскарабкались на ветки деревьев, спрятались в кустах, а потом с жутким рычанием набросились на обреченного, перебили ему позвоночник цепью… то есть хвостом леопарда, перерезали горло острыми раковинами и разорвали его на куски, как настоящий леопард, наверняка пуская в ход и собственные зубы.

Я невольно похолодел от ужаса, а полицейский как ни в чем не бывало продолжал:

– После убийства они снимают маски и шкуры, совершают ритуальное омовение, смывая с себя кровь жертвы, и отправляются по своим домам. Там они крепко засыпают и просыпаются, сохранив только смутные воспоминания о происшедшем. Наверняка среди убийц были и родственники вашего Бобби, это нисколько не возбраняется. Наоборот, таким образом вожаки муру надежнее привязывают своих людей. Кровь лучше всего объединяет… совместно пролитая кровь.

Полицейский хлебнул еще виски из дешевой алюминиевой фляжки и продолжил:

– Все об этом знают, но помалкивают, боятся мести людей-леопардов. Лет тридцать назад в наших местах было страшное дело, нашли за несколько месяцев больше восьмидесяти убитых людей. Не просто убитых – они были растерзаны, сердца вырваны из груди. И вокруг, как обычно, – следы леопарда. Люди боялись выходить из домов, по провинции, как лесной пожар, распространился ужас. Власти решили принять меры, за головы людей-леопардов назначили большое вознаграждение. Деньги сыграли свою роль, удалось арестовать некоторых муру. Восемнадцать человек были осуждены за причастность к этим зверским преступлениям и повешены для устрашения остальных. Жители окрестных деревень успокоились, но ненадолго: неподалеку от места казни людей-леопардов в джунглях обнаружили восемнадцать тел мертвых хищников! Как вам это понравится? Вы все еще не верите в переселение душ?

Белый полицейский допил виски и попрощался со мной. Больше я его не видел: через две недели его нашли в лесу, неподалеку от полицейского участка, растерзанного леопардом…

В кустах раздался шорох, и Маша невольно вздрогнула: ей померещился притаившийся в темноте человек-леопард. Антонио замолчал и настороженно оглянулся. Ветви раздвинулись, и на дорожку вышла большая белоснежная собака – итальянская пастушеская, как называют эту древнюю породу. Маша облегченно перевела дыхание.

– Антонио, – проговорил Старыгин, зябко поеживаясь, – зачем ты рассказал нам на ночь эту кошмарную историю? Чтобы лишить Машу сна? Это повествование явно не предназначено для девичьих ушей!

– К вашему сведению, я не слабонервная школьница, – обиделась Маша, – и давно вышла из того возраста, когда можно лишиться сна от подобной страшилки. Непонятно только, к чему Антонио все это нам рассказал. Не хочет же он сказать, что к пропаже «Мадонны Литта» причастны люди-леопарды!

– Нет, конечно, – итальянец грустно улыбнулся. – Я хочу только сказать, что тайные общества существовали во всех странах и во все времена… существовали и существуют по сей день. И как нигерийские люди-леопарды искренне верят, что во время священных ритуалов в них вселяется дух леопарда, так почитатели мифического амфиреуса могут верить, что в них вселяется дух этого кошмарного создания.

– Кажется, мы живем не в дикой стране, где все еще живы подобные суеверия, – неуверенно проговорила Маша.

Белая собака улеглась у ее ног и замахала пушистым хвостом, разметая песок на дорожке.

– Кажется, вы нашли здесь еще одного друга, – улыбнулся Антонио. – Не считая меня, конечно. Но все же… Не хочу вас пугать, но тайные общества вроде «людей-леопардов» существуют не только в таких диких местах. Слышали вы что-нибудь о так называемом Горном Старце?

– Кажется, это какой-то средневековый торговец наркотиками? – неуверенно проговорила Маша.

– Торговец наркотиками! – Итальянец заразительно расхохотался. – Вот она, современная молодежь! Впрочем, в ваших словах есть доля истины. Горный Старец действительно использовал наркотики, а именно – гашиш, только он ими не торговал, при помощи гашиша он держал в руках своих многочисленных подручных. Их так и называли – асассины, то есть гашишины.

Настоящее имя Горного Старца – Хасан ибн Саббах, он родился в XII веке в Хорасане, в семье мусульманина-шиита. Шииты – это течение в исламе, сторонники которого почитают Али, четвертого имама. В юности он был знаком с Омаром Хайямом.

В более зрелом возрасте присоединился к исмаилитам, радикальному крылу шиитов, и обосновался в горной крепости Аламут, в современном Ираке. Хасан ибн Саббах принимал в своей крепости молодых людей, готовых на подвиги, и обещал им райское блаженство в традиционном мусульманском духе – с цветущими садами и большеглазыми гуриями. Только в отличие от других проповедников ислама он обещал все это не после смерти, а при жизни, на Земле, не покидая стен Аламута. Средство для достижения райского блаженства было простое, но действенное – так называемый зеленый мед, попросту – наркотик на основе гашиша. Впрочем, это не противоречило убеждениям Горного Старца: пророк Мухаммед запретил пить вино, но ничего не сказал по поводу наркотиков.

Одурманенные наркотиками юноши были на все готовы для того, чтобы вернуться в «райские сады» Горного Старца. А требовалось от них только одно: отправиться туда, куда пошлет Хасан ибн Саббах, например в Багдад, или Каир, или Исфахан, и убить того, на кого указала рука Горного Старца. В ход шли меч и кинжал, петля и таинственный, известный только асассинам яд.

То есть, выражаясь современным языком, Горный Старец создал базу по подготовке наемных убийц. Я не оговорился: если поначалу люди Старца совершали свои «акции» в интересах секты исмаилитов, расправляясь с их религиозными противниками и гонителями, то позднее Хасан стал брать деньги за устранение неугодных кому-то людей. Среди его жертв были и восточные владыки, и вожди крестоносцев. Так, по некоторым сведениям, его люди устранили Конрада де Монферрата.

Горный Старец уделял большое внимание психологической подготовке своих людей. Кроме наркотиков применял различные виды гипноза и медитации, в результате его посланцы превращались в зомби, в живых роботов, послушно выполняющих волю своего хозяина. Убийцы-асассины не знали страха, они готовы были умереть за своего предводителя, и поэтому все, от простолюдина до монарха, страшились их, никто не чувствовал себя в безопасности. Власть Горного Старца за короткое время распространилась на огромную территорию, и даже султан Мелик-шах вынужден был заключить с асассинами договор. Старец прожил в крепости Аламут тридцать четыре года, не выпуская из рук бразды правления своей невидимой империей, которая распалась только после его смерти.

— Еще раз хочу напомнить вам, — проговорила Маша, когда Антонио замолчал и наступила тишина, нарушаемая только журчанием воды и стрекотом цикад, — то, о чем вы рассказали, происходило в двенадцатом веке, далеко на Востоке, а мы с вами живем в цивилизованном мире, в Европе, в двадцать первом столетии.

— В свою очередь хочу напомнить вам, Мария, что в двадцать первом веке были события одиннадцатого сентября и многие другие, перед которыми деяния асассинов бледнеют и кажутся детскими шалостями! В руках наследников Горного Старца не только яд и кинжал, но гораздо более страшное оружие, а в мире по-прежнему полно людей, готовых на смерть ради какой-нибудь бредовой идеи! Знаете ли вы о тайном ордене «Золотая заря», созданном в Англии в конце девятнадцатого века и поддерживавшем тесные связи с немецкими розенкрейцерами, членами «Общества Туле» и «Аненербе», в число которых входили Альфред Розенберг, Рудольф Гесс и Адольф Гитлер?

— Все, все, прекрати! — Старыгин замахал на итальянца руками. — Ты совершенно запугал и запутал

Машу! Если не возражаешь, мы хотели бы отдохнуть, завтра нам предстоит тяжелый день!

– Конечно, – Антонио смутился. – Простите меня, я слишком увлекся. Меня оправдывает только то, что тема тайных обществ всю жизнь чрезвычайно занимала меня. Не буду больше утомлять вас, надеюсь увидеться с вами завтра.

Антонио простился с друзьями и вызвал от администратора дома такси.

Маша поднялась вместе со Старыгиным на второй этаж, пожелала ему спокойной ночи и вошла в свою комнату.

В первый момент она почти ничего не видела в темноте, однако ей почудилось какое-то движение. Нашарив рукой выключатель, она включила свет и вскрикнула. Посреди комнаты стоял худой, высокий человек в облегающем черном костюме и черной трикотажной шапочке с прорезями для глаз, натянутой на лицо. Он рылся в Машиной сумочке, что-то раздраженно бормоча.

– Дмитрий! – закричала Маша, отступив к двери. – На помощь!

Человек в маске издал злобное шипение, как готовая к броску кобра, и повернулся к Маше. Ей показалось, что через прорези маски на нее уставились два разноцветных глаза. В ту же секунду дверь распахнулась, на пороге появился Старыгин.

– Что случилось... – проговорил он и тут же увидел ночного гостя.

Черный человек выругался по-итальянски, прыгнул к окну и перемахнул через подоконник. Старыгин бросился следом за ним, пересек комнату и выглянул в окно. За окном был только ночной сад, благоухающий и прекрасный. Никаких следов таинственного гостя.

Можно было бы подумать, что его посещение привиделось Маше и Дмитрию Алексеевичу, если бы не разбросанное по кровати содержимое Машиной сумочки.

Дверь комнаты, негромко скрипнув, открылась, и в дверном проеме появилась безмолвная женщина в черном, одна из тех, кто распоряжался хозяйством и жизнью папского дома.

– Что случилось? – осведомилась она наконец на хорошем английском языке. – Кажется, кто-то кричал?

– В моей комнате был человек, – проговорила Маша, взяв себя в руки. – Он убежал через окно.

– Это невозможно, – строго ответила сестра. – В нашем доме такого никогда не бывало.

– Однако он был... – попыталась настаивать Маша.

Старыгин взял ее за руку и сделал знак глазами.

– Возможно, мне показалось... – сникла Маша.

– Вероятно, – кивнула черная сестра. – В вашей комнате мужчина. Это тоже не в правилах нашего дома.

Она развернулась и покинула комнату, бесшумно, как привидение.

– Не стоит привлекать к себе излишнее внимание, – проговорил Старыгин.

– Мне кажется, мы *уже* привлекли к себе внимание. – Маша кивнула на свою распотрошенную сумочку. – Причем именно излишнее...

– У вас что-нибудь пропало? – озабоченно спросил Дмитрий Алексеевич.

– Если вы имеете в виду пентагон... ну, ту штуку, которую подарил мне дед, то я не оставляла ее в номере, она у меня под одеждой. А в остальном... – девушка перебрала свои немногочисленные вещи и пожала плечами. – Деньги все целы, моя косметика его вряд ли интересовала... паспорт тоже на месте, только он явно его листал. Может быть, это был представитель пограничной службы? – Маша усмехнулась. – Он проверял, есть ли у меня шенгенская виза? Ой! – Она вспомнила, что в сумочке находился дневник деда – небольшая потрепанная тетрадка.

– Что? – нахмурился Старыгин. – Что еще пропало?

– Н-ничего… – Маша с запозданием сообразила, что перед уходом на ужин запихнула тетрадку в укромное место. Душ в ее номере был оборудован нарочито просто, стены облицованы не кафелем, а обычными пластиковыми плитками. Одна из таких плиток отстала, и Маша запихнула туда тетрадку.

– Мне плохо! – Она метнулась в ванную. К счастью, тетрадка была там, никуда не делась. Радуясь, что она такая умная и предусмотрительная, Маша решила с ней больше не расставаться и запихнула под ремень джинсов. Выйдя в комнату, она улыбнулась своему спутнику как можно беззаботнее.

– Зря вы так легкомысленно относитесь к этому происшествию. – Старыгин поморщился, как от зубной боли. – То, что он интересовался вашим паспортом, очень мне не нравится!

– А в чем дело? – спросила Маша.

– Впрочем, не буду вас нервировать. Возможно, это только мои домыслы. Советую вам все-таки отдохнуть. Вряд ли ночной гость осмелится вернуться. Но если что – я в соседней комнате, и стены здесь достаточно тонкие, так что зовите! Да, вот еще что…

Тут в коридоре раздалось неодобрительное покашливание, очевидно, им давали понять, что их дальнейшее присутствие в одной комнате крайне неприлично.

– Спокойной ночи! – Маше хотелось остаться одной, но не тут-то было. Старыгин неожиданно сильной рукой схватил ее за плечи и вытолкал в коридор, потом открыл стеклянную дверь и вывел на просторную террасу.

Из сада снизу доносились изумительные ароматы, тихонько журчал фонтан, слышалось шуршание листьев, потрескивание и шорох.

– Как хорошо! – невольно прошептала Маша. – Что может быть лучше южной ночи?

– Не морочьте мне голову! – последовал холодный ответ. – Отвечайте, откуда вы знаете этого человека?

– Но я его совсем не знаю… – отбивалась Маша.

– Вы не могли видеть его в Эрмитаже. Вы пришли туда гораздо позже, когда все уже случилось. Вряд ли он разгуливал на виду у всех и расспрашивал служителей, после того как сам же подменил картину.

Под давлением грубой силы, Маша призналась, что снимок странного человека прислал ей Мишка Ливанский. Снимок он сделал накануне вечером. Рассказала и про таинственное темное облако, надвигающееся на картину.

– Моего приятеля убили. И кажется, именно за этот снимок. Но сегодня Мишкин снимок помог мне разглядеть в таксисте опасного убийцу.

– Почему вы мне ничего не сказали? Что вы еще скрываете, Маша?

Настал момент рассказать про дневник. Но тогда Старыгин захочет тотчас же с ним ознакомиться. А Маше хотелось самой пролистать его первой. Все же это дневник ее деда.

– Зачем мне что-то от вас скрывать? – прошептала Маша. – Ведь мы же вместе… Куда я от вас денусь здесь, в чужом городе…

Она провела пальцами по колючей щеке, а когда он схватил ее за плечи и притянул к себе, сообразила, что сейчас он почувствует тетрадку за поясом ее джинсов. В самый последний момент Маша сумела выскользнуть из его объятий.

— У меня к вам огромная просьба, — сказала она вполголоса, — завтра побрейтесь как можно тщательнее! Вам не идет седая щетина…

Она ускользнула, а Старыгин обалдело покрутил головой, посетовал на чертовы женские штучки и пошел спать.

Вечерний разговор с Антонио не прошел даром, и всю ночь Маше снились то страшные люди-леопарды, разрывающие зубами свою жертву, то асассины с пустыми безжизненными глазами…

Однако утро было прекрасным, в саду громко пели птицы, и все ночные кошмары отступили без следа.

Позавтракав в трапезной — ветчина, козий сыр, крестьянский хлеб и крепкий кофе, — Маша и Старыгин вышли на улицу. Неподалеку от крыльца лежали две огромные белоснежные собаки — одна из них та самая, которая минувшим вечером приходила знакомиться с Машей. При виде девушки овчарка подняла голову и несколько раз дружелюбно хлопнула по траве хвостом.

— Точно такие же собаки изображены на многих картинах эпохи Возрождения, — вполголоса проговорил Старыгин. — Итальянские пастушеские собаки — одна из самых старых пород в Европе!

— Ну что? — Маша повернулась, подставив лицо утреннему солнцу. — Какие у нас планы на сегодня?

— Госпожа катакомб, — коротко ответил Дмитрий Алексеевич. — Антонио обещал проводить нас…

Однако именно в этот момент пришло SMS-сообщение от Антонио Сорди. Он извинялся и сообщал, что очень занят и не сможет сопровождать своих русских друзей.

— Ничего страшного, — проговорил Старыгин. — Возьмем такси и поедем сами.

Администратор папского дома, которого они попросили вызвать такси, вежливо поинтересовался, куда гости собираются ехать. Услышав, что их целью являются катакомбы святой Присциллы, он уважительно кивнул и пробормотал:

— Большая святыня, большая святыня! Только я не уверен, попадете ли вы туда...

Живой темноглазый таксист всю дорогу то громко расхваливал красоты Рима, то распевал отрывки из оперных арий. На этот раз Маша увидела почти все знаменитые римские достопримечательности — за окном машины промелькнули Колизей, развалины Римского Форума, помпезный памятник Виктору Эммануилу, громада Пантеона. Потом показались мутные желтоватые воды Тибра, на другом его берегу, за мостом, возвышался замок Святого Ангела. Видимо, таксист ехал далеко не самым прямым путём, чтобы несколько увеличить стоимость поездки, но Маша не была к нему в претензии.

— Виа Салариа! — воскликнул наконец итальянец. — Синьора ди Катакомба!

Старыгин поблагодарил водителя и дал ему щедрые чаевые. Он прошел несколько шагов... и остановился перед табличкой, извещавшей на трех языках, что катакомбы святой Присциллы временно закрыты для посетителей.

Около этой таблички дремал на складном табурете служитель в форменной фуражке и куртке с галунами, расстегнутой на внушительном животе.

— Кажется, мы зря ехали, — проговорила Маша, догоняя своего спутника.

— Не думаю, — усмехнулся Старыгин. — Это ведь Италия, здесь народ хитроумен и предприимчив. Очень часто они закрывают какую-нибудь дверь только для того, чтобы можно было открывать её за дополнительную плату.

Он обратился к дремлющему служителю, но тот, видимо, спал чересчур крепко и не расслышал докучливого туриста.

Тут рядом с посетителями возник таксист, который только что доставил их на Виа Салариа.

– Проблемы, синьоры? – радостно воскликнул он. – Там, где есть Луиджи, – там нет проблем! Этот человек, – Луиджи ткнул пальцем в дремлющего привратника, – этот человек – мой двоюродный брат! Нет, – таксист пошевелил губами, – не двоюродный, троюродный!

Он сложил ладони рупором и крикнул прямо в ухо спящему:

– Микеле!

Маша не сомневалась, что от такого вопля служитель свалится со своего табурета, но тот только неохотно приоткрыл один глаз и вопросительно уставился на таксиста. Тот разразился длинной, удивительно музыкальной итальянской фразой, на которую служитель катакомбы ответил коротко и внушительно.

Таксист повернулся к Старыгину и проговорил таким тоном, как будто сообщал ему о безвременной кончине близкого родственника:

– Микеле хочет сто евро! Но вы не волнуйтесь, синьор, я его знаю, его можно уговорить!

И снова зазвучала звучная итальянская речь. Таксист отходил и возвращался, воздевал глаза к небу и опускал к земле, через каждое слово поминал Мадонну, целый список святых и, насколько можно было понять, всех родственников несговорчивого Микеле...

Наконец он отер пот, глубоко вздохнул и радостно сообщил клиентам, дожидающимся исхода переговоров:

– Все в порядке, синьоры! Микеле согласен на пятьдесят евро! Ну и, конечно, мне причитается пятьдесят за такие труды!

Старыгин усмехнулся и отдал деньги. Микеле встал с табурета и загремел ключами.

– Зато вы увидите Синьора ди Катакомба так, как никто другой! – кричал им вслед довольный таксист. – Микеле проведет вас с черного хода, откуда никогда не водят обычных туристов! Эксклюзив! Эксклюзив! – И таксист показал оттопыренный большой палец.

Действительно, Микеле открыл какую-то боковую невзрачную дверцу и повел посетителей по узкой и крутой лестнице куда-то в темную глубину. Он шел впереди, держа высоко над головой фонарь, и бормотал что-то о своей безграничной доброте и о том, как некоторые беззастенчиво этой добротой пользуются.

Лестница наконец оборвалась, дальше нужно было идти по сырому и темному коридору. Стены его терялись в темноте. Было зябко и неуютно, трудно было поверить, что наверху, совсем недалеко, всего в нескольких метрах над ними, пылает жаркое итальянское лето. Время от времени от коридора отходили узкие боковые ходы. С невидимого потолка с чавкающим звуком падали капли воды.

В свете фонаря можно было разглядеть в стенах коридора ряды глубоких ниш, расположенных одна под другой, как полки стеллажа.

– Что это? – спросила Маша Старыгина, невольно понизив голос. – Это именно то, о чем я думаю?

– Это захоронения первых христиан, – так же вполголоса подтвердил Дмитрий Алексеевич. – Мы с вами идем по самому древнему в мире христианскому кладбищу.

– Бр-р! – Маша зябко поежилась. – Значит, в этих нишах лежат их скелеты? Хорошо, что здесь темно и они не видны! И хотелось бы надеяться, что здесь нет привидений!

Вскоре коридор сделал поворот и пошел немного вверх. Стало суше, но еще холоднее.

– Скоро вы увидите могилы святых! – торжественно проговорил проводник, полуобернувшись к посетителям. – Могилы семи римских пап! И среди них – могилу святого мученика Марцеллина!

– Это хорошо, но мы хотели бы увидеть Мадонну! Мадонну с младенцем!

– Мадонну? – Микеле немного помрачнел. – Хорошо, пусть будет Мадонна! Сегодня уже был один человек…

– Человек? Какой человек? – переспросил Старыгин.

Однако Микеле неожиданно перестал понимать по-английски.

Он свернул в наклонную боковую галерею, прошел еще немного и остановился:

– Вот она!

Маша запрокинула голову, проследив за взглядом проводника. На потолке коридора у нее над головой в ярком свете фонаря отчетливо проступала фреска.

Мадонна, склонив голову, держала на руках младенца. Перед ней виднелась выступающая из стены мужская фигура.

Краски от времени очень поблекли, лица персонажей были едва различимы, однако младенец, несомненно, смотрел прямо на посетителей катакомбы.

– Мне кажется, она чем-то похожа на «Мадонну Литта», – проговорила Маша, невольно понизив голос. – Если бы не мужская фигура впереди…

– Совершенно верно, – кивнул Старыгин. – Композиция фрески, в особенности поворот головы младенца, очень напоминает эрмитажную картину. Вообще эта фреска считается самым древним в мировом искусстве изображением Богоматери.

— То есть Леонардо мог создать свою картину под влиянием этой фрески?

— Некоторые исследователи поддерживают такую гипотезу, хотя это маловероятно. Насколько можно судить по достоверным источникам, римские катакомбы были случайно открыты в 1578 году, значительно позднее смерти Леонардо. Тем более что «Мадонна Литта» датируется миланским периодом его жизни, то есть создана раньше, чем Леонардо посетил Рим. Скорее всего, это лишь случайное совпадение композиционного решения, чему есть немало примеров в истории искусства. Однако мы приехали сюда не для того, чтобы заниматься решением искусствоведческих проблем...

Старыгин шагнул к стене, собираясь что-то на ней подробнее разглядеть. В это время из бокового коридора донесся какой-то неясный шум. Проводник пробормотал что-то по-итальянски и двинулся на этот звук, оставив посетителей в темноте.

— Эй, Микеле, синьор Микеле, куда же вы! — крикнул Старыгин и бросился вслед за итальянцем. Он спотыкался, хватался за стену, чтобы сохранить равновесие, и наконец добежал до разветвления коридоров.

Фонарь лежал на полу, но Микеле нигде не было видно.

Старыгин поднял фонарь и посветил в обе стороны, насколько хватало его мощности. Проводник как сквозь землю провалился.

— Дмитрий, что там? — раздался из темноты испуганный Машин голос. — Что там случилось?

— Сейчас я вернусь. — Старыгин еще раз осмотрел коридоры, но не увидел ничего, кроме неровных, теряющихся во тьме стен. Он развернулся и поспешил к девушке, представив, как ей должно быть страшно одной в кромешной темноте подземелья.

Маша сидела на корточках возле стены с фреской и казалась спокойной. Только закушенная губа выдавала пережитый ею в темноте страх.

— Что случилось? — повторила она, щурясь от яркого света фонаря. — Куда девался наш проводник?

— Не знаю. — Старыгин старался сохранить спокойствие, хотя бы внешнее, чтобы не пугать Машу. — Хорошо хоть, что проводник оставил нам фонарь, при свете мы без труда найдем обратную дорогу.

Сам он совершенно не был в этом уверен.

Чтобы собраться с мыслями и дать Маше немного передохнуть, Старыгин поднял фонарь и снова осветил фреску.

— Вы видите, что над головой Мадонны сияет Вифлеемская звезда?

— По-моему, это просто одно из пятен на потолке, — неуверенно проговорила Маша. — Знаете, там столько пятен и разводов, что среди них можно при желании найти все что угодно, вплоть до карты Ямало-Ненецкого округа, а всевозможные исследователи из любого такого пятна пытаются сделать открытие…

— А журналисты в погоне за сенсацией раздувают эти открытия! — отозвался Старыгин.

— Постойте, — Маша прервала этот обмен колкостями, — посветите-ка немного ниже… вот сюда…

Дмитрий Алексеевич повернул фонарь и осветил верхнюю часть стены немного в стороне от фрески. На ровной желтоватой поверхности отчетливо виднелся длинный ряд цифр.

— Это какое-то сообщение, — взволнованно произнес Старыгин. — Причем адресовано оно именно нам!

— Почему вы так думаете? — спросила Маша. Волнение спутника невольно передалось и ей.

— Потому что эти цифры написаны тем же самым почерком, что и четыре семерки на картине в Эрмитаже, тем же почерком, что надпись на полях французского издания рукописей Леонардо! Больше того – тем же самым красным фломастером!

– Значит, вы сможете расшифровать эту надпись?

– По крайней мере попытаюсь. Если, конечно, она зашифрована таким же способом, как записка на полях книги.

Старыгин поставил фонарь на землю, достал из кармана блокнот и ручку и кое-как, буквально на коленке, приступил к расшифровке загадочного послания.

Он выписал в колонку буквы латинского алфавита и последовательно, одну за другой, заменил ими цифры, списанные со стены.

Надпись получилась бессмысленной.

Так же, как первый раз, он поменял порядок, то есть пронумеровал буквы от конца алфавита к его началу.

И снова ничего не получилось.

Он уставился на таинственную цепочку цифр, пытаясь понять замысел того, кто оставил эту надпись. Это напомнило ему тот первый раз, когда он занимался расшифровкой подобной надписи в Эрмитаже. Только тогда он сидел за столом, в собственной лаборатории, при хорошем освещении, а сейчас в неудобной позе скорчился на полу катакомбы, почти в полной темноте…

Но темнота не должна мешать ему думать!

Тогда, в Эрмитаже, у него сначала тоже ничего не получалось, потому что он пытался прочесть послание по-русски, заменяя цифры соответствующими буквами русского алфавита, потом сообразил, что нужно использовать латинский алфавит – и все прочел… так, может быть, теперь следует поступить наоборот? По крайней мере в этом есть определенная логика. Тот, кто оставляет эти послания, не хочет, чтобы их прочел посторонний человек. Поэтому в России он писал по-латыни, здесь же, в Италии, больше шансов, что случайным человеком будет прочитан именно латинский текст, а не русский…

Старыгин выписал буквы русского алфавита и повторил операцию, заменив каждую цифру соответствующей буквой.

Одно за другим на странице его блокнота появились осмысленные слова.

Однако вся фраза в целом по-прежнему была непонятной.

«Пусть каждый поворот подскажет вам Геката,
Как человек идет с рассвета до заката».

– Ну как, – Маша склонилась над плечом Старыгина. – У вас что-нибудь получилось?

– Цифры я расшифровал, – смущенно ответил реставратор, – только в результате опять получилась какая-то загадка… – и он вслух прочел две стихотворные строки.

– Геката? – неуверенно проговорила Маша. – Кажется, это какая-то древнегреческая богиня?

– Ну, если быть до конца точным, Геката – древнегреческая богиня мрака, ночных видений и чародейства, древняя богиня, чтимая самим Зевсом. Она покровительствовала охоте, пастушеству, разведению коней. Геката – ночная, страшная богиня, с пылающим факелом в руке и змеями в волосах. По поверьям древних, Геката бродит среди могил и выводит призраки умерших. Изображения Гекаты обычно помещали на распутье и перекрестке дорог.

– Спасибо за такую исчерпывающую лекцию, – насмешливо отозвалась Маша. – Однако вся эта информация нисколько не приближает нас к разгадке! Как там написано – «как человек идет с рассвета до заката»?

Девушка задумалась, наморщив лоб.

— Что-то мне это напоминает... — пробормотала она через минуту.

— Не знаю, — Старыгин пожал плечами, — я долго думал, но ничего не приходит в голову. Какая-то чушь... при чем тут Геката? Фраза совершенно бессмысленная... вряд ли нам удастся ее понять...

— Ну да, раз не удалось вам — то где уж мне, глупой женщине, — проворчала девушка. — Типичный мужской шовинизм!

— Я ничего такого не имел в виду... — протянул Старыгин. — Но согласитесь, это действительно какая-то бессмыслица!

— Все загадки поначалу кажутся бессмысленными, — задумчиво ответила Маша. — Знаете, например, что это такое — «закукулено, замумулено, заколочено, зазамочено, и у вас не хватит мочи раскукулить, разамочить, если кто-то закукулил, если кто-то замумулил»?

— Бред какой-то, — отмахнулся Старыгин.

— Никакой не бред, а загадка! И разгадка ее — ключ и замок! — И девушка рассмеялась.

Старыгин подумал, что ему по крайней мере удалось отвлечь Машу от грустных мыслей об их трудном положении. Хотя вряд ли удастся приблизиться к разгадке странного послания.

Вдруг Маша замолчала и уставилась прямо перед собой, шевеля губами.

— Загадка! — воскликнула она радостно. — Ну конечно!

— В чем дело? — Старыгин насторожился. — У вас появилась какая-то мысль?

— Еще какая! Берете назад свои слова о мужском превосходстве?

— Да я такого никогда и не говорил!

— Ну, значит, думал! Короче... какая самая знаменитая загадка в истории человечества?

— Ну... я не знаю...

– Загадка Сфинкса! – выпалила Маша. – Помните, Сфинкс сидел на дороге перед городскими воротами и спрашивал каждого: кто утром ходит на четырех, днем на двух, а вечером на трех? И только Эдип смог ответить, что это человек, который утром, то есть в детстве, ползает на четвереньках, днем, то есть в зрелом возрасте, ходит на двух ногах, а в старости опирается на палку! Так вот, наш неизвестный доброжелатель задал нам обратную загадку – как человек идет с рассвета до заката, это значит – разгадкой являются числа четыре, два и три! А вот при чем здесь Геката, я действительно не понимаю... – и Маша снова поникла.

– А вот про Гекату я, кажется, догадываюсь, – оживился Старыгин. – Ведь ей, богине ночи, была посвящена левая сторона всех предметов! Клятвы Гекате приносили, поднимая левую руку, а не правую, как в других случаях!

– И какой вывод вы делаете?

– Значит, нам нужно сворачивать налево после четвертой, второй и третьей развилки. Ведь я говорил вам, что изображения Гекаты помещали на перекрестках!

– Здорово! – обрадовалась Маша. – Как мы с вами здорово объединили наши способности! Мы – настоящая команда!

– Конечно! – Старыгин смущенно улыбнулся. – А скажите – как вам пришла в голову загадка Сфинкса? Я думал, вы не очень сильны в древнегреческой мифологии!

– Ну уж вы меня считаете совсем необразованной! Между прочим, я в детстве очень любила греческие мифы! Кстати, – она встала и шагнула к темному проему, – не мешает проверить нашу догадку, а то мы так радуемся, как будто уже нашли «Мадонну Литта», а может быть, у этой загадки совсем другое решение!

– Согласен. – Старыгин поднял над головой фонарь и пошел вперед по коридору.

Какое-то время галерея была прямой, без развилок и разветвлений. По обе стороны в несколько рядов тянулись ниши древних захоронений.

– И где же эти перекрестки, которые мы должны отсчитывать? Если нам придется идти прямо, пока не насчитаем четыре поворота, мы рискуем пробродить здесь не один месяц!

Старыгин хотел ответить Маше что-нибудь бодрое, но как раз в это время луч фонаря выхватил из темноты первую развилку. Более узкий коридор отходил в сторону, теряясь во мраке.

– Ну вот, первый поворот уже есть, будем надеяться, что дальше пойдет быстрее! – проговорил Старыгин, прибавляя шагу. Его терзало смутное беспокойство, но он не хотел раньше времени волновать свою спутницу.

Действительно, очень скоро показался второй отходящий в сторону коридор. Еще через десяток метров миновали третью развилку и наконец показалась четвертая.

– Видите, все оказалось не так страшно! – бодрым голосом произнес Дмитрий Алексеевич. – Сворачиваем налево, как велит нам Геката!

Боковой коридор был уже, и воздух в нем казался более затхлым, чем в основной галерее. К счастью, идти по нему пришлось совсем недолго: метрах в двадцати от развилки показался первый перекресток и еще через пять минут – второй.

На этот раз путники свернули в более широкую галерею. Правда, она ощутимо спускалась вниз. Вскоре стало заметно холоднее.

– Жаль, что мы не прихватили с собой какую-нибудь теплую одежду, – пожаловалась Маша, прибавляя шаг, чтобы согреться. – Как, интересно, проводили здесь свои богослужения первые христиане? Здесь немудрено заполучить воспаление легких!

– Ну теперь, я надеюсь, нам осталось идти совсем недолго! – бодро проговорил Старыгин, едва поспевая за своей спутницей. – Вот уже первый поворот...

– Правда, потом нам придется проделать этот путь еще раз, в обратном направлении, – отозвалась Маша. – Конечно, возвращаться всегда быстрее, но зато придется идти вверх...

То, что Старыгин назвал поворотом, было на самом деле большой, глубокой нишей в стене коридора, чем-то вроде подземной капеллы или часовни. В глубине ниши на стене виднелось едва различимое изображение какого-то святого. Старыгин осветил его фонарем и двинулся дальше.

Вскоре они миновали еще одну такую же часовню.

– Осталось совсем немного! – Маша приободрилась и пошла еще быстрее.

Впереди показался следующий, третий проем. Но он не был темным, как все предыдущие, напротив, из него исходил колеблющийся красноватый свет. Маша перешла на бег, в ее глазах светилась надежда.

– Постойте! – крикнул вслед девушке Старыгин. – Не спешите! Мы не знаем, что нас там ждет...

Но Маша не слышала его слов. Она уже добежала до следующего проема, или, следовало бы сказать, до следующей часовни. Добежала и замерла на месте, пораженная увиденным.

Глубокая ниша в стене коридора была уставлена горящими свечами. Длинные тонкие церковные свечи, только что зажженные или сгоревшие уже наполовину, наполняли капеллу живым, трепещущим светом. И в этом свете, в этом живом сиянии в глубине часовни, возле ее задней стены, на небольшом возвышении стояла она.

«Мадонна Литта».

Маша сложила руки в восхищении.

Она много раз видела эту картину в Эрмитаже — при дневном освещении и при ярком искусственном свете, но никогда еще творение Леонардо не казалось ей таким прекрасным, как в этом подземном святилище. Теплый, трепетный свет свечей делал лицо Мадонны еще более одухотворенным и нежным, счастливым и гармоничным, а взгляд младенца казался таким живым и глубоким, что Маша не удивилась бы, если бы он вздохнул и что-то сказал ей.

Маша шагнула к картине, протянув к ней руки, как протягивают озябшие руки к огню...

— Стойте! — закричал за ее спиной Старыгин. — Это ловушка! Это не картина!

Маша недоуменно замерла, но было уже поздно: пол у нее под ногами предательски накренился, и она заскользила вниз, в темноту... В последний раз бросив взгляд на картину, она увидела происходящие с ней странные перемены: поверхность картины задрожала, как мираж, и начала расплываться. По углам холста замерцали радужные пятна.

— Держитесь! — раздался за спиной голос Дмитрия Алексеевича. Он схватил Машу за плечи, но сам не удержался на краю площадки и вместе с ней соскользнул в темный люк.

Маша приподнялась и ощупала свое тело. Кажется, никаких переломов, только небольшие ушибы. Вокруг царила глухая, кромешная темнота.

— Дмитрий, вы здесь? — проговорила она едва слышно, дрожащим голосом.

— Здесь, — отозвался он совсем рядом.

Маша невольно перевела дыхание: вдвоем с ним ей было уже не так страшно.

— Вы целы? — спросил Старыгин.

— Кажется, да. Где мы? Что это было? Вы сказали, что это не картина? А что же тогда?

— Мы в ловушке, — с горечью отозвался реставратор. — Ни за что не прощу себе, что так глупо попался! Следовало сразу догадаться, что нас заманивают в капкан… Известно же, что бесплатный сыр бывает только в мышеловке!

— И тем не менее мыши каждый раз попадаются на эту приманку! — вздохнула Маша.

— Не хочется сознавать, что мы оказались не умнее мышей! Черт, надо было вернуться назад сразу после того, как пропал сторож катакомбы!

— Что уж сейчас корить себя за то, чего все равно не вернешь… Лучше скажите, что это была за картина? Что с ней происходило, когда мы подошли ближе?

— Голограмма! — ответил Старыгин. — Я видел подобные во многих европейских музеях, да и у нас тоже. Когда не хотят или не могут выставить в зале музея подлинное произведение искусства, его заменяют голографическим изображением. Здесь, в подземелье, аппаратура работала не очень хорошо, и изображение начало искажаться. Заметив это, я хотел вас удержать, но не успел…

— Простите, я виновата… чересчур обрадовалась находке и утратила бдительность…

Тот, кто хорошо знал Машу, понял бы, что она очень испугана, только поэтому просит прощения. Обычно виноватым у нее бывал кто угодно, только не она. Старыгин не знал Машу так хорошо, оттого и не удивился.

— Я сам виноват. Я должен был идти впереди и первым разглядеть эту приманку.

— Ладно, давайте не будем расшаркиваться друг перед другом и принимать вину на себя и подумаем, где мы оказались и как отсюда можно выбраться.

Старыгин какое-то время молчал, из темноты доносились только его дыхание и негромкий шорох.

— Эй, вы где! — окликнула Маша товарища по несчастью. — Вы еще здесь?

— Куда я денусь? — пропыхтел мужчина. — Пытаюсь понять, где мы находимся… ознакомиться с нашей мышеловкой, так сказать, на ощупь…

Неожиданно горячая мужская рука дотронулась до Машиной щеки. Девушка почувствовала странное спокойствие. Несмотря на то, что она была в безвыходном положении, в темной подземной тюрьме, и не имела никакой надежды выбраться отсюда без посторонней помощи, то, что рядом с ней находился Старыгин, непонятным образом сделало ее почти счастливой. Удивительно, но ей совсем не хотелось покидать этот каменный мешок. И уж совсем не хотелось, чтобы Старыгин убирал руку с ее щеки.

Но он отдернул руку и в смущении проговорил:

— Ну, это точно не стена!

Маша хотела сказать ему что-то обидное, но вдруг Дмитрий Алексеевич радостно воскликнул:

— Вот это везение! Кажется, наш фонарь тоже здесь! Если он не разбился, это будет просто чудо!

Раздался негромкий щелчок, и Маша на какое-то мгновение ослепла от залившего помещение яркого электрического света.

Как только глаза привыкли к этому свету, она огляделась.

Это был действительно каменный мешок — узкая и тесная камера, стены которой уходили метра на три наверх, туда, откуда они свалились, ступив на поворачивающуюся плиту. Пол камеры был завален каким-то тряпьем, которое смягчило их падение. Старыгин полусидел совсем рядом с Машей, привалившись спиной к стене, и смотрел на нее странным, виноватым и вопросительным взглядом.

Он опустил глаза и удивленно проговорил:

— А это что такое?

В руке у него была старая потрепанная тетрадь, та самая тетрадь, которую Машин отец привез ей в аэропорт. Дневник ее деда. Видимо, при падении дневник выпал из-под ремня джинсов, где Маша держала его после случая в папском доме.

Она не успела остановить Старыгина. Тот уже раскрыл дневник и удивленно проговорил:

— Здесь стоит имя Арсения Ивановича Магницкого, вашего деда!

— Да, это его дневник, — отозвалась Маша.

— Так он был у вас все время? — Старыгин удивленно посмотрел на девушку.

— Да, был, — огрызнулась она. — Я что — должна рассказывать вам о каждой своей вещи, о каждом шаге?

— Нет, конечно, — Дмитрий Алексеевич ничуть не смутился. — Но эти записи касаются его пребывания в Риме... Возможно, они могли бы нам помочь...

— Все равно я не смогла их прочесть, кроме нескольких первых строк. — Маша почувствовала неловкость из-за своей вспышки. Она сама не понимала, что с ней происходит: Старыгин то привлекал ее, то раздражал и отталкивал. Ей хотелось то нагрубить ему, то приласкать. И очень хотелось еще раз прикоснуться к его колючей щеке...

— Можете попробовать сами, — проговорила она после неловкой паузы. — Может быть, у вас это получится. Хотя, конечно, сейчас не самый удачный момент для того, чтобы заниматься расшифровкой дневника двадцатилетней давности!

— Вы правы, — согласился Старыгин. — Хотя никакого другого занятия я не могу придумать. Разве что делать на стене зарубки, отмечая каждый прожитый день. Кажется, нам придется провести здесь немало времени.

— Вряд ли. — Маша подняла голову, бросив взгляд на теряющийся в темноте потолок камеры. — Боюсь, что тот, кто подстроил для нас эту ловушку, очень скоро объявится. Хотелось бы знать, какие у него планы относительно нас.

Ей вдруг очень захотелось есть. Она вспомнила уютную трапезную папского дома и замечательную монастырскую пищу, простую, но очень вкусную, и сглотнула слюну.

Старыгин не нашел, что ответить, и на какое-то время замолчал, внимательно осматривая стены каменного мешка. Внимательно, но безрезультатно.

Стены эти были, как ни странно, очень ровными, без выступов и углублений, так что вскарабкаться по ним не удалось бы даже хорошему альпинисту.

— Давайте я попробую подсадить вас, — предложил он Маше. — Может быть, выше удастся найти в стене выступ и дотянуться до потолка. Он поворотный, и вы, возможно, сможете выбраться отсюда…

— Вряд ли из этого что-то выйдет, — Маша стояла, запрокинув голову. — Кроме того, наверху, возможно, нас уже поджидают. Хотя… вы видите, там, выше, в стену вделана какая-то плита… кажется, на ней что-то написано… Может быть, это нам поможет?

Старыгин подумал, что лучше делать хоть что-нибудь, чем сидеть на полу камеры и дожидаться неизвестно чего. Он встал возле стены и сложил руки в замок, тем самым превратившись в живую лестницу. Маша вскарабкалась ему на плечи, оперлась о стену и осветила фонарем почти сливающуюся со стеной каменную плиту.

— Здесь какие-то знаки, — сообщила она своему спутнику, — надпись, выбитая в камне маленькими клинышками!

— Что-то вроде ассирийской клинописи? — заинтересовался реставратор. — Откуда это могло здесь взяться?

– Понятия не имею… А еще какое-то круглое углубление, небольшое и очень ровное… Вы знаете, по размеру оно точно подходит для…

– Для чего? – переспросил Старыгин, запрокинув голову.

– Стойте спокойно! – прикрикнула на него Маша. – А то я свалюсь!

Повинуясь неожиданному побуждению, она вытащила из-под рубашки пентагондодекаэдр и вложила его в круглое углубление.

Внутри стены раздался скрип, какой издают ржавые, давно не смазанные ворота, и плита отодвинулась в сторону, открыв темный глубокий лаз. В последний момент Маша успела вытащить пентагондодекаэдр и спрятать обратно под рубашку.

– Что там? – удивленно окликнул ее Старыгин.

– Свобода! – откликнулась Маша, подтянувшись и скользнув в темный проем. Развернувшись внутри него, она выглянула наружу и подала Старыгину руку:

– Давайте сюда!

Он крепко схватил ее за руку, напрягся и попытался дотянуться до края лаза. Маша уперлась коленями в пол, собрала все силы и потянула на себя. Еще несколько секунд предельного напряжения, и Старыгин ухватился обеими руками за край проема. Дальше дело пошло, и вскоре он уже лежал рядом с Машей на полу узкого коридора, уходящего в неизвестность.

Снова раздался скрип, и каменная плита встала на место.

– Кажется, насчет свободы я немного погорячилась, – проговорила Маша, затравленно оглядываясь. – Просто из одной мышеловки мы попали в другую.

– Здесь по крайней мере есть куда двигаться, – отозвался Старыгин, подняв фонарь и освещая коридор.

Отдышавшись после тяжелого подъема, спутники поднялись и двинулись вперед. Коридор был узким и таким низким, что даже Маше приходилось идти согнувшись, а Старыгин вообще скорчился в три погибели. Однако скоро прямой коридор закончился. Впереди была крутая каменная лестница, уходившая вниз, еще глубже в подземелье.

— Честно говоря, — проговорила Маша, остановившись перед лестницей, — я предпочла бы подниматься к дневному свету, а не спускаться куда-то к центру земли...

— Выбора у нас нет, — ответил Старыгин и решительно ступил на первую ступеньку.

Лестница оказалась довольно длинной и очень крутой. Маша боялась поскользнуться и сломать шею, поэтому осторожно пробовала ногой каждую ступеньку, так что спуск шел очень медленно.

Но все когда-нибудь кончается. Кончилась лестница, и путники оказались в новом коридоре, на этот раз более просторном. Дмитрий Алексеевич поднял над головой фонарь и вгляделся в темноту.

Стены коридора были удивительно ровными. Более того, они были не просто вырублены в горной породе, а аккуратно облицованы каменной плиткой. Свод над головой ровно закруглялся, видно было, что его выкладывал искусный каменщик.

— Это не похоже на катакомбы первых христиан, — проговорила Маша, невольно понизив голос.

— Безусловно, — бодро отозвался Старыгин. — Значит, где-то недалеко должен быть выход.

Бодрость в его голосе показалась Маше ненатуральной. Кроме того, она помнила, как глубоко под землю они спустились, и сомневалась в близости выхода. Однако не стала спорить со своим спутником и двинулась вслед за ним.

Свет фонаря выхватывал из темноты уходящие вдаль стены подземной галереи. Шаги путников гулко отдавались в пустом коридоре. Вдруг откуда-то издалека донесся еще какой-то неясный звук.

— Тс-с! — Маша прижала палец к губам и остановилась. — Вы слышали?

Из темноты доносилось приглушенное расстоянием пение многих голосов.

— Там люди! — радостно проговорил Старыгин. — Я же говорил, что мы приближаемся к выходу! Пойдемте скорее!

Маша схватила своего спутника за плечо и прошептала:

— Вы когда-нибудь слышали, что под катакомбами святой Присциллы есть еще какие-то, более глубокие подземелья?

— Нет, — Старыгин тоже понизил голос.

— Значит, те, кто там поет, тщательно скрывают тайну своего убежища и вряд ли обрадуются нашему появлению. Кроме того, вспомните, как нас заманили в каменный мешок! Так что давайте-ка не будем раньше времени привлекать к себе внимание!

Старыгин недовольно кивнул, признав ее правоту.

Дальше они двинулись крадучись, приглушив свет фонаря и освещая только пол у себя под ногами.

Впрочем, скоро в коридоре стало светлее. Впереди путников на стенах замелькали тусклые отблески пламени. Они двинулись еще осторожнее и через несколько минут увидели в стене проем в форме полукруглой арки, из которого исходил колеблющийся багровый свет. Подкравшись к этой арке, они осторожно заглянули в нее.

То, что они увидели, было пугающим и грандиозным.

Перед ними было огромное помещение вроде внутреннего пространства собора, освещенное укрепленными на стенах многочисленными факелами. Их дымный, мрачный свет отбрасывал на каменные стены подземного собора пугающие, фантастические тени. Внутри освещенного пространства находилось множество людей. Все они были одеты в длинные черные плащи с капюшонами, закрывающими лица. И все они пели.

Их хор был слаженным и звучным, но то, что они пели, вызвало у Маши невольную дрожь. Отчасти эта мелодия напоминала католический хорал, но в ней было что-то бесконечно древнее и страшное. Чувствовалось, что эта мелодия возникла гораздо раньше всякой музыки и сложил ее не человек. Возможно, что-то было в ней от воя волков, окружающих свою добычу, или от завывания ветра в снастях обреченного парусника. Наверное, такие звуки раздаются по ночам над бескрайними болотами, над которыми носятся только бледные холодные огни, над болотами, в которых нет ничего живого. Вместе с тем было в этой музыке что-то величественное и мощное, что-то бесконечно притягательное, какая-то древняя гармония. Маша шагнула к арке, ей внезапно захотелось присоединиться к этим людям, хотелось влить свой голос в их хор…

Случайно скосив глаза, она увидела Старыгина. Его лицо было совершенно бескровным, глаза уставились туда, в этот освещенный факелами зал, и он тоже медленно шел к арке…

К счастью, пение внезапно оборвалось. Маша сбросила с себя наваждение, прижалась к стене и подтащила к себе Старыгина. Тот удивленно крутил головой и хлопал глазами, как будто только что проснулся, точнее – очнулся от тяжелого кошмара.

– Что это было? – прошептал он, удивленно глядя на Машу. – Мне казалось, что я один из них… что я бегу за кем-то по безлюдной равнине…

– Не знаю, что это было, – прошептала Маша, – но оно еще не кончилось, и нам нужно быть очень осторожными!

Тем временем в зале произошло какое-то движение.

На площадку в дальнем конце, перед возвышением, которое в обычном храме назвали бы алтарем, вышел человек. Как и все остальные, он был одет в черный плащ с капюшоном, но его отличали уверенные, властные движения. Остановившись перед алтарем, он высоко поднял руки. В зале тотчас наступила полная тишина.

– Братья! – воскликнул он гулким, звучным голосом, отчетливо разносившимся под сводами подземного собора. – Приближается великий момент! Скоро, очень скоро мы объединим в этих стенах три священных начала, три священных элемента! Скоро на этом алтаре сольются воедино Образ, Кровь и Ключ! Тогда раскроются врата могущества, и для каждого из нас не будет ничего невозможного! Безграничная власть, бесконечная сила и бескрайняя свобода!

Ему ответил радостный гул присутствующих.

Переждав, пока снова наступит тишина, он продолжил, но теперь не по-английски, а на незнакомом Маше языке. Речь его стала ритмичной и напевной, как стихи или молитва. Маша повернулась к Старыгину и вопросительно взглянула на него.

– Это латынь, – прошептал реставратор, вслушиваясь в слова черного человека. – Что-то вроде молитвы, но вывернутой наизнанку, извращенной и страшной.

– Черная месса! – догадалась девушка.

– Не совсем, но что-то подобное.

Скоро молитва закончилась, и собравшиеся снова запели. На этот раз Маша и Старыгин были подготовлены, и странная песня не произвела на них такого неодолимого гипнотического впечатления. Да и закончилась она гораздо быстрее. Люди в черных плащах выслушали краткое напутствие своего предводителя и по одному удалились через арку в дальнем конце зала.

В подземном храме остались только двое – сам «священник» и еще один человек, молча стоявший перед ним.

– Что скажешь, Азраил? – спросил священник. Каждое его слово было отчетливо слышно благодаря удивительной акустике храма и полной тишине, царящей в подземелье.

Тот, кого он назвал Азраилом, откинул капюшон. Маша вздрогнула, узнав того человека, который был на присланной Мишкой Ливанским фотографии, того человека, который сидел в такси в аэропорту, человека, который преследовал их со Старыгиным. Узкое, худое лицо, похожее на профиль со стертой старинной монеты. Разные глаза, странным блеском горящие в дымном свете факелов.

– Повелитель, она в наших руках! – проговорил он глухим, хриплым голосом. – Она и ее спутник попали в капкан и ждут, когда исполнится ваша воля!

– Ты уверен, что это она? – проговорил «священник». Его лицо по-прежнему было скрыто капюшоном.

– Без сомнения! Она рождена под знаком числа света. Четырежды семь, я это проверил. Она рождена в царском доме, в ее жилах течет священная кровь…

– Хорошо! – кивнул безликий. – Отправляйся за ней. Мужчину убей, а ее приведи в крипту под храмом. У нас будут два священных элемента из трех… Что ж, будем готовить Церемонию, а там поглядим, возможно, судьба сама пойдет нам навстречу!

– Слушаюсь, Повелитель! – проговорил Азраил, сложив руки на груди и поклонившись.

Через минуту подземная церковь опустела.

Маша и Старыгин крадучись пересекли ее и вошли в ту дверь, через которую незадолго до того ушли участники черного богослужения.

— Они говорили о вас, — прошептал Старыгин. — Вы для чего-то им нужны! То, что вы родились под знаком четырех семерок... и еще что-то про царскую кровь... Вот тут непонятно...

— Вам не показался знакомым голос этого «первосвященника»? — перебила Маша своего спутника.

— А ведь правда... — Старыгин остановился. — Где-то я его точно слышал... Правда, в этом склепе такая акустика, что все голоса искажаются до неузнаваемости...

— Ладно, может быть, потом вспомним! А пока не будем задерживаться. Помните, что они сказали? Мужчину убить! Так что не будем давать им такой возможности!

О том, что собираются сделать с ней самой, Маша предпочитала не думать.

За дверью, в которую вошли Маша и ее спутник, оказался довольно широкий коридор, освещенный такими же факелами, как зал подземного собора. Впереди еще слышались шаги и голоса удаляющихся людей, поэтому приходилось двигаться медленно и осторожно. Коридор сделал поворот, и, выглянув из-за угла, Маша едва на налетела на двоих людей в плащах, которые о чем-то негромко разговаривали. Девушка отскочила назад, едва не сбив с ног Старыгина. Однако ее заметили, и за поворотом уже слышались приближающиеся шаги. Дмитрий Алексеевич схватил девушку за локоть и потянул ее к темному проему, видневшемуся в стене коридора. Они нырнули в этот проход, едва успев скрыться от преследователей, и, не удержавшись на ногах, свалились на пол. Пол в этом коридоре оказался скользким и покатым, и спутники заскользили по нему в темноту, съезжая, как с детской горки. Коридор, точнее, труба, по которой они ехали, несколько раз меняла направление.

– Куда мы едем? – крикнула Маша, хватаясь за Старыгина, как утопающий за соломинку. – Теперь уж наверняка прямо в преисподнюю!

Дмитрий ничего не успел ей ответить, потому что подземный полет внезапно закончился, в глаза им хлынул яркий солнечный свет, и они оказались на покрытом травой склоне холма.

К счастью вокруг никого не было. Они кубарем скатились по холму и зашагали по тропинке, которая перешла сначала в дорогу, а потом – в улицу.

– Знать бы, где мы очутились, – с тоской проговорил Старыгин через некоторое время, – и как отсюда выбраться. Подозрительный райончик, даже такси не видно.

– Куда, интересно, вы собираетесь ехать на такси? – холодно спросила Маша.

– Ну… в папский дом конечно! Нужно же отдохнуть и привести себя в порядок! И вообще, я есть хочу! – буркнул Старыгин.

Маша без слов потянула его в первую же попавшуюся дверь, над которой была нарисована аппетитная круглая пицца.

Хозяин долго со вкусом перечислял весь свой ассортимент, пока Маша не прервала его, невежливо ткнув пальцем в первое попавшееся название.

Пицца обладала одним достоинством: она была огромной. Вкуса же Маша не разобрала, потому что по невезению выбрала пиццу с чилийским красным перцем.

– Что вы морщитесь? – недовольно спросила она.

– Я не ем острого… – буркнул Старыгин.

Наверху, при дневном свете, все страхи подземелья исчезли, и в Маше поднималось глухое раздражение на этого растяпу и рохлю. Он может только в кабинете сидеть и копаться со своими красками и химикалиями. Или еще расшифровывать разные надписи.

— Ешьте, что дают! — рявкнула она. — Дома перед женой будете капризничать!

— У меня нет жены, — неожиданно спокойно ответил Старыгин и послушно принялся есть пиццу.

От такой быстрой победы Маша еще больше рассердилась. Может быть, этот тип и умный, думала она, краем глаза посматривая на Старыгина, но в экстремальной ситуации он совершенно бесполезен. Сейчас явно растерян и понятия не имеет, что делать.

— Что вы на меня коситесь, как норовистая лошадь, перед тем как укусить? — Старыгин бросил вилку и уставился на Машу гневными глазами. — Я-то чем виноват?

— Да? — агрессивно ответила она. — А кто втравил меня в эту историю? Кто прочитал на картине эти несчастные четыре семерки? Если бы не они, я бы сейчас спокойно спала дома, вместо того чтобы сидеть здесь в грязной одежде и без крыши над головой!

— И есть эту отвратительную пиццу! — поддакнул Старыгин.

Маша надулась и замолчала.

— Вы сами влезли во все это, — сказал Старыгин, выпив залпом полстакана минеральной воды. — Вы являетесь ко мне в дом, вы не гнушаетесь ничем, даже обманом! Вам, журналистам, непременно нужно все разнюхать, все разузнать и сразу же все выболтать, вывалить на страницы газет и проорать по телевидению. Ради информации вы готовы родного отца продать!

— Мой отец тут совершенно ни при чем, — процедила Маша, прикидывая, как будет смотреться

Старыгин, если она опрокинет ему на голову остатки пиццы.

— И ваш дед тоже? — саркастически осведомился Дмитрий Алексеевич, не подозревая, в какой опасности находится в данный момент. — Это не он подарил вам пентагондодекаэдр, не он говорил что-то о четырех семерках, не он оставил вам дневник? Маша, отчего вы все время чего-то не договариваете? Отчего не доверяете мне?

— Это мой дед! Мой, понимаете? Я хочу сама разобраться с его наследием!

— А это моя судьба! Это меня подозревают в краже мирового шедевра из Эрмитажа! Это мне нет ходу назад в Россию, если я не найду «Мадонну Литта»! Я знаю, что она здесь! Ведь мы видели ее голографическое изображение!

— А вот кстати, — Маша отставила пустую тарелку, — все не было времени вас расспросить. Вы уверены, что это не вас видел охранник в Эрмитаже в пол-второго ночи? И вы не прятались за лошадью в рыцарском зале?

— Совершенно точно уверен, что не был за этой лошадью с того самого вечера, когда спрятался там мальчишкой, — ответил Старыгин. — Я той ночью спал дома.

— Но подтвердить это может только кот Василий...

— В общем, да, — грустно согласился Старыгин. — Ну что, надо отсюда выбираться. Позвоню Антонио, он что-нибудь придумает... Что опять не так?

— В папский дом я не поеду, — твердо ответила Маша. — И на виллу вашего приятеля тоже. Если они нашли нас в папском доме, то там-то отыщут без труда! Незачем тогда было выбираться из подземелья, просто сидели бы там и ждали.

— Но нам нельзя в гостиницу... Нас вычислят мгновенно!

– Можно, – Маша показала на надпись напротив, – вряд ли в этой дыре есть компьютер, куда заносятся данные постояльцев.

В крошечном холле захудалого отеля было полутемно. Маша потрясла допотопный звонок, вышел заспанный портье.

– Номер на двоих. Душ у вас есть?

Портье протер глаза и окинул Машу наглым взглядом, потом спросил что-то по-итальянски.

– Кажется, у них тут почасовая оплата, – криво улыбнувшись, сообщил Старыгин, – похоже, в этом отеле не ночуют…

– А мы будем!

– Ваши паспорта! – пробурчал портье.

– Такой паспорт подойдет? – Маша сунула портье лишнюю бумажку в сто евро.

– О, конечно! – Портье оживился, взгляд его потеплел, он с удовольствием разгладил купюру. – На этой фотографии вы замечательно выглядите, синьорина!

В номере было сыро и пахло плесенью. К тому же в номере была одна кровать, которая занимала почти всю комнату, даже на шкаф места не осталось. Старыгин, увидев эту кровать, по наблюдению Маши, впал в легкую панику.

– Вы что – храпите и лягаетесь во сне? – холодно осведомилась Маша. – Или боитесь, что я выпью из вас ночью всю кровь?

– Ну и язычок у вас, – вздохнул он.

Когда Маша вылезла из душа, она увидела, что Старыгин внимательно разглядывает потрепанную тетрадку.

– У вашего покойного деда был ужасный почерк! – пожаловался он. – Я смог разобрать только первую фразу.

В верхнем углу первой страницы было написано выцветшими фиолетовыми чернилами: «Тот, кому это предназначено, сможет это прочесть». Далее латинскими буквами было нацарапано: «KRIPTA».

— Крипта, — сказал Старыгин, — это значит — тайна. Вот именно, содержание дневника — это тайна, покрытая мраком.

Маша пролистала пожелтевшие страницы, которые сплошь были покрыты какими-то черточками, палочками и колышками.

— Похоже на древнюю клинопись, — задумчиво бормотал Старыгин, — или вообще какой-то непонятный шифр…

— Думаете, до утра справитесь? — насмешливо спросила Маша. — Вряд ли, ведь здесь нет любезной вашему сердцу Танечки с ее отделом рукописей.

Он не стал язвить в ответ, только поглядел с немым укором, как обиженная собака. Маше стало не то чтобы стыдно, но совершенно неинтересно ругаться. Какой смысл кидать язвительные реплики, если не получаешь на них достойного ответа? Это все равно, что игра в одни ворота.

— Почему вы не хотите довериться Антонио? — Старыгин с досадой отбросил дневник. — Это мой друг, я знаю его не первый год. Очень знающий человек, образованный энциклопедически.

— Эти его экскурсы в историю тайных обществ… — зябко поежилась Маша.

— Да, он человек увлекающийся, — улыбнулся Дмитрий Алексеевич, — признаться, я никогда и не думал, что его интересы затрагивают такую область.

Маша решила не продолжать эту тему. Профессор Сорди ей в общем-то нравился, нравилось, с каким интересом он поглядывает на нее. Еще бы, южная горячая кровь, не то что эта медуза в образе талантливого эксперта-реставратора, который с нежностью говорит только о своем коте! Однако за Антонио определенно следят. Иначе как бы злоумышленник нашел их в папском доме? И то, что Антонио в самый неподходящий момент прорезали колесо, тоже наверняка что-то значит. Это не простое хулиганство.

– Ну и что мы будем делать завтра? – не отступал Старыгин. – У вас есть какой-нибудь план?

– Есть, – неожиданно для себя самой сказала Маша, – нужно найти профессора Дамиано Манчини.

И она торопливо рассказала ему про свой разговор с отцом и про письмо профессора с соболезнованиями. Против ожидания, на этот раз Старыгин не стал снова выражать недовольство Машиной скрытностью, а даже похвалил за то, что догадалась прихватить с собой адрес профессора Манчини.

Профессор жил недалеко от площади Венеции, на via Bassina.

Телефона в номере, разумеется, не было, и Маша метнулась вниз, чтобы достать у портье хотя бы справочник. Однако тут же шарахнулась обратно, потому что по шаткой и темной лестнице поднимались навстречу ей, обнявшись, два грязных бородатых типа. Увидев Машу, они очень оживились и заорали что-то веселое. Старыгин плотно закрыл дверь номера и привалился к ней плечом. В дверь бухнули ногой, но быстро отстали.

Оглядываясь, как на поле боя, держась за руки, спустились вниз и прошмыгнули мимо портье на улицу. В ближайшей телефонной будке справочник сохранился только потому, что был прикручен к стенке намертво. И то оказалась вырванной половина страниц, хорошо, что не на букву «М».

Профессора Дамиано Манчини не было в телефонной книге. Было штук десять разных Манчини, но ни один из них не звался Дамиано и ни один не жил по указанному адресу.

— Прошло больше двадцати лет, он мог переехать в другой город, умереть наконец! — вздохнул Старыгин. — Да и зачем он вам нужен? Может, он и не вспомнит вашего деда... Пошли отсюда!

— Куда вы так торопитесь? В этом гадюшнике, безо всяких на то оснований называемом отелем, вполне обойдутся некоторое время без нас!

— Вы сами захотели туда пойти ночевать! Признайтесь, что пошли в эту гостиницу исключительно из духа противоречия!

«Ни за что не признаюсь», — подумала Маша, не удостаивая своего спутника ответом.

— И торчите в этой будке назло мне! А я спать хочу! Устал я бегать по подземельям!

— Да тише вы! — зашипела Маша. — Что вам все неймется? Вот смотрите, Вероника Манчини, адрес: вилла «Крипта» и что-то там еще... «Крипта», понимаете? Это вам ни о чем не говорит? Что написано в дневнике деда на первой странице? Вряд ли это простое совпадение! Если профессор Манчини умер, то эта дама вполне может быть его женой, то есть вдовой. Или дочерью...

— Вам очень хочется настоять на своем, — вздохнул Старыгин. — Что ж, звоните, сами с ней объясняйтесь.

На вопрос, может ли Маша поговорить с синьорой Манчини, пожилой женский голос на ломаном английском ответил, что уже поздно и синьора легла спать.

— Постойте! — закричала Маша. — Прошу вас, не вешайте трубку! Меня зовут Мария Магницкая! Я приехала из Петербурга! Я ищу профессора Дамиано Манчини! Простите за мой вопрос, но синьора не имеет к нему отношения?

В трубке воцарилось долгое молчание, потом женщина пробормотала, чтобы подождали у телефона, и удалилась. Слышны были медленные шаркающие шаги и скрип двери, потом все стихло. Мимо будки прошла шумная компания подростков с гитарой, потом проехал полицейский на мотороллере и подозрительно поглядел в их сторону. Старыгин отвернулся и прижал Машу к себе.

– Наверное, мы ведем себя глупо, – вздохнул он, когда улица снова опустела, – отчего нужно бояться властей здесь, в Риме? Ведь мы же ничего плохого не сделали.

Маша совершенно машинально отметила, что он слишком много вздыхает, и попыталась отстраниться, но в тесной будке это было невозможно. Положение спасла телефонная трубка, в которой раздался тот же голос. Женщина сообщила, что синьора Манчини примет их завтра в десять утра на вилле «Крипта».

– Ну и ну! – Старыгин покрутил головой.

Они никого не встретили ни в холле отеля, ни на лестнице.

Среди ночи Маша проснулась. Из соседнего номера сквозь тонкую стенку доносились весьма недвусмысленные звуки. Хоть Маша впервые была в Италии и находилась в Риме недолгое время, она увидела, что уличные указатели обозначаются чаще всего музыкальными терминами. На гараже возле папского дома была надпись Adagio, что означало: «Въезжать медленно». Музыкальные термины мелькали и в разговоре темпераментных итальянцев, для них это были просто нужные слова.

Нынешнюю ситуацию за стенкой, пользуясь музыкальной терминологией, можно было охарактеризовать как бурное и продолжительное Allegro, переходящее в мощное Crescendo, сменяющееся затухающим Moderato.

Было душно и сыро. Маша подошла к окну и закурила. Из окна не тянуло свежестью, занавеска была влажной.

Старыгин крепко спал, завернувшись в одеяло, лицо его выглядело умиротворенным, его не беспокоили ни звуки за стенкой, ни духота, ни мысли о завтрашнем дне.

«Чурбан какой!» – подумала Маша, засыпая.

Наутро они выпили кофе в той же самой пиццерии и прошли несколько кварталов пешком, прежде чем увидели свободное такси. Маша показала водителю страницу из телефонного справочника, которую она вырвала вчера, посчитав, что от разоренной книжки немного убудет. Водитель заохал, замотал головой и назвал цену, судя по бегающим глазам, несусветно высокую.

Городские улицы постепенно сменялись красивыми каменными стенами, за которыми видны были деревья. Наконец водитель остановился. Стена была из старого камня, высокая, так что заглянуть через нее не представлялось возможности. Водитель заверил их, что это и есть то, что они искали, позвонил и уехал, заметив, что в стене открылась небольшая калитка. Старыгин с Машей вошли и услышали шум отъезжающей машины.

Перед ними лежал сад, и вилась узкая дорожка между деревьями. Вокруг не было ни души. Тишину нарушал только ветерок, шелестящий в кронах. Пролетела какая-то пичуга, ничуть не боясь, уселась на ветку. Маша поймала скептический взгляд Старыгина и зашагала по дорожке, высоко подняв голову. Дорожка круто поворачивала, и перед глазами открылся вполне современного вида бассейн. Стройное смуглое женское тело двигалось, стремительно рассекая голубую воду. Сквозь блики на воде женщина казалась загадочной русалкой. Маша перехватила восхищенный взгляд Старыгина и подумала невольно, будет ли она смотреться так же хорошо в бассейне. Не заметив или сделав вид, что не заметила посетителей, женщина поплыла к дальнему краю бассейна, выбралась на берег и скрылась из виду. Глазам открылся дом – двухэтажное строение из серого камня. Навстречу спешила пожилая женщина в темном платье – скорей всего та самая, с которой Маша вчера разговаривала по телефону.

– Вы пришли чуть раньше, – сказала она, – синьора сейчас выйдет. Она приглашает вас выпить кофе на террасе.

Каменная терраса была освещена утренним солнцем и уставлена цветущими апельсиновыми деревьями в кадках. Под полосатым тентом был накрыт стол для завтрака. Открылась стеклянная дверь и вошла хозяйка виллы, синьора Манчини. Очень высокая стройная женщина. Увидев ее в бассейне, Маша подумала, что это, несомненно, дочь профессора Манчини. Или племянница. Теперь же, при ярком свете, она поняла, что ошиблась. Скорее всего это была его вдова.

Женщина была одета в темные легкие брюки и лиловую блузку. Гладкие черные волосы, огромные яркие глаза, ничуть не поддавшиеся возрасту. Шея в вырезе блузки выглядела свежо, но все же Маша дала бы хозяйке виллы гораздо больше сорока.

– Меня зовут Вероника Манчини, – низким хриплловатым голосом сказала женщина, – вот уже много лет я вдова профессора Дамиано Манчини. Какое у вас ко мне дело?

– Я – Мария Магницкая, внучка профессора Магницкого, он же Бодуэн де Куртенэ, – сказала в ответ Маша, – это мой… друг, сотрудник Эрмитажа, Дмитрий Старыгин.

Краем глаза она заметила, как Старыгин невольно дернулся от удивления, ах да, она же не сказала ему, что настоящая фамилия ее деда была Бодуэн де Куртенэ.

— Могу я взглянуть на ваши документы? — настороженно спросила хозяйка виллы.

Она долго рассматривала Машин паспорт, потом вернула и пригласила присесть за стол.

— Не удивляйтесь такому не слишком сердечному приему, — она слегка улыбнулась, при этом в темных глазах появился такой блеск, что Маша расстроилась.

Она невольно сравнила себя с этой ухоженной красивой женщиной — простые джинсы, рубашка не первой свежести, спутанные волосы, лицо без косметики... Эта женщина, как магнитом, притягивала к себе взгляд Дмитрия, да что там, любой мужчина, будучи рядом с ней, не смог бы отвлечься ни на что другое.

— Несмотря ни на что, я рада, что вы пришли, — продолжала Вероника. — Могу я узнать, что вам подсказало, как меня найти?

— Я видела письмо с соболезнованиями, которое прислал профессор Манчини много лет назад, после смерти моего деда, — осторожно подбирая слова, сообщила Маша, — и... в его бумагах было указание...

— Что ж, господа, давайте выпьем кофе и поговорим! — предложила хозяйка.

Тотчас явилась пожилая служанка, неся пышущий жаром кофейник и блюдо со свежими булочками. Старыгин необычайно оживился и потянул носом.

— Вы знали моего деда? — спросила Маша, разламывая булочку.

— Немного. Тогда, больше двадцати лет назад, я была много моложе... — Она снова улыбнулась и стала так хороша, что Маше захотелось скрипнуть зубами. — Мы не так давно поженились с Дамиано, меня волновало совсем другое. Скажу только, что ваш дед был знаком с Дамиано много раньше меня, их связывала многолетняя дружба, Дамиано обмолвился

как-то, что ваш дед спас ему жизнь в какой-то экспедиции.

– Как он погиб?

– Вы имеете в виду моего мужа? – уточнила вдова.

– Он тоже умер не своей смертью? – вскричали
хором Маша и Старыгин.

Вероника закрыла лицо руками, посидела так немного, потом выпрямилась и вздохнула.

– Ваш дед приехал в августе восемьдесят второго года. Он остановился в нашей квартире в
Риме. Он был какой-то беспокойный, они часто
уединялись с Дамиано в кабинете и что-то обсуж-
дали вполголоса. Так случилось, что Дамиано не
смог сам отвезти его в аэропорт, за что очень себя
корил. Потом он через знакомого полицейского комиссара узнал подробности дела и очень помрачнел, потому что у полиции были веские причины
утверждать, что авария подстроена. Однако след-
ствие неожиданно прекратили, того комиссара перевели в Пизу, а Дамиано дали понять, чтобы он не
интересовался больше этим делом. Он совсем упал
духом, и я решила увезти его на море, чтобы отвлечься и забыть все неприятности. Там он и погиб, утонул во время купания…

– Боже мой, – ахнула Маша, – так значит…

– Он прекрасно плавал, – сдавленным голосом
сказала Вероника, – он вырос на море… Врач сказал, что у него не выдержало сердце от холодной
воды…

Маша и Старыгин переглянулись – какая может
быть холодная вода в Средиземном море в начале
сентября? Они бы на Балтике поплавали, тогда и говорили!

– Буквально на следующий день кто-то влез в
нашу квартиру в Риме на via Bassina и перерыл все
бумаги в кабинете мужа.

– Что они искали?

— Именно это спрашивала меня полиция, потому что в университете его кабинет тоже оказался вскрыт и там тоже искали.

— Они нашли?

— Понятия не имею! — Вероника пожала плечами. — Думаю, что нет! Если бы нашли, убили бы и меня! Я же честно пожимала плечами и говорила полиции, что ничего не знаю, муж не обсуждал со мной свою научную деятельность. В конце концов полиция решила, что к нам залезал простой вор, которого кто-то спугнул, отчего он и не успел взять столовое серебро и кое-какие мои золотые безделушки. Через некоторое время я продала квартиру в Риме и поселилась здесь, на вилле.

— Значит, вы ничем не можете нам помочь? Никак не прольете свет на это запутанное дело?

— Кое-что у меня для вас есть, — Вероника встала, — я сейчас принесу.

Она вышла. Старыгин проводил ее долгим взглядом и повернулся к Маше.

— Это правда, что ваш дед из рода Бодуэн де Куртенэ?

— Ну да, это его настоящая фамилия, — раздраженно ответила Маша, — много лет назад он поменял ее на фамилию жены — Магницкая. Решил, что так ему будет спокойнее жить и работать.

— Значит, вы тоже на самом деле — Бодуэн де...

— Ну да, да! — Маша встала, с грохотом отодвинув стул. — Если я родная внучка своего деда, стало быть, я тоже! Только что это мне дает? Думаете, где-то со времен Крестовых походов запрятано фамильное сокровище, которое лежит где-нибудь в старом замке и ждет, что я приду и возьму его?

— Я ни о чем не думаю. То есть я думаю, но не об этом. Теперь я понял, что имели в виду эти люди там, в подземелье, говоря, что вы — из царского рода. Они пытались похитить вас...

— Для чего? Зачем я им нужна? — взорвалась Маша. — О Господи, может быть, Вероника поможет...

— Как он сказал? — бормотал Старыгин. — Образ, кровь и ключ... И у них есть две составляющие, это уже неплохо. И они не теряют надежду отыскать третью. И если образом можно считать пропавшую картину, а кровь — ваша...

— На что это вы намекаете? — неприязненно осведомилась Маша. — Они что — собираются выпустить из меня кровь? Приятная перспектива, нечего сказать! И каким манером в эту концепцию укладываетесь вы?

— Боюсь, что им я был нужен только для того, чтобы заманить вас в катакомбы, — мужественно признался Старыгин. — Я прочитал их знаки, меня подставили... Одного не пойму...

— Как они были уверены, что я непременно потащусь за вами, так, что ли?

Их перепалку прервало появление Вероники. Она протянула Маше небольшой плоский ключик.

— Это ключ от ячейки «Монтгомери банка», — сказала она, — перед тем как уехать на море, муж привел в порядок все свои дела, как будто предчувствовал, что...

Маша кивнула головой, вспомнив, что, по словам отца, ее дед тоже привел в порядок дела и даже простился с близкими людьми. Что же за страшную тайну дед унес с собой в могилу? А может, есть еще возможность ее разгадать?

— Муж велел мне, если с ним что-нибудь случится, отдать этот ключ наследникам профессора Магницкого. Но только тем, кто сам доберется до нас, посылать в Россию ничего нельзя. И писать о том, что в Риме что-то есть для них, ни в коем случае не следует. Это в том случае, если бы кто-то связался со мной письменно или говорил по телефону. Я не знаю, что там, в сейфе, это предстоит выяснить вам самой. Только, – Вероника оглядела Машу, – «Монтгомери банк» – это очень солидный банк. Эти чопорные англичане примут вас гораздо лучше, если вы будете выглядеть по-другому. Идемте со мной!

В просторной гардеробной глаза у Маши едва не вылезли из орбит. Она никогда не видела одновременно столько дорогой и хорошей одежды. Даже в магазине…

Пока Маша наскоро наводила макияж и причесывалась, Вероника перебирала одежду и вытащила бледно-зеленый костюм.

– Это вам будет к лицу!

С непонятным самой себе удовлетворением Маша заметила, что при ее появлении Старыгин не стал следить взглядом за хозяйкой.

– Меня примут за вашего шофера, – сказал он по-русски.

– Вот уж не думала, что вас это волнует! – ответила Маша и улыбнулась Веронике. – Спасибо вам за все!

– Идемте же, Дмитрий! – сказала она капризно. – Вы нас задерживаете…

– Желаю удачи! – сказала Вероника им вслед.

Машина остановилась перед высоким, солидным зданием, фасад которого был облицован черным полированным гранитом. Старыгин выбрался наружу и подал руку своей спутнице.

Возле старомодной массивной двери, обитой чеканной медью, красовалась строгая и внушительная табличка: «Монтгомери банк».

Дверь не открывалась сама, как в новомодных японских и американских офисах. Чтобы открыть ее, Старыгину пришлось приложить некоторое усилие. Тем самым владельцы банка с чисто британским тактом давали понять, что вход в их цитадель открыт далеко не каждому.

По другую сторону двери стоял рослый мужчина в безукоризненно отглаженном черном костюме, под которым почти невозможно было разглядеть пистолет.

Подняв на Старыгина и его спутницу непроницаемые взгляд, он произнес сдержанным, полувопросительным тоном:

— Сэр?

Вместо ответа Маша выступила вперед и показала привратнику маленький плоский ключ.

— О, прошу вас, мадам! — охранник не улыбнулся, но несколько потеплел взглядом. — Джентльмен с вами?

— Конечно, — подтвердила девушка.

— Прошу прощения… — охранник молниеносным отработанным движением провел возле Маши и реставратора металлоискателем и кивнул:

— Прошу вас, мистер Гаррис вас ждет!

Спутники пересекли просторный холл, облицованный светлым мрамором, и остановились перед золоченой стойкой.

— Чем я могу вам помочь? — раздался из-за стойки голос с безупречным английским произношением. Маша увидела еще одного мужчину в черном костюме. Но если даже охранник в этом банке выглядел джентльменом, то этот человек выглядел джентльменом в квадрате. Прическа его была выверена с математической точностью и отражала свет позолоченных бра. Костюм сидел так идеально, что невольно напоминал о похоронах. А на лице была такая сдержанная британская чопорность, что ее вполне можно было использовать вместо морозильной камеры или кондиционера.

— Чем я могу вам помочь? — повторил джентльмен с тем же выражением.

И опять вместо ответа Маша показала ему ключ.

— Прошу вас, — служащий осторожно, как драгоценную реликвию, взял ключ в руки и посмотрел на выбитый на нем номер. Тут же лицо его осветилось улыбкой, и Маша подумала, что ошиблась, приняв его за англичанина.

— Я рад, чрезвычайно рад, — проговорил клерк. — Мадам, мистер Моррис будет через несколько минут, я сейчас сообщу ему о вашем визите. А пока могу я предложить вам и вашему спутнику чашку чаю?

«Конечно же, чай, — подумала Маша, — ведь это английский банк! Во французском или итальянском нам предложили бы кофе!»

Она поблагодарила и вежливо отказалась.

— Тогда, прошу вас, присядьте, — служитель указал посетителям на глубокий и низкий диван, обитый темной тисненой кожей. — Мистер Моррис уже в пути.

Маша задумалась, каким же будет этот самый мистер Моррис: джентльменом в кубе? И еще она подумала, каких же размеров внутренние помещения этого банка, если клерк добирается из своего кабинета не меньше, чем если бы тот располагался в Лондоне. Возможно, он едет оттуда на поезде или по крайней мере на автомобиле.

Наконец дверь позади стойки распахнулась, и оттуда появился долгожданный мистер Моррис.

Он оказался совсем не таким, какого Маша ожидала увидеть.

Небольшого роста, очень подвижный, в помятом сером костюме, с покрытыми перхотью плечами и круглой плешью, он потирал руки и улыбался.

— Приветствую вас, приветствую вас! — воскликнул он с неумеренной веселостью. — Простите, что заставил вас ждать! Британские традиции, знаете ли! Пойдемте со мной, я провожу вас в депозитарий!

Он сделал знак следовать за собой и зашагал по широкому, ярко освещенному коридору, ни на секунду не переставая говорить.

— Прекрасный выбор, прекрасный выбор!

— О чем вы, сэр?

— То, что вы остановили свой выбор на нашем банке, говорит о вашей рассудительности и несомненном вкусе! Сейчас многие предпочитают этих выскочек, этих нуворишей…

— Что вы имеете в виду?

— Швейцарские банки, конечно! — Мистер Моррис недоуменно оглянулся на Машу, как будто она спросила его, как называется наша планета. — Эти новомодные швейцарские банки!

— Как, вы называете швейцарские банки… новомодными? Разве они не старейшие в Европе?

— Что вы, мадам! — Мистер Моррис так скривился, как будто проглотил целый лимон. — Как вы можете так говорить! Первые швейцарские банки появились только во второй половине девятнадцатого века, и тогда о них никто не слышал! Они стали известны только после Первой мировой войны! В то время как наш банк сохраняет свою неизменную репутацию с тысяча семьсот десятого года! Английский банк — это настоящий банк, а все остальные — выскочки!

— Вы забыли об итальянских банках, — вставил реплику Старыгин. — Некоторые из них появились еще в тринадцатом веке! Например, банкирский дом Медичи…

— Что вы говорите, сэр! — искренне удивился служитель. — Никогда бы не подумал! Вот мы с вами и пришли!

Он остановился перед массивной дверью из темного резного дуба.

Маша подумала, что такая дверь не очень подходит для надежного банковского хранилища. Она ожидала увидеть что-то бронированное, суперсовременное и невероятно надежное.

Мистер Моррис нажал на кнопку возле двери, что-то негромко сказал в переговорное устройство и отступил на шаг в сторону. Дверь распахнулась, и за ней вместо комнаты или нового коридора оказалась кабина лифта. Впрочем, такая кабина вполне могла бы послужить гостиной в старинном английском особняке. Здесь были и диван, и антикварный журнальный столик, и пушистый ковер на полу, и зеркала в резных золоченых рамах. Не было только традиционного английского камина, да размерами кабина все же несколько уступала аристократической гостиной.

Мистер Моррис пригласил посетителей в кабину и вошел вслед за ними. Как только дверь закрылась, лифт пришел в движение, причем, как и следовало ожидать, он пошел не вверх, а вниз.

Опускаться пришлось довольно долго. Наконец кабина остановилась, и дверь плавно распахнулась.

На этот раз за ней оказался короткий коридор, обшитый темными деревянными панелями и освещенный яркими люминесцентными лампами. На пороге стоял очередной охранник, но он, в отличие от своих предшественников, был одет не в элегантный костюм от лондонского портного, а в обычный камуфляжный комбинезон. На плече у охранника висел короткий десантный автомат.

Быстро осмотрев прибывших, охранник кивнул мистеру Моррису и отступил в сторону.

– Вы понимаете, – проговорил клерк, шагая вперед по коридору, – это дань времени. Конечно, такая охрана не вполне соответствует стилю традиционного английского банка, но она необходима в наше непростое и суровое время.

Короткий коридор упирался в очередную дверь. Но на этот раз это было именно то, чего Маша ждала:

не дверь, а мощное сооружение из толстой, тускло поблескивающей стали, усеянной заклепками и оснащенной чем-то вроде корабельного штурвала.

Мистер Моррис снова что-то сказал в установленный возле двери микрофон, затем набрал на кодовом устройстве какой-то шифр, постаравшись при этом встать так, чтобы посетители его не видели. Внутри двери что-то щелкнуло и зажужжало. Дождавшись, когда снова наступит тишина, служитель ловко повернул штурвал, как дежурный рулевой на капитанском мостике.

Дверь плавно открылась.

Переступив вслед за клерком порог, представлявший собой толстую переборку из бронированной стали, посетители оказались в просторном помещении, освещенном неприятно резким искусственным светом. Стены помещения были покрыты пронумерованными ячейками. Это невольно напомнило Маше ряды древних захоронений в катакомбах, тем более что эти ячейки тоже были своего рода захоронениями – в них были похоронены чьи-то тайны, чьи-то судьбы, чьи-то состояния.

Возле порога посетителей встретил очень высокий, широкоплечий и сутулый человек с длинными, свисающими чуть не до полу руками. Бледный от долгого пребывания в подземном бункере, одетый в мрачную черную униформу, он показался Маше привидением или восставшим из могилы мертвецом. Однако этот подземный житель вполне по-деловому обратился к мистеру Моррису:

– Какая ячейка, сэр?

– Семьсот сорок восьмая, Уинстон! – ответил клерк, сверившись с номером на Машином ключе.

– Одну минуту, сэр! – Уинстон подошел к небольшому компьютерному столу, который посетители в первый момент не заметили. Пробежав пальцами по клавиатуре компьютера, хранитель сокровищницы поднял глаза и бесстрастно проговорил:

— Ячейка с дополнительным кодом, сэр.

— Слово?

— Предмет.

Обменявшись с охранником этими загадочными репликами, мистер Моррис повернулся к Маше и с оттенком легкого сожаления проговорил:

— Прошу прощения, мадам, но эта ячейка по желанию вкладчика снабжена дополнительным кодом.

— Что это значит? — растерянно спросила Маша.

— Это значит, что вы должны предъявить нам нечто, что подтвердит ваше право на вклад.

— Но что это должно быть? — Маша переглянулась со Старыгиным.

— Сожалею, мадам, но я не вправе давать вам какие-нибудь намеки и подсказки, — ответил клерк. — Вы сами должны знать, что это такое. Такова воля вкладчика.

Это прозвучало так же непререкаемо, как если бы мистер Моррис сказал: «Такова воля Божья» или: «Таковы законы природы». Впрочем, для настоящего банкира воля вкладчика и воля Божья — синонимы.

Маша сникла.

Они преодолели столько преград, подошли так близко к тайне ее покойного деда — и остановились буквально в одном шаге от нее. Девушка окинула взглядом бесконечные ряды стальных ячеек. Одна из них, возможно, таила разгадку той тайны, которая окружала профессора Магницкого, вернее — Бодуэна де Куртенэ, и в особенности его смерть. Но это называется — близок локоть, да не укусишь. Лицо мистера Морриса было совершенно непроницаемым, ясно было, что он и пальцем не шевельнет, чтобы помочь ей!

«С таким лицом хорошо в покер играть, — подумала Маша, — на нем противники ничего не прочитают!»

Тут же она вспомнила дневник деда, который так же хранил свою тайну, как этот болтливый англичанин. Дневник... вот и все, что осталось ей от деда, если так и не удастся получить содержимое банковской ячейки!

Нет, это не все. Ведь еще у нее есть подарок деда, который он привез ей перед самой смертью, как будто уже знал, что не вернется из Рима! А может быть... чем черт не шутит...

Маша расстегнула верхнюю пуговицу блузки и вытащила висящий на цепочке кулон, точнее – пентагондодекаэдр, загадочный предмет, выточенный древним мастером из слоновой кости.

– Позвольте, мадам! – Мистер Моррис протянул руку и бережно взял у Маши из рук костяной шарик. Он подошел к столику Уинстона, наклонился над экраном компьютера и сравнил кулон с изображением на экране.

– Все правильно, – негромко проговорил Уинстон.

– Все правильно, – как эхо, повторил за ним мистер Моррис. – Вы подтвердили свои права, мадам. Уинстон, разблокируйте ячейку.

Хранитель подземелья снова сыграл короткую бравурную мелодию на клавиатуре компьютера, и где-то в глубине хранилища раздался негромкий щелчок.

– Она разблокирована, сэр! – и Уинстон протянул руку за ключом.

Получив его, он подошел к стене и дотянулся до одной из ячеек. Повернув ключ в скважине, вынул стальной ящик и поставил его на металлический стол. Затем жестом пригласил Машу:

– Ваша ячейка, мадам!

Маша глазами пригласила Старыгина следовать за ним. Они подошли к столу, и Уинстон задернул темную занавеску, создав для них некое подобие уединения. Маше это напомнило кабинку для голосования.

Она глубоко вдохнула и взялась за крышку стального ящика. Волнение мешало ей открыть его. Что она там найдет? Какую тайну раскроет? Наконец она взяла себя в руки и открыла крышку.

В ящике лежали две глиняные таблички размером с почтовый конверт. С одной стороны каждая табличка была гладкой, с другой – закругленной, и обе стороны их были покрыты мелкими отчетливыми значками. На одной из них значки были нанесены теми же странными черточками и клинышками, которыми был исписан дневник Машиного деда, другую табличку покрывали непонятные змеящиеся буквы.

Кроме табличек в ящике лежала стопка красиво отпечатанных бумаг, украшенных портретом какого-то солидного мужчины с остроконечной бородкой. Бумаги были отдаленно похожи на деньги, но гораздо крупнее их, кроме того, вторая сторона каждого листа была чистой.

– Что это? – вполголоса спросила Маша Старыгина.

– Понятия не имею, – отозвался тот. Бумаги его явно не интересовали, он не отрываясь смотрел на глиняные таблички.

– Кажется, мы нашли Розеттский камень, – произнес он что-то совершенно непонятное.

– Что? – удивленно переспросила Маша.

– Потом объясню, – отмахнулся Дмитрий Алексеевич. – Заберем эти таблички и пойдем отсюда. Думаю, они помогут мне расшифровать дневник вашего деда.

Маша решила, что загадочные бумаги тоже лучше прихватить. Может быть, они имеют какую-то ценность. Иначе их не хранили бы в таком надежном, хорошо охраняемом месте. Даже если за прошедшие после гибели деда двадцать лет они утратили часть ценности, может быть, их купит какой-нибудь коллекционер... В противном случае нужно думать, где достать денег на продолжение поисков «Мадонны Литта» и на собственное существование вдали от дома.

Девушка сложила в сумочку бумаги, а Старыгин положил в карманы пиджака глиняные таблички.

Они отдернули занавеску и сообщили Моррису, что закончили ознакомление с ячейкой. Молчаливый Уинстон поместил опустошенный ящик на прежнее место в стене, а разговорчивый клерк проводил их до самого выхода из банка.

После затхлого, искусственного воздуха подземелья воздух Рима показался Маше пьянящим, как молодое вино из древних тосканских виноградников.

— Ну и куда мы сейчас? — осведомился Старыгин.

— Вероника приглашала нас к себе...

— Прежде мне хотелось бы посмотреть, что за таблички хранил в банке ваш дедушка. Судя по тому, как сложно было их получить, они должны содержать какую-то очень важную информацию.

— Ну и где вы хотите этим заниматься?

— В библиотеке, конечно! Где еще заниматься расшифровкой клинописных надписей? Думаю, что на вилле этой утонченной вдовы это будет не так удобно.

Старыгин махнул рукой, и рядом с ними остановилось проезжающее такси.

Через двадцать минут их высадили на площади перед библиотекой университета.

Эта площадь представляла собой удивительное зрелище. Она вся была заставлена бесчисленными мотороллерами. Мотороллеры были самых разных, поразительно ярких цветов – бирюзовые, голубые, розовые, сиреневые, оранжевые, перламутровые, переливающиеся всеми цветами радуги, они напоминали экзотических южных насекомых. Вообще, насколько Маша смогла заметить, в Вечном городе мотороллер – самое распространенное средство передвижения. Маленький, юркий, он может проскочить по самой узкой улочке, ему не страшны бесконечные пробки, а поскольку погода в Риме почти всегда прекрасная и пассажиры не рискуют промокнуть, то мотороллер становится просто незаменимым транспортным средством.

На мотороллерах передвигаются солидные бизнесмены, озабоченные домохозяйки, юркие адвокаты, степенные матери семейств, элегантные дамы и худенькие старушки, священники в длинных сутанах и монахини в черных одеяниях, подростки и старики. Несколько раз Маша видела, как знакомые дамы, остановив мотороллеры перед светофором, здороваются и вступают в разговор. Светофор переключается на зеленый, а кумушки все еще чешут языками, не обращая внимания на раздраженные окрики и сигналы окружающих.

Разумеется, для римских студентов мотороллер – это вообще единственное и любимое средство передвижения и вообще лучший друг, поэтому на площади перед университетом было размещено настоящее море мотороллеров.

Протиснувшись между разноцветными машинами, Старыгин и Маша вошли в просторное здание библиотеки. Полусонный охранник проводил их равнодушным взглядом. Войдя в огромный читальный зал, Дмитрий Алексеевич уверенно направился к стойке, за которой восседала сутулая бледная дама в очках, как две капли воды похожая на Танечку из эрмитажного кабинета рукописей. Старыгин представился ей, изложил свою просьбу. Дама порозовела, выскочила из-за стойки и лично проводила симпатичного посетителя к свободному столу, пообещав ему любую необходимую литературу и вообще всякую поддержку, какая только может быть в ее силах.

«Он явно имеет успех у библиотечных дамочек определенного типа», – подумала Маша то ли ревниво, то ли насмешливо.

Старыгин выложил на стол глиняные таблички, блокнот для записей и карандаши, включил лампу под зеленым абажуром и с явным удовольствием сказал Маше:

– Если я не ошибаюсь, ваш дедушка оставил нам что-то вроде Розеттского камня.

– Вроде чего? – переспросила Маша.

– Так называли черный камень с высеченной надписью на трех языках, найденный неизвестным французским солдатом около Розетты, на Ниле, во время египетского похода Наполеона. Именно этот камень дал возможность Франсуа Шампольону расшифровать египетские иероглифы. Сравнивая три надписи, он понял значение иероглифов...

Дмитрий Алексеевич положил таблички рядом и внимательно вгляделся в них.

– Правда, нам нужно сравнивать себя скорее не с Шампольоном, а с Гротефендом, – проговорил он после минутной паузы.

– А это еще кто? – осведомилась Маша с некоторым раздражением. Ее уже утомила манера Старыгина заваливать собеседника бесчисленными историческими фактами и незнакомыми именами.

– Георг Фридрих Гротефенд – это простой учитель из Геттингена в Германии, который расшифровал ассирийскую клинопись. В отличие от Шампольона, который хорошо знал множество восточных языков, Гротефенд не знал того языка, на котором была написана расшифрованная им надпись. Точно так же, как мы. Он просто разгадывал ее, как головоломку в воскресной газете. Обратил внимание на сочетание знаков, встречающееся чаще других, и предположил, что оно значит «царь». Кроме того, он тоже имел дело с клинописными значками. Хотя клинописью написана только одна из этих табличек, вторая покрыта какими-то совсем другими знаками... Если ваш дед, профессор Магницкий, оставил эти две таблички как ключ к прочтению своих шифрованных записей, он должен был хотя бы одну из них сделать вполне понятной для своих наследников...

Старыгин еще какое-то время разглядывал табличку, а потом оживился и повернулся к Маше.

– Мне понадобится ваша помощь...

– Наверное, вы перепутали меня с той ученой дамой за стойкой, – насмешливо отозвалась девушка.

– Нет, думаю, как раз вы скорее сможете мне помочь. У вас ведь наверняка есть зеркало? Хотя бы небольшое!

– Зеркальце? Маленькое зеркальце есть здесь, – Маша открыла пудреницу и протянула ее Старыгину. – А зачем вам вдруг понадобилось зеркало? Вы хотите выдавить прыщик?

– Будет вам! Просто мне пришло в голову, что эта табличка написана самым обычным латинским шрифтом, только наоборот, справа налево, как писал свои труды Леонардо да Винчи. Так что читать ее нужно в зеркале.

Старыгин повернул табличку боком и попросил Машу держать зеркальце против нее.

– Жаль, оно немножко маловато, – посетовал он, вглядываясь в отражение.

– Уж какое есть! – фыркнула Маша. – Что же я, по-вашему, должна носить с собой метровое зеркало в золотой раме?

– Не обижайтесь, – пробормотал Дмитрий Алексеевич. – Я был прав, это зеркальная надпись, сделана на латыни. Вот что написал ваш покойный дедушка:

«Дорогая моя, сожалею, что мало общался с тобой. Это вина не моя, а твоих родителей. Если ты читаешь это письмо, значит, меня уже нет в живых, а тебе угрожает серьезная опасность. Подлинная причина ее в твоем происхождении. Им нужны три элемента, один из которых – ты сама. К счастью, третий им недоступен. Кровь, во всем виновата наша кровь. Спасение в Гизе. Следует успеть до трех семерок. Твой несчастный дед, король без владений Бодуэн де Куртенэ».

Старыгин поднял глаза на Машу.

– Итак, письмо, несомненно, адресовано вам. Правда, загадок оно не убавило, а скорее прибавило. То, что вам угрожает опасность, мы и без того знаем. Ваш дедушка пишет: «Им нужны три элемента»… Знать бы еще, кто такие эти «они». Те люди, чье богослужение мы видели в подземной церкви, тоже говорили о трех элементах. Как они называли их? Кровь, образ и ключ. Старик тоже говорит о крови… правда, в одном он ошибается. Он считает, что один из трех элементов им недоступен, по всей видимости, имея в виду «Мадонну Литта». Как раз ее-то они, судя по всему, уже заполучили…

– Кровь? – недоверчиво переспросила Маша. – Им нужна моя кровь? Они приносят кровавые жертвоприношения? Когда такое сказали вы, я не поверила, но вот дед тоже пишет… Похоже, все кругом сошли с ума…

– Вовсе не обязательно они принесут вас в жертву, – поспешил успокоить ее Старыгин. – Может быть, они имеют в виду что-то мистическое… Например, вы должны просто участвовать в каком-то их ритуале…

– Ага, участвовать в качестве жертвенного животного! Нет уж, благодарю покорно! А что там дедушка написал по поводу спасения?

– Спасение в Гизе, – повторил Дмитрий Алексеевич, пожав плечами.

– В Гизе? – Маша задумалась. – Это что-то знакомое...

– Пригород Каира, где расположены три самые большие пирамиды, в частности, великая пирамида Хеопса.

– Что же нам – теперь придется ехать в Египет? И искать там, сами не знаем что?

– Не уверен, – с сомнением проговорил Старыгин.

– Вот и я не уверена... и что там было про три семерки?

– Следует успеть до трех семерок, – прочел реставратор.

– И что это значит?

– Если бы я знал! Хотя... если четыре семерки – это дата вашего рождения, то возможно три семерки – это тоже дата? Месяц и день?

– И час... – протянула Маша.

– Допустим, седьмое число седьмого месяца, то есть седьмое июля в семь часов? Тогда у нас осталось только три дня, чтобы «успеть до трех семерок»! Хотя одному богу известно, что мы должны успеть!

– Это только ваша догадка, – неуверенно проговорила Маша. – Как дедушка мог знать, что мы именно сейчас откроем его ячейку? Может быть, он имел в виду седьмое июля, но вовсе не этого года!

– Конечно, это только догадка! – согласился Дмитрий Алексеевич. – Но у нас нет ничего, кроме догадок. Во всяком случае теперь я могу попытаться расшифровать дневник вашего деда. Думаю, на второй табличке написано то же самое клинописными знаками.

Старыгин выписал в колонку странные угловатые значки и против каждого из них поставил букву латинского алфавита.

Маша в это время рассматривала библиотечный зал, который заполняли разные люди, общим у которых было только одно: все они были заняты делом – что-то выписывали из толстых книг, листали пожелтевшие фолианты, рассматривали рисунки. Старыгин углубился в работу и не обращал на нее ни малейшего внимания. Маша заскучала.

– Вы скоро? – спросила она.

– Думаете, все так легко? – сердито огрызнулся он. – Шампольон вон семь лет работал! Я еще толком и не приступал…

– Надеюсь, вы не будете сейчас расшифровывать весь дневник? – осведомилась Маша. – Я хочу есть. Мы можем сходить куда-нибудь пообедать, а потом снова вернуться сюда или поехать на виллу Вероники Манчини.

– Хорошо. – Старыгин вздохнул с явным разочарованием и спрятал глиняные таблички.

В это время в дверях читального зала произошло какое-то движение. Маша обернулась и увидела приближающегося к ним Антонио Сорди. Антонио быстро шел между рядами столов, раскинув руки и широко улыбаясь.

– Слава Мадонне! – воскликнул он, подойдя к их столу. – Куда вы пропали, мои друзья? Хорошо, что я зашел сюда по своим делам! Чем вы были так заняты?

Занимавшиеся за соседними столами зашикали, и Антонио понизил голос.

– Так где вы пропадали все это время?

– Знаешь, так долго рассказывать… – протянул Старыгин. – Впрочем, тебе, с твоим интересом к тайным обществам, это может показаться заслуживающим внимания…

К Антонио подошел высокий коротко стриженный парень и что-то озабоченно спросил по-итальянски. Антонио взглянул на часы, округлил глаза и ответил молодому человеку короткой фразой. Затем он повернулся к своим друзьям и с сожалением проговорил:

– Я должен идти на лекцию, студенты уже собрались. Но обещайте, что после лекции вы меня дождетесь… А что это…

– Антонио, – Маша оглянулась по сторонам и достала из сумочки одну из тех бумаг, которые взяла в банковской ячейке, – вы случайно не знаете, что это за бумага и стоит ли она чего-нибудь?

Итальянец уставился на листок и снова округлил глаза:

– Стоит ли она чего-нибудь? Еще бы! Клянусь ранами Спасителя! Это облигация банка Ротшильдов! Самая надежная валюта в Европе! Деньги богатых людей! Такая бумага стоит как минимум десять тысяч долларов и с каждым годом только поднимается в цене! Их охотно принимают в любом банке! Откуда это у вас?

– От деда, – неохотно отозвалась Маша и не стала уточнять, что у нее в сумочке лежит целая стопка таких облигаций.

– Профессоре! – окликнул Антонио от дверей зала коротко стриженный студент.

– Иду, иду! – Антонио возбужденно замахал руками и бросился к выходу.

Разноглазый человек, которого называли Азраилом, торопясь, свернул в небольшой мощеный дворик, прошел мимо полуразрушенной церкви, обогнул фасад средневекового дома, в который была встроена древнеримская колонна, и очутился в следующем дворике. После жаркой улицы в тенистом дворике было прохладно. В дальнем углу его журчал небольшой фонтан – каменный мальчик едва удерживал большой кувшин, из которого лилась вода. Мрамор, из которого была сделана статуя, был когда-то белым, теперь же его покрывали темные потеки и трещины. Однако лицо статуи было полно лукавства, чувствовалось, что в свое время изготовил ее большой мастер. Человек с разными глазами равнодушно прошел мимо – в Риме такие вещи никого не удивляют.

Азраил поднялся по наружной лестнице и отпер своим ключом неприметную дверцу. Дом был очень старый. Азраил прошел по пыльному коридору, стараясь, чтобы не скрипнула половица, но все равно понял, что тот, кто ожидал его сейчас в просторном зале, уже знает о его приходе.

В зале было темно, потому что многочисленные окна были закрыты ставнями. Едва угадывались очертания старинной мебели, тускло блестела бронзовая люстра.

Азраил остановился на пороге.

– Я здесь, Повелитель, – сказал он в спину человеку, который стоял в самом темном углу комнаты.

– Итак, – тот сделал гневный жест, – вы ее упустили. Девушка, чья царская кровь была нам так нужна, сумела уйти от тебя!

– Повелитель, я виноват, – Азраил склонил голову, глаза его при этом упрямо блеснули, – но они не могли уйти! Я не понимаю, как это случилось! Из той потайной комнаты в подземелье выход только один. И он тщательно охранялся моими людьми!

– Тем не менее они выбрались! Они не могли бы этого сделать, если бы им кто-то не помогал!

– Кто-то или что-то... – протянул Азраил. – Ты уверен, что девушка ни о чем не подозревает? Ты уверен, что она не обладает никакой властью? Ни она, ни ее спутник?

– Прекрати свои дерзкие речи, Азраил! – вскричал человек, которого звали Повелителем. – Ошибки быть не может, ибо в пророчестве сказано, что только она, родившаяся под числом света и принадлежащая к царской крови... Ее спутник здесь совершенно ни при чем. Он – послушная игрушка в наших руках, только инструмент, который поможет нам привести девушку куда надо.

– Тебе виднее, Повелитель, – Азраил еще ниже наклонил голову. В темноте не видно было угрожающего выражения его лица. Однако Повелитель что-то понял по голосу.

– Я понял, в чем мы были неправы, – продолжал он спокойно. – Нужно собрать воедино все три компонента – Образ, Кровь и Ключ. В пророчестве сказано, что церемония должна происходить под изображением Древней Матери. Я думал, что это изображение – фреска Богоматери в катакомбах святой Присциллы. Однако теперь я думаю иначе. Есть более древняя мать. Гораздо более древняя. Твой путь лежит в Египет. Там, вблизи от древних священных захоронений и будет происходить наша великая церемония.

– Но уверен ли ты, что мы найдем Ключ?

– А для этого ты должен сделать вот что... – Повелитель подошел ближе и заговорил так тихо, что Азраил напряг все чувства, чтобы понять, о чем идет речь.

Наскоро пообедав в небольшой пиццерии на виа Латина лазаньей и молодым красным вином, спутники остановили такси и назвали водителю адрес виллы Крипта.

Калитка в высокой стене была открыта. Маша и Старыгин переглянулись и решили, что кто-то из прислуги видел, как подъехала их машина. Они вошли внутрь. Калитка не закрылась за ними сама собой, как это было утром. Приглядевшись, Маша отметила, что замок сломан, и сердце неприятно кольнуло.

Сад встретил гостей удивительной, настороженной тишиной. Не шуршал ветерок в кронах деревьев, не пели птицы, не было слышно даже журчания фонтана. Маша невольно поежилась и прибавила шагу.

Дорожка свернула, и они оказались перед бассейном.

В первый момент Маше показалось, что на голубой поверхности воды покачивается какой-то бесформенный тюк или странная большая рыба. И только приглядевшись, она увидела смуглое женское тело с расплывшимся вокруг головы облаком черных волос.

– Вероника! – воскликнула Маша, подбежав к краю бассейна. – Вероника, что с вами?!

– Вы ей уже ничем не поможете, – проговорил Старыгин, схватив ее за локоть.

Вдова профессора Манчини лежала на воде вниз лицом, не подавая никаких признаков жизни, и на ее спине, чуть ниже левой лопатки, отчетливо виднелось черное пулевое ранение.

– Но надо достать ее из воды… отнести в дом… – неуверенно проговорила Маша.

– Нельзя ничего трогать, – поспешно оборвал ее Дмитрий Алексеевич. – По крайней мере до приезда полиции… Впрочем, кажется, полиция уже прибыла!

Из-за стены, окружающей виллу, донеслись приближающиеся звуки сирены. Сирена затихла возле виллы, и послышался звук раздвигающихся ворот.

– Пойдемте к дому… пойдемте хоть куда-нибудь! – Маша отчего-то не могла больше смотреть на женское тело, покачивающееся на водной глади. Она пошла вперед по дорожке.

– Не торопитесь! – окликнул ее Старыгин.

Он догнал ее и пошел рядом.

Когда до дома оставалось совсем немного, впереди раздались приближающиеся шаги и озабоченные голоса.

Старыгин схватил Машу за руку и потащил ее в кусты.

– Что вы? Зачем? – Маша попробовала вырвать руку, но Старыгин не выпустил ее и прижал палец к губам.

По дорожке в сторону бассейна шла служанка Вероники Манчини, уже знакомая Маше пожилая женщина в темном платье, в сопровождении двоих мужчин в штатском. Служанка что-то горячо и быстро говорила своим спутникам.

Дмитрий Алексеевич начал шепотом переводить Маше ее слова.

– Она говорит, что ее хозяйка жила очень уединенно… что у нее в последнее время были только двое, мужчина и женщина… очень подозрительная пара… русские, а все русские связаны с мафией… это она о нас с вами!

– Да уж поняла, – пробормотала Маша.

– Красивая молодая шатенка в зеленом костюме и высокий седоватый мужчина средних лет… это точно о нас! Этот человек, что идет рядом с ней, передал сейчас по телефону наши приметы в полицейское управление… Поздравляю, теперь мы в розыске не только в России, но и в Италии!

– Господи, да ведь ее убили из-за нас! – Маша прижала руки к сердцу. – Она жила себе спокойно, пока не появились мы. Это мы навели на нее того страшного разноглазого типа! Какой ужас!

– Боюсь, что судьба ее была предопределена еще тогда, когда убили ее мужа много лет назад, – прошептал Старыгин. – Ее убили, чтобы она не смогла встретиться с вами. Но мы успели повидать ее раньше убийцы и получили ключ от сейфа.

– Что теперь делать? – сдавленным голосом спросила Маша. – Если нас задержит итальянская полиция, нам никогда не оправдаться. Запросят российские власти, а те ответят, что вас разыскивают за кражу картины, а меня – как соучастницу. Как думаете, какая тюрьма лучше – русская или итальянская?

– Наверное, у итальянцев кормят получше… – протянул Старыгин.

– Вы только о еде и думаете! – мгновенно разъярилась Маша. – Оттого и вес у вас лишний!

– Вот хорошо, передо мной прежняя язвительная журналистка! А то я уж подумал, что вы совсем раскисли… Не время лить слезы, нужно удирать отсюда и расшифровать дневник вашего деда, возможно, это прояснит ситуацию. Эта женщина, служанка синьоры Манчини, забыла вашу фамилию. Трудная русская фамилия, а у нее, мол, память стала не та. Так что давайте уносить ноги отсюда, пока не прибыло подкрепление с собаками.

Полицейские ушли к воротам встречать машину. Маша и Старыгин, прикрываясь густыми кустами, двинулись в противоположную сторону, стремясь обогнуть дом. Их расчет оказался верным – с непарадной стороны дома сад был более запущенный, еще там была старая оранжерея, за которой Старыгин нашел деревянную лестницу. Они добрались до каменной стены, ограждающей владения бедной синьоры Манчини. Маша взобралась наверх и осторожно выглянула. Эта часть стены выходила в небольшой переулок, с другой стороны также была глухая стена. Они пошли по переулку в противоположную от ворот виллы сторону, долго петляли, прежде чем выйти на шоссе, где подхватил их случайный таксист, высадивший пассажиров неподалеку. Таксист всю дорогу болтал и расхваливал красоты Рима, так что Маша была рада, когда он высадил их в районе большого скопления туристов возле церкви Санта Мария Маджоре. Они поскорее смешались с толпой американцев, любовавшихся самой большой колокольней в Вечном городе.

– Мне бы надо избавиться от этого шикарного костюма, – пробормотала Маша, – а то полиция уже, небось, передала наши приметы всюду.

Они перешли улицу, там располагались маленькие магазинчики, торгующие разной мелочью для туристов – сувениры, платки с видами Рима, чашки, футболки… Неподалеку располагался огромный рынок, его предваряли дешевые магазины, торгующие одеждой и обувью. Маша увидела ряды висящих джинсов, выставленных на улице, и нырнула в эту дверь. Не слушая беспрерывно тараторящего хозяина, она выбрала наугад джинсы с дырками на коленях, кожаную куртку с заклепками, прихватила еще черную бандану, чтобы спрятать волосы. Теперь в зеркале ничто не напоминало «красивую шатенку в зеленом костюме». Маша пресекла все поползновения хозяина начать долго и со вкусом торговаться, выложила деньги и поскорее вышла.

Старыгин нетерпеливо переминался с ноги на ногу возле магазина. Машу он не узнал, скользнув по ней равнодушным взглядом. Она прошла чуть вперед и подпихнула пакет с ненужным зеленым костюмом в тележку, заваленную пустыми картонными коробками. И в то самое время, когда она наклонилась, сумочка сползла с плеча, и ее тут же выдернул какой-то шустрый мальчишка.

– Ой! – Маша крикнула так громко, что Старыгин, узнавший ее по голосу, одним прыжком оказался рядом с ней.

Воришка улепетывал с сумочкой, где лежали ценные бумаги и дневник ее деда. Недолго думая, Маша припустила следом, радуясь, что прихватила в магазинчике еще и удобные ботинки. Она неслась молча, не тратя времени на крики, да и ни к чему было привлекать внимание. Карабинеров поблизости не наблюдалось, улица была запружена народом, никто не удивлялся при виде бегущих, тем более, что вор спрятал сумочку под куртку. Сзади слышалось сопенье Старыгина, он явно сдавал, потому что дышал слишком тяжело.

«Куда ему бегать – при такой кабинетной работе», – подумала Маша и наддала ходу. Воришка оглянулся и тоже поднажал. Старыгин отстал, Маша летела как на крыльях, силы ей придавала злость. Какой-то мелкий мерзавец посмел отнять у нее дневник деда, в то время как они почти расшифровали его. И могли бы узнать, что же все-таки происходит, кто украл «Мадонну Литта», и кто охотится за ней, Машей.

Вор свернул в переулок, у Маши от ярости открылось второе дыхание. Расстояние между ними неуклонно сокращалось. В переулке было пустынно, только немолодой человек с палкой шел, не спеша, по своим делам. Вор с размаху толкнул его, тот едва не упал, ухватился за стенку. Вор помчался дальше, попытался свернуть во двор, но из ворот ему наперерез вдруг выскочил запыхавшийся Старыгин. Воришка затоптался на месте, поднырнул под руку Старыгина, но тут Маша в прыжке толкнула его и впечатала в створку ворот.

Парень взвыл больше для публики, которую составляли старуха, выглядывающая из окна, и две кошки на каменных ступеньках. Маша залепила вору две здоровенные пощечины и вырвала свою сумку, которая оказалась открытой. Сердце кольнуло нехорошее предчувствие. Ценные бумаги были на месте, но дневник пропал.

– Говори, куда дел тетрадку? – закричала Маша.

Отдышавшийся Старыгин едва успел перевести ее слова на итальянский. Воришка взглянул на Машу и понял, что она настроена очень серьезно. Он сделал попытку вырваться, но Маша сильно пнула его ногой под коленку и пригрозила в цветистых выражениях, что изувечит его навсегда, если он немедленно не скажет, куда дел ту тетрадку, что была в сумке.

Старыгин замешкался с переводом, но парень и так все понял. Он забормотал что-то быстро-быстро.

— Говорит, что отдал тетрадку тому мужчине, с которым столкнулся. Говорит, что тот его нанял. Ему нужна была тетрадка, а деньги он разрешил забрать себе. Такой седой наполовину...

— Врешь все! — Маша крепко прихватила парня за ухо.

— Да нет же, вон в том переулке!

— Показывай! — Маша потащила воришку за ухо.

— Вот он! — прошипел воришка, указывая на другую сторону улицы. — Видите, я не соврал!

На противоположной стороне, возле входа в кондитерский магазин, высокий мужчина садился в открытый «Пежо». Мужчина действительно бросался в глаза: левая половина его головы была черной, как смоль, правая — совершенно седая.

— Я не соврал, синьора, отпустите меня! — бормотал мальчишка. — Или я заору!

Глаза его хитро сверкнули. Паршивец явно догадался, что подозрительные иностранцы еще больше, чем он сам, боятся встречи с карабинерами.

— Ладно, беги! — Маша выпустила красное распухшее ухо и добавила:

— Вот тебе! — она протянула воришке десять евро. Он ловко выхватил купюру из ее руки и припустил обратно в переулок, сделав на прощание непристойный жест.

Открытая машина отъехала от тротуара и медленно двинулась вперед в плотном потоке автомобилей. Маша бросилась к остановившемуся неподалеку такси, но ее ловко оттолкнула полная дама средних лет, увешанная многочисленными покупками. Захлопнув за собой дверцу машины, победительница высунулась и прокричала Маше что-то откровенно издевательское.

Старыгин махал руками, пытаясь остановить какую-нибудь машину, но все проезжали мимо, даже не притормаживая. Маша присоединилась к своему спутнику, надеясь на свое женское обаяние, однако после посещения одежного магазина оно, видимо, несколько снизилось, во всяком случае, итальянские водители не спешили на помощь.

Открытый «Пежо» постепенно приближался к перекрестку. Еще немного, и он скроется за поворотом...

Вдруг рядом с Машей раздался веселый молодой голос:

– Чао, рагацца!

Маша обернулась. Ей махал рукой высокий коротко стриженный парень на ярко-фиолетовом мотороллере.

– Мы виделись в библиотеке! – крикнул он по-английски, перекрывая уличный шум. – Ты знакомая доктора Сорди, а я у него учусь!

– Привет! – отозвалась Маша и развела руки. – Никак не поймать такси!

– Садись, я тебя отвезу, куда нужно! Или ты с другом? – он оценивающе взглянул на Старыгина.

– Дмитрий, я поеду, а то мы его упустим, – вполголоса проговорила Маша, – встретимся через час около фонтана Треви! – И она бросилась между отчаянно сигналящими машинами к парню на мотороллере.

– Ну и куда тебя отвезти? – спросил тот, когда девушка устроилась у него за спиной. – Ты туристка или приехала в Рим по делам? Как тебя зовут?

– Мария, – представилась девушка, – Мэри. Поехали вон за тем открытым «Пежо», видишь? Надо не потерять его...

– Как интересно! – парень обернулся к ней, широко улыбаясь. – Ты не туристка! Ты шпионка, да?

– По совместительству, – усмехнулась Маша. – Эй, не упусти его!

– Шутишь? – парень нажал на педаль газа и ловко обошел сразу несколько машин. – Да куда он денется! В такой пробке мы его пешком догоним!

Медленно продвигаясь вперед, то и дело застревая, «Пежо» двигался по узким улочкам. Мотороллер не отставал от него, ловко лавируя в потоке автомобилей. Наконец открытая машина свернула к тротуару и остановилась перед входом в небольшое кафе.

– Спасибо! – Маша чмокнула парня в щеку и лихо соскочила с мотороллера.

– Эй, увидишь Джеймса Бонда – передай привет! – студент махнул ей рукой и почти тут же скрылся из виду.

Мужчина с наполовину седой головой вошел в кафе. Маша надвинула бандану на самые глаза и двинулась следом. Она исходила из того, что седоголовый видел ее до переодевания, в респектабельном костюме, и вряд ли сейчас узнает в рваных джинсах, куртке и темных очках.

Войдя в кафе, девушка огляделась.

Седоголовый сел спиной ко входу за столик на двоих. Место напротив него пустовало. Позади тоже был свободный столик, и Маша села, оказавшись спина к спине со своим «объектом». Подошла официантка, и девушка заказала капуччино с корицей.

Прошло несколько минут. Мужчина явно кого-то ждал.

Наконец дверь кафе снова открылась, и на пороге появилась элегантная женщина лет сорока с черными, хорошо уложенными волосами. Она уверенно направилась к столику седовласого. Коротко поздоровавшись, они вполголоса заговорили, к счастью, по-английски.

– Тетрадка у меня, – проговорил мужчина.

— Повелитель будет доволен. Не было никаких проблем? Она вас не видела?

— Нет, я нанял мальчишку. Он проделал все очень ловко.

— Хорошо. Я доложу Повелителю.

Маша достала пудреницу. Делая вид, что поправляет макияж, она направила зеркальце на соседний столик. Мужчина, воровато оглядевшись по сторонам, достал из внутреннего кармана потрепанную тетрадку, вложил ее в меню и передал своей собеседнице. Та положила меню перед собой и, делая вид, что просматривает его, сбросила тетрадку в свою сумочку.

Маша подумала, что можно проделать с этой наглой брюнеткой то же, что только что сделали с ней самой, — нанять уличного воришку, чтобы он в толчее украл у нее сумку вместе с дневником. Правда, денег у Маши почти совсем не осталось.

— Вы свободны, — достаточно невежливо сказала брюнетка своему партнеру. — С вами свяжутся.

Чувствовалось, что, получив дневник, она утратила к нему интерес и тяготится его обществом.

Мужчина встал из-за столика и, понурившись, двинулся к выходу.

Едва дверь кафе закрылась за ним, брюнетка достала мобильный телефон и поднесла его к уху. Маша замерла, стараясь не пропустить ни слова.

— Дневник у меня, — вполголоса сообщила женщина. — Да, все прошло гладко. Я передам его завтра, как договаривались, в половине третьего оставлю возле Шейх Эль Балада. Образ уже там? Да, я понимаю… хорошо, конечно.

Брюнетка спрятала телефон, поднялась и направилась к выходу. Маша вскочила и бросилась следом, оставив на столике купюру.

Выскочив на улицу, она огляделась.

Брюнетка стояла на краю тротуара, кого-то поджидая.

Вдруг раздался громкий рев мотора, и из-за угла вылетел огромный, сверкающий хромом и черным лаком мотоцикл. За рулем его сидел человек, затянутый в черную кожу, в блестящем космическом шлеме, полностью скрывающем лицо. Мотоциклист притормозил, брюнетка вскочила на седло за его спиной, и странная парочка умчалась на первой космической скорости.

Маша чертыхнулась и разочарованно уставилась вслед мотоциклу.

Дневник деда умчался от нее с грохотом мотора, в ореоле выхлопных газов, и шансов догнать его не было, даже если бы рядом с ней сейчас остановилось такси.

Через полчаса, миновав площадь Пилотта, по улице Луккези Маша подошла к знаменитому фонтану Треви. Вокруг фонтана толпились многочисленные туристы, любуясь морскими конями в упряжке Океана, блеском и сверканием падающей воды, бросая в фонтан мелкие монеты, чтобы еще раз вернуться в Вечный город. Тут же смуглые мальчишки ныряли в фонтан за этими монетами.

Среди шумной разноязыкой толпы Маша с трудом нашла Старыгина. Реставратор сидел на балюстраде фонтана, пригорюнившись, далекий от окружающего его вечного праздника. Увидев Машу, он оживился и вскочил ей навстречу.

– Ну как, вы догнали его?

– Догнала, но вернуть дневник не удалось, – призналась Маша и подробно рассказала о своих приключениях.

Когда она дословно пересказала подслушанный разговор, Дмитрий Алексеевич насторожился.

– Как вы сказали? Где она оставит тетрадку?

– Кажется, она сказала – возле Шейх Эль Палада. Понятия не имею, что это такое.

— Может быть, возле Шейх Эль Балада? — уточнил Старыгин.

— Да, точно. А это вам что-нибудь говорит?

— Конечно. Это одна из самых древних египетских статуй, она датируется Древним царством. Статуя деревянная, изображает египетского сановника или жреца, но когда рабочие откопали ее, они сказали, что деревянный человек очень похож на их сельского старосту, Шейх эль Балада. Так это название и закрепилось за статуей.

— Значит, завтра мы должны в половине третьего караулить возле этой статуи! Я непременно должна вернуть дневник деда! Где, кстати, находится этот самый Шейх?

— В Каире, в Египетском музее, — с горечью ответил Старыгин. — Так что вряд ли мы туда попадем…

— Ничего себе! — лицо у Маши разочарованно вытянулось. — В Каире? Но это ничего не значит! В Каир — так в Каир! Вполне можно успеть!

— Вряд ли, — Старыгин еще больше помрачнел. — Нас наверняка караулят в аэропорту, полиция повсюду разослала наши приметы. Кроме того, хочу вам напомнить, что у нас почти не осталось денег.

— Денег… — протянула Маша. — Вот это — действительно проблема! А вы помните, что нам сказал Антонио по поводу бумаг из дедушкиной ячейки?

Она подхватила Старыгина под локоть и потащила к обшарпанной двери с призывной надписью «Обмен валюты».

В тесной комнатке с кондиционером скучал немолодой охранник. За окошечком из пуленепробиваемого стекла сидел мужчина лет сорока с круглой плешью и печальными темными глазами. При появлении клиентов он заметно оживился.

— Вы говорите по-английски? — осведомилась Маша.

— А как же? — ответил тот с легким, едва уловимым акцентом. — Менять валюту и не говорить по-английски! Я вас умоляю! И по-английски, и по-французски, и по-немецки, и по-голландски, и по-испански тоже... Что вам нужно поменять, мисс? С тех пор как ввели евро, у меня стало гораздо меньше работы. Только американцы со своими долларами... Но вы ведь не американка, правда? Впрочем, это меня не касается! Так что вам нужно поменять?

— У меня не совсем простой случай, — Маша понизила голос и наклонилась к самому окну, — можете вы поменять вот это?

Мужчина внимательно посмотрел на протянутую ему облигацию и снова перевел взгляд на Машу, придирчиво оценивая ее внешний вид и одежду.

— Вы знаете, что это такое? — надменно проговорила Маша.

— Еще бы! Я знал, что это такое, еще тогда, когда вы играли в кубики и читали книжку про Пиноккио! Что это такое! Я вас умоляю! Может быть, вы думаете, что я никогда не слышал про банк Ротшильдов? Так вот я про него слышал! Единственное, чего я не знаю — это откуда у девушки в такой куртке могут быть облигации Ротшильдов! Впрочем, меня это тоже не касается.

— Я попала в сложную ситуацию, — Маша еще понизила голос, покосившись на охранника, — мне нужно продать такую облигацию. А может быть, даже две. Вы не поможете мне?

— Мисс! — мужчина повысил голос. — Вы видели табличку над моей дверью? Может быть, там написано «Монтгомери-банк»? Или «Лионский кредит»? Или «Кредит Агриколь»? Нет! Там написано «Обмен валюты»! Мисс, я вам обменяю доллары, или фунты, или йены, или швейцарские франки, может быть, если вы меня уговорите, я обменяю даже китайские юани, но это – совсем другое! Это не валюта, мисс! Это не мой профиль!

Старыгин, который стоял у Маши за спиной, тяжело вздохнул и проговорил:

– Ничего не выйдет! Пойдемте отсюда! Это с самого начала была неудачная идея!

– Дмитрий Алексеевич, – Маша обернулась к нему, – пойдите, погуляйте пару минут, я тут как-нибудь сама!

Затем она снова наклонилась к окошку и продолжила:

– Это лучше любой валюты! Доллар падает, евро падает, йена держится из последних сил, а облигации Ротшильдов с каждым годом только дорожают! Вы же это прекрасно знаете!

– Значит, вы русские? – мужчина за окошечком тяжело вздохнул. – Так я и думал! С соотечественниками всегда проблемы! Я сам родом из Одессы… Там когда-то меня звали Витя, сейчас меня зовут Витторе… Вы когда-нибудь бывали в Одессе? Вы видели, как там цветут каштаны? Вы знаете, какие там красивые девушки? Впрочем, это меня тоже больше не касается. Ваш друг пошел пройтись? Это правильно, гулять по воздуху очень полезно для здоровья. Марко! – Он высунулся из окошка и окликнул охранника. – Пойди тоже немножко погуляй по воздуху, мы с мисс будем немножко предаваться воспоминаниям! И не забудь на всякий случай запереть за собой дверь, чтобы нашим воспоминаниям никто не помешал.

Как только дверь за охранником закрылась, маленький гигант больших финансов уставился на Машу и произнес:

– Ну?

– Что значит – ну?

– Сколько вы хотите за эту мятую бумажку?

– Это не мятая бумажка. Это полноценная облигация банка Ротшильдов, и вы прекрасно знаете, что она стоит никак не меньше десяти тысяч долларов.

– Это когда вы подъезжаете ко входу в банк на «Мерседесе» с шофером, и вам открывает дверь швейцар в ливрее, и вы одеты в костюм от Валентино, и управляющий банка здоровается с вами по имени, потому что хорошо знал еще вашего покойного папу, – тогда это действительно стоит десять тысяч. Может быть, даже двенадцать. А когда вы приходите в обменник на виа Луккези, и на вас куртка за двадцать евро из дешевой лавки для туристов, и вы неизвестно где взяли эту мятую бумажку, да к тому же вы русская, – тогда Витторе говорит: четыре тысячи, и ни лиры больше.

– Семь тысяч, – твердо ответила Маша.

– Четыре с половиной.

– Шесть, или я ухожу. Вы что, думаете, в Риме один-единственный обменник?

– Пять, только потому, что я вспомнил одесские каштаны. В Риме много обменников, но никто, кроме Витторио, с вами не станет даже разговаривать!

– Хорошо, пусть будет пять. Только евро.

– Вы просто акула! – с уважением произнес Витторе. – Вам нужно работать с финансами! Хорошо, пусть будет по-вашему!

– Тогда купите две облигации, мне понадобится много денег!

– Хорошо, – Витторе оживился, – я могу купить и три, и четыре… Надеюсь, эти бумаги чистые?

– Чистые, чистые… Пока я продаю только две. И вот еще что: мне и моему другу нужно очень быстро попасть в Каир, только не на самолете. У вас нет кого-нибудь на примете?

– Так я и знал. – Витторе тяжело вздохнул. – С соотечественниками всегда какие-нибудь проблемы! Вы же только что сказали, что эти бумаги чистые!

— Эти бумаги совершенно чистые, клянусь одесскими каштанами и белыми ночами Петербурга! Просто у нас с другом есть очень влиятельные враги здесь, в Риме, и очень срочные дела в Каире.

— Моя покойная мама всегда говорила, что я непременно пострадаю через свою доброту! — проговорил Витторе с тяжелым вздохом. — Я чувствую, что так оно и будет! Хорошо, запоминайте, записывать такие вещи нельзя. Вы доедете до Чивитавеккья, найдете там кафе «Самовар» и спросите Леоне. Раньше его звали Леня, и мы с ним вместе сбивали подметки на Дерибасовской и Ришельевской. Передайте ему привет от Вити Беленького, и он сделает все, что вам нужно. Только вам понадобится немножко больше денег, так что я куплю у вас четыре мятые ротшильдовские бумажки.

— По пять с половиной.

— Мисс, я беру назад свои слова! Вам нужно работать не в сфере финансов, с такой хваткой вам нужно работать в Европарламенте!

Через полчаса Маша со Старыгиным ехали в рейсовом автобусе до порта Чивитавеккья. Брать такси они не стали, потому что у таксистов прекрасная профессиональная память, а среди пассажиров рейсового автобуса легко затеряться.

Кафе «Самовар» оказалось дешевым заведением в псевдорусском стиле. В дверях посетителей встречал швейцар в папахе и красных шароварах, на сцене толстый плешивый кавказец бренчал на балалайке и выводил унылым басом «Очи черные».

Почти все столики были пусты, только в углу сидела парочка немолодых американцев в шортах и футболках с надписью «Я люблю Макдоналдс». Их внешний вид с несомненностью подтверждал это заявление.

Старыгин сел за столик подальше от эстрады, а Маша подошла к бармену и выразительно заглянула ему в глаза.

— Вы ошиблись адресом, синьорина! — проговорил бармен, окинув ее наметанным взглядом и не прекращая протирать бокал. — Ничего такого у нас нет, это русское кафе, а не колумбийская аптека!

— А мне ничего такого и не надо, — обиделась Маша, — за кого вы меня приняли? Мне нужно поговорить с Леоне!

— За кого еще вас можно принять в такой куртке и такой бандане? — проворчал бармен. — Ну, допустим, я Леоне, а что с того?

— Вам привет от Вити Беленького, — Маша понизила голос и перешла на русский. — Он говорил, что вы можете помочь нам с другом в решении одной маленькой проблемы.

— А почем я знаю, что вы действительно пришли от Вити Беленького, а не от комиссара Кастельбланко?

— Витя просил напомнить, как вы с ним протирали штаны на скамейках возле памятника Дюку Ришелье!

— Это были приятные времена! — Бармен отставил свой бокал и облокотился на стойку. — Чего вам налить?

— Сухого мартини, — попросила Маша.

— И в чем же состоит ваша маленькая проблема? — спросил Леня, поставив перед девушкой бокал с плавающей в нем маслинкой.

— Нам с другом нужно очень срочно попасть в Каир. У нас там встреча завтра днем.

— И в чем же проблема? — Бармен пожал плечами. — Аэропорт рядом, самолеты летают, билеты продаются.

— Если бы все было так просто, Витя не послал бы нас сюда. Нам нельзя появляться в аэропорту.

— Старею... — бармен погрустнел. — Сначала я вас принял за безобидную наркоманку, потом – за запутавшуюся русскую девушку, а вы, судя по всему, террористка или шпионка...

— Если бы я была террористкой или шпионкой, у меня были бы свои собственные каналы. А я – действительно запутавшаяся русская девушка, и мне нужна помощь. Не бесплатно.

— Разумеется, не бесплатно, – оживился Леня. – Здесь ведь не благотворительная столовая и не отделение Армии Спасения. Хорошо, ради Вити я сделаю все, что надо. Мои друзья время от времени катаются туда-сюда по морю, правда, обычно они возят людей из Египта в Италию, а не наоборот...

— Вот и отлично, у них не будет порожнего рейса. Думаю, что это будет для них очень выгодно.

— Они очень суеверные и осторожные ребята, поэтому не любят делать что-то непривычное. Вам придется заплатить им по специальному тарифу.

— Сколько? – коротко спросила Маша.

Бармен показал ей пять пальцев.

— Пять тысяч? Пять тысяч долларов? – уточнила девушка.

— Пять тысяч евро за каждого пассажира.

— Ого! – Маша присвистнула.

— Не хотите – не надо, – бармен снова принялся за свой бокал. Видимо, он хотел протереть его до бриллиантового сияния.

— Возьмите себя в руки! Вспомните Потемкинскую лестницу!

— Автобус до аэропорта останавливается на углу.

— Вы кровопийца!

— Вы мне льстите, мисс. Я всего лишь скромный бармен.

— Ну ладно, у меня безвыходное положение. Я согласна.

— И еще две тысячи мне. За оформление заказа.

— Черт с вами! Пейте мою кровь! Но окончательно я рассчитаюсь только на месте!

— Само собой! — бармен нырнул под стойку и достал оттуда половинку долларовой купюры:

— Найдете сорок восьмой причал, спросите Гвидо и дадите ему эту половинку. Он вас отвезет.

— Спасибо! — Маша положила на стойку деньги.

— И вам спасибо, мисс. Мартини — за счет заведения.

Когда спутники добрались до сорокового причала, уже стемнело. Дальше ничего не было, только плескались о бетонный пирс волны да чайки кричали тоскливыми озабоченными голосами.

— Где же этот чертов сорок восьмой причал? — проговорил Старыгин, оглядываясь по сторонам. — Похоже, что бармен вас обманул. Мы только зря потеряли время и деньги.

— И деньги, — как эхо, повторила Маша, усаживаясь на пустой ящик из-под бананов. — Когда я наконец научусь разбираться в людях!

— Эй, синьорина, это мой ящик! — обратился к ней заросший многодневной щетиной детина самого затрапезного вида. — Что за народ эти итальянцы! Стоит на секунду отвернуться…

— Судя по вашему выговору, вы англичанин, — отозвалась Маша, поднимаясь с ящика. — Что же вы делаете здесь?

— Постигаю самого себя! — бродяга прихватил ящик и собирался удалиться.

— В этих поисках вам случайно не приходилось видеть причал номер сорок восемь?

— А как же! Пройдете по камням, перелезете через ограждение, обойдете груду бочек — там он и будет. Только берегите карманы и не переломайте в темноте ноги!

— Вы ему верите? – вполголоса спросил Старыгин, когда местный бомж величественно удалился.

— А нам что-нибудь остается?

Маша двинулась по камням, осторожно ощупывая дорогу перед каждым шагом. Старыгин, недовольно ворча что-то себе под нос, двинулся следом.

Впереди действительно показалось дощатое ограждение, за ним – огромная груда железных бочек, и тут же Маше в бок уткнулось что-то острое.

— Какого черта вам тут надо? – произнес у нее над ухом хриплый голос на ломаном английском. – Вам мало дискотек и баров в городе? Ищете приключений на свою голову? Так они у вас будут!

— Одну минутку! – Маша попыталась высвободиться. – Вам привет от Леоне… вы ведь Гвидо, да?

— Допустим, – хватка незнакомца ослабла. – И что дальше?

— Отпустите мою руку, тогда я вам кое-что покажу.

— Маша, что там? – послышался сзади голос подоспевшего Старыгина. – А ну, отпусти ее, подонок!

— Это еще кто? – встревожился Гвидо, развернувшись к приближающемуся человеку и выбросив вперед руку с ножом.

Только теперь Маша смогла его рассмотреть. Это был гибкий, стройный мужчина лет тридцати с резким и выразительным лицом опасного хищника.

— Не волнуйтесь, это мой друг! Вот, посмотрите, что передал вам Леоне! – И девушка протянула незнакомцу половинку купюры.

Гвидо сложил ее с другой половинкой, удовлетворенно кивнул и спрятал нож.

— Хорошо, я к вашим услугам.

— Нам нужно очень быстро добраться до Каира. Леоне сказал, сколько это будет стоить.

— Что значит – очень быстро?

— Мы должны быть в Каире завтра днем.

— И это вы называете быстро? — Гвидо рассмеялся. — Да вы могли бы добраться туда на веслах! Я шучу. Деньги при вас?

— Допустим, но я заплачу только на месте.

— Хорошо, вперед только половину. И пойдемте к моему катеру.

Под берегом покачивался на волнах катер самого неприхотливого вида. Маша, которая ожидала увидеть скоростное современное судно, была разочарована.

— Вы уверены, что мы доберемся вовремя на этой посудине? И что мы вообще доберемся?

— Это — лучшая *посудина* на всем Средиземном море! — гордо отозвался Гвидо, переходя по сходням на катер. — А то, что она так выглядит, — это только для отвода глаз! Эй, Джузеппе!

Со дна катера поднялся здоровенный детина с широким и туповатым лицом.

— Что такое, капитан? Еще же рано…

— У нас пассажиры, Джузеппе! Проводи их в наши президентские апартаменты!

Джузеппе рассмеялся, прошел к корме катера и откинул чехол с бензобака.

— Полезайте сюда, мисс! И вы тоже, синьор!

— Сюда? — удивленно проговорила Маша. — Но это же…

— Это пассажирские апартаменты, — усмехнулся Джузеппе. — Вы ведь не хотите столкнуться с береговой службой? Ну так полезайте, и не теряйте зря время! Нам пора выходить в море!

Маша наклонилась и увидела, что бензобак – это только видимость, внутри под крышкой пустое помещение, достаточно просторное, чтобы в нем кое-как поместились два человека. Выбирать не приходилось, и она, недовольно ворча, забралась внутрь. Дмитрий Алексеевич залез следом и кое-как умостился рядом с ней.

Джузеппе захлопнул за ними крышку, катер качнулся и медленно отошел от берега. Ровно затарахтел мотор, и посудина двинулась в неизвестность.

В «президентских апартаментах» было тесно и душно. В Машину спину упирались локти Старыгина, пахло бензином. Девушка подумала, что не выдержит всю дорогу в таких ужасных условиях. Кроме того, катер двигался не слишком быстро, и вряд ли с такой скоростью Гвидо доставит их в Каир к завтрашнему дню. Маша хотела уже постучать в стенку «каюты», но что-то ее удержало.

Так прошло около получаса. Вдруг неподалеку раздался рокот мощного мотора и усиленный мегафоном голос прокричал:

– Эй, на катере! Глуши мотор!

Гвидо что-то прокричал по-итальянски, но мотор катера затих. Утлая посудина качнулась, и совсем рядом с тайником, где прятались пассажиры, раздались уверенные шаги и громкий голос:

– Привет, Гвидо! Что везешь?

– Синьор лейтенант, что я могу везти, кроме своих горьких воспоминаний? Я бедный человек, днем я немножко зарабатываю, катая на своем катере туристов, а сейчас мы с двоюродным братом вышли в море наловить немного рыбы!

– Не слишком подходящее время для рыбной ловли, ты не находишь?

– Эта рыба… она хорошо ловится только по ночам!

– Знаю я твою рыбу! Смотри у меня! Если попадешься с грузом контрабанды – пеняй на себя, комиссар Монтелли закатает тебя на полную катушку!

– Какая контрабанда, синьор лейтенант! Клянусь Девой Марией, я даже не знаю такого слова! Я бедный человек, немножко ловлю рыбу, немножко катаю туристов…

— Ладно, не прикидывайся овечкой! Я тебя предупредил! И еще имей в виду: если тебе попадутся двое иностранцев, седоватый мужчина и молодая женщина с зелеными глазами, прежде чем... катать их на своем катере, свяжись с полицией! Иначе у тебя будут серьезные неприятности! Ты меня понял?

— Отлично понял, синьор лейтенант! Непременно свяжусь! Вы меня знаете, Гвидо — честный человек!

— Разбойник, каких мало! — проворчал лейтенант.

По палубе катера проскрипели его шаги, судно качнулось, и вскоре все затихло. Снова ровно зарокотал мотор, и Маша, которая пережила несколько неприятных минут, успокоилась. Теперь ей не так досаждали теснота и духота тайника.

Прошло еще несколько минут, и вдруг крышка тайника откинулась.

— Вылезайте, — хмуро проговорил Джузеппе, — мы вышли в нейтральные воды.

Пассажиры с трудом выбрались из потайного отсека, полной грудью вдохнули свежий морской воздух и размяли затекшие руки и ноги. Вокруг была темная южная ночь, звезды сияли в небе, как россыпь бриллиантов на черном бархате.

— Вот сейчас вы увидите, на что способна моя «посудина»! — гордо проговорил Гвидо, стоявший на носу катера за штурвалом. Он повернул ручку на приборной доске, мотор катера ненадолго затих и вдруг взревел совершенно другим голосом. Катер рванулся, как застоявшийся в стойле конь, его нос высоко поднялся, и судно понеслось вперед, как пуля, выпущенная из винтовки. Маша едва не упала и схватилась за плечо Старыгина, чтобы удержаться на ногах. На какое-то время девушке показалось, что даже звезды на небе смазались от скорости.

Катер мчался все быстрее и быстрее, он уже почти летел, едва касаясь гребешков волн.

— Это лучший катер на всем море от Сицилии до Турции! — гордо прокричал Гвидо, полуобернувшись к пассажирам. — Не всякий самолет может его обогнать!

Его слова срывал с губ встречный ветер, и Маша скорее догадывалась, что он говорит.

— Мы не налетим на скалы? — встревоженно выкрикнула она, вглядываясь в чернильную темноту по курсу катера.

— Дамочка, вы не знаете, кто стоит за штурвалом! — презрительно отозвался Гвидо. — Я возил контрабанду в этих водах еще в те годы, когда за килограмм героина можно было купить океанскую яхту! Гвидо знает каждый камень в этом море, каждую скалу!

Маша замолчала, восторженно глядя вперед. Темнота расступалась перед носом катера, как театральный занавес, и только соленые брызги, сорванные с гребней волн, летели в разгоряченные скоростью лица пассажиров.

Так проходил час за часом, и Гвидо словно слился с штурвалом своего корабля. Справа по курсу стремительно пролетели темные силуэты каких-то скал, и катер чуть уклонился влево, чтобы потом снова вернуться на прежний курс.

Наконец темнота на востоке начала понемногу редеть, наливаться розовым, и в этом розовом сиянии впереди по курсу начали проступать очертания берегов.

— Это Египет, — проговорил Гвидо, обернувшись к пассажирам. — Скоро мы подойдем к берегу.

Он понемногу сбросил скорость и изменил курс.

Скалистый берег быстро приближался, окруженный, словно старинным кружевом, пенной полосой бурунов.

В это время вдалеке над египетским берегом показалось в небе крошечное темное пятнышко. Гвидо помрачнел, повернул штурвал и снова прибавил скорость. К нему подошел Джузеппе, озабоченно показал на пятно в небе и что-то быстро проговорил на гортанном приморском диалекте.

– Мохаммед, – проворчал Гвидо, – египетская береговая охрана! У нас с ним вот так! – И он ударил ребром ладони по горлу.

Пятнышко в небе быстро росло, и уже можно было разглядеть приближающийся вертолет. Но и берег был уже совсем близко. Катер скользнул вдоль полосы прибоя, обогнул высокую скалу. Перед ним открылся вход в глубокую пещеру. Гвидо сбросил скорость, и его маленькое судно по инерции вплыло в полутемный грот.

Вода внутри пещеры отливала глубокой зеленоватой лазурью. Под днищем катера медленно проскользнула большая темная рыба. Гвидо заглушил мотор и присел на ящик с инструментами.

Снаружи все громче доносился рев мотора.

По воде перед входом в пещеру пронеслась огромная тень вертолета. Джузеппе сделал неприличный жест:

– Что, взяли? Вот вам!

– Тише! – Гвидо поднес палец к губам. – Не дразни гусей!

Рев вертолета начал постепенно стихать. Гвидо запустил мотор и на малых оборотах вывел катер наружу. Убедившись, что вертолет береговой охраны исчез, он повернул штурвал, обогнул скалу и плавно вошел в небольшую бухточку.

– Мы не могли идти прямо в Александрию, – пояснил он, – здесь меня очень хорошо знают. Сейчас вы сойдете на берег, обойдете холм и увидите деревню. Спросите Камаля, это мой друг. Скажете, что вы от меня, он отвезет вас в Каир, его такса – пятьсот долларов.

Маша отдала контрабандисту оставшиеся деньги. Джузеппе спрыгнул в воду, подтащил катер ближе к берегу, пришвартовал его и перекинул сходни.

Маша со Старыгиным сбежали на белый, утрамбованный прибоем песок.

– Счастливого пути! – крикнула девушка морякам и зашагала по узкой тропке, огибавшей песчаный холм.

За холмом действительно оказалась маленькая рыбацкая деревушка. Низенькие хижины теснились в жалкой тени нескольких чахлых пальм. Полуголые мальчишки окружили иностранцев и принялись дружно выкрикивать:

– Мани, мани, мани!

Однако когда Маша три раза повторила имя Камаля, ребятишки убежали и через несколько минут вернулись в сопровождении высокого, длинноусого, загорелого до черноты араба в длинной белоснежной рубахе-халлабе и клетчатом головном платке, который обычно называют «арафаткой».

Сначала Камаль держался настороженно, но, услышав имя Гвидо, оттаял и согласился отвезти незнакомцев в Каир.

Он выкатил из-за глинобитной хижины вполне современный джип и распахнул перед пассажирами его дверцы.

Едва джип отъехал от деревни, кончилась всякая растительность и любое, даже отдаленное подобие дороги. Вперед, насколько хватало глаз, протянулась бескрайняя песчаная пустыня. То же море, только куда более бесплодное и суровое, чем то, которое путники бороздили минувшей ночью.

Камаль вовсю жал на газ и лихо крутил руль, объезжая высокие барханы. Он во весь голос распевал какую-то восточную песню, в которой через слово звучало с трудом переводимое на европейские языки, но и без перевода понятное слово «хабиби». Джип подскакивал на неровностях почвы и приземлялся на все четыре колеса.

В этой бешеной гонке по пустыне было что-то от ночного полета на катере через море, от одного континента до другого. Та же бесшабашность, то же презрение к опасности.

— Смотрите! — Камаль махнул рукой вправо, в бескрайнюю пустыню. Маша проследила за его жестом и увидела на горизонте огромное сверкающее озеро, по берегам которой покачивались верхушки стройных пальм.

— Оазис? — спросила девушка.

— Мираж, — коротко ответил водитель.

Прошло еще полчаса, и слева на горизонте показалась узкая сверкающая полоса. Маша приподнялась на сиденье и указала на нее Камалю:

— Мираж?

— Шоссе, — отозвался тот и круто вывернул руль влево.

Джип стремительно пролетел последнюю песчаную перемычку и вылетел на гладкое шоссе, пустынное в этот ранний утренний час. Скорость сразу увеличилась.

Через час с одной стороны от дороги показались невысокие тускло-коричневые горы, с другой — в монотонный пейзаж пустыни начали вклиниваться полосы темной земли, расцвеченные зеленью пышной растительности. Прошло еще около часа, и все пространство по сторонам шоссе зазеленело рощами, полями и садами: машина приближалась к благодатной нильской долине с ее тяжелой, плодородной землей, пять тысяч лет питающей многочисленное разноплеменное население Египта. На шоссе появилось много машин — шустрых стар友ньких легковушек и грузовичков окрестных крестьян и мелких торговцев, сверкающих темным лаком «Мерседесов» обитателей загородных вилл. Приближались окрестности Каира.

Шоссе плавно перетекло в оживленную городскую улицу. Справа промелькнули стройный легкий минарет, купол мечети, облицованный голубой глазурью, низкая темная ограда мусульманского кладбища. Вплотную к нему примыкали полуразрушенные, кое-как подлатанные ржавой жестью и фанерой лачуги. И сразу за ними – роскошная вилла с мраморным фронтоном, утопающая в прохладной зелени сада.

«Каир – город контрастов!» – вспомнила Маша забытое словосочетание. Вокруг нее действительно был самый настоящий город контрастов.

Слева между домами мелькнула тусклая зелень, и вдруг показался во всей красе Нил – медлительный, широкий, могучий, желтовато-зеленый, тысячелетие за тысячелетием несущий в море свои благодатные воды. По его спокойной глади проносились маленькие юркие моторки и плоскодонные парусные лодки, и он нес их с тем же безмятежным равнодушием, с каким за три тысячи лет до того нес быстрые финикийские галеры и погребальные ладьи фараонов. На другом берегу Нила виднелись современные небоскребы и ажурная вышка телебашни, похожая на один из сотен каирских минаретов.

Вдали промелькнули знакомые по многочисленным альбомам и рекламным плакатам силуэты мечети Султана Хасана и соседствующей с ней Аль Рифаи.

Наконец машина выехала на широкую аллею, с двух сторон обсаженную пальмами.

– Египетский музей, – объявил Камаль, припарковав джип около высокой ограды.

Он получил свои деньги и тут же укатил прочь, не ответив на слова прощания и не оглянувшись.

— Добро пожаловать в Каир! — вздохнул Старыгин и с любопытством огляделся по сторонам.

— Что вы все время вздыхаете? — не выдержала Маша.

— По привычке. А что вы все время огрызаетесь? — отбил мяч Дмитрий Алексеевич. — И не нужно ко мне цепляться, я так же устал и голоден, как вы.

Разумеется, он был прав, но Маша не стала извиняться за грубость — обойдется.

— Мы напрасно теряем время на бесполезные разговоры! — воскликнула она, оглядевшись по сторонам.

— Напротив, у нас еще больше часа до назначенного срока. Насколько я помню, та дама в Риме говорила, что она передаст дневник в половине третьего. Откровенно говоря, не думал, что мы успеем вовремя. Наши друзья-контрабандисты побили все рекорды скорости.

— Мы пока еще ничего не сделали, — сказала Маша из чистого упрямства.

На площади перед музеем роились толпы туристов. Слышался шум и разноязыкий говор. Перед входом в музей вытянулась довольно длинная очередь.

— Постойте-ка! — Маша потянула своего спутника чуть в сторону, где разложили свои товары торговцы различными сувенирами. — Вы что, так и собираетесь идти искать ту самую статую? Здесь мы слишком бросаемся в глаза...

Она выбрала у маленького араба, похожего на жука, клетчатый платок, так называемую «арафатку». Многие мужчины покупали ее, чтобы защититься от палящего солнца.

— Держите! — Маша протянула Старыгину большие темные очки, а себе вытащила из груды разноцветных материй бирюзовый полупрозрачный платок, в какой арабские женщины заматываются, оставляя открытыми лишь яркие глаза.

Араб откровенно загляделся на ее зеленые глаза, засмеялся и тоненькой ручкой, и вправду похожей на жучиную лапку, указал на кожаную куртку.

— Он прав, — с неудовольствием сказал Старыгин, — вряд ли вы в таком наряде сойдете за правоверную арабскую женщину. Еще больше будете бросаться в глаза.

Маша схватила футболку с традиционным изображением задумчивого верблюда и переоделась тут же возле лотков. В общей суматохе никто этого не заметил, кроме араба, тот же пришел в такой восторг, что едва не повалился на спину, дергая ручками, отчего стал еще больше похож на жука.

— Выпейте воды, — холодно посоветовала Маша Старыгину, — что-то вы побледнели.

И пошла вперед ко входу в музей.

«Что я делаю тут, в этой жаркой и чужой стране, без денег, без документов и без дальнейших перспектив? — уныло думал Старыгин, едва поспевая за Машей.

Они очень удачно смешались с большой группой немецких туристов. Почти все мужчины были в таких же «арафатках», что и Старыгин. Немцы шумели, громко переговаривались и долго искали отстающих, Маша взяла Старыгина за руку, чтобы не потеряться в толпе. Они двигались не спеша в общем потоке.

Поток туристов просочился через ворота, в которых усатый военный, очень похожий на знаменитого певца Фредди Меркьюри, проверил каждого входящего металлоискателем. Спутники преодолели широкий музейный двор, украшенный древними обелисками, и, пройдя между еще двумя стражами — статуями, символизирующими Север и Юг Древнего Египта, — вошли под своды музея.

— И где нам искать этого Шейха Эль Балада? Спросить ведь нельзя…

– Этот музей конечно большой, около ста залов. Но мимо не пройдем, не волнуйтесь, статуя Шейха – одна из достопримечательностей музея.

У Маши вскоре зарябило в глазах от ярких саркофагов. Немецкие туристы целеустремленно свернули в сторону золотого саркофага Тутанхамона, Старыгин же потянул Машу дальше. Они проходили мимо бесчисленных статуй – больших и маленьких, одиночных и парных, из черного гранита и из раскрашенного известняка. Древние краски превосходно сохранились, каменные люди сидели и стояли в самых свободных позах, среди них были принцы и простые писцы, семейные группы и одиночки. Видимо, древние египтяне заказывали себе статуи, как наш современник – семейную фотографию на память.

– Кажется, пришли, – тихонько сказал Старыгин и кивком указал вперед.

Деревянный человек куда-то шел, держа в руке жезл. Ваятель запечатлел великого жреца в тот момент, когда он остановился на мгновенье, как бы раздумывая, куда направить свои шаги. Жрец строго смотрел перед собой удивительно живыми глазами.

– Глаза из кварца, – шепнул Старыгин, – а веки – из меди, оттого получается такой эффект.

Служитель, немолодой араб, весь в белом, встал и куда-то вышел. Маша напряглась.

– Мы здесь слишком заметны, – прошептала она, потянув Старыгина за собой. – Вот отсюда можно наблюдать за шейхом…

Они укрылись за огромной прозрачной витриной, в которой были выставлены сокровища одного из бесчисленных правителей Древнего Египта. Кольца и золотые браслеты с изображениями жуков-скарабеев и диких зверей, алебастровые сосуды невиданной красоты, драгоценное оружие, золотые змеи с глазами из драгоценных камней, массивный золотой трон с искусно изображенной на его спинке сценой из жизни фараона…

Маша разглядывала все эти сокровища, краем глаза следя за входом в зал и за статуей Шейх Эль Балада.

Время уже перевалило за половину третьего.

В зал ввалилась шумная толпа туристов – все те же немцы, громко выяснявшие, куда подевался герр Шульц. Экскурсовод, безуспешно пытаясь перекричать их, принялся рассказывать о похоронных обрядах древних египтян.

И тут Маша заметила, как от группы туристов отделилась стройная женщина в длинном платье из светлого льна.

Если бы не светлые волосы, она была бы очень похожа на ту брюнетку, которой накануне в кафе передали дневник профессора Магницкого.

Парик, сообразила Маша.

Она легонько толкнула Старыгина:

– Это наш объект!

– Вижу, – вполголоса отозвался реставратор. – А вы уже научились выражаться, как героиня шпионского боевика!

– Не отвлекайтесь… А что это она делает?

Женщина в светлом парике подошла к урне, стоявшей в углу зала, огляделась по сторонам и, убедившись, что за ней никто не наблюдает, бросила в урну пластиковый пакет.

Через секунду ее уже не было в зале.

Маша, мгновенно забыв о хороших манерах и правилах конспирации, выскочила из-за витрины и устремилась к урне. По дороге она едва не сбила с ног экскурсовода, который громким, хорошо поставленным голосом вещал:

– Эта статуя устанавливалась на носу погребальной ладьи фараона, чтобы освещать ему путь в подземное царство мертвых…

Маша подлетела к урне и выхватила из нее пакет под изумленным взглядом экскурсовода.

Это был обыкновенный пакет из итальянского супермаркета. Разглядывать его содержимое было некогда, и Маша устремилась в соседний зал, по углам которого возвышались статуи из черного полированного гранита.

Только спрятавшись в нише за одной из этих статуй, Маша заглянула в пакет. Там, как она и надеялась, находилась потрепанная тетрадь – дневник ее деда профессора Магницкого.

Маша спрятала ценную находку обратно в пакет и выглянула из своего убежища. Из соседнего зала к ней быстрой походкой приближался Дмитрий Алексеевич.

Старыгин спустился по ступенькам и открыл дверь кофейни. Маша опасливо последовала за ним.

Внутри было полутемно, накурено и шумно. В воздухе стоял густой запах табака, крепкого кофе, пряностей и еще чего-то сладковатого, смутно знакомого. Из динамиков, закрепленных над стойкой бара, сладкий голос восточного певца тянул бесконечную надрывную мелодию, в которой то и дело звучало все то же неизбежное слово «хабиби». За стойкой полусонный толстый араб терпеливо выслушивал исповедь подвыпившего завсегдатая. Судя по виду этого последнего, он не слишком строго соблюдал заповедь пророка, запретившего своим последователям употреблять спиртное. В дальнем углу маленький смуглый старичок с огромными усами курил кальян, мечтательно полузакрыв глаза, за соседним столиком трое мужчин в белых рубашках с закатанными рукавами играли в кости.

При виде новых посетителей бармен оживился, призывно замахал руками:

— Заходите, заходите, господа! У нас самый лучший кофе в Каире, самая вкусная пахлава!

Старыгин солидно кивнул и устроился за угловым столиком. Маша села напротив него, неуверенно оглядываясь по сторонам. Она была здесь единственной женщиной.

— Дмитрий, — проговорила она вполголоса, — мне кажется, что в Египте живут одни мужчины, если не принимать во внимание места скопления туристов. Мы не видели ни одной египтянки ни в магазинах, ни в кофейнях…

— Традиция! — Старыгин пожал плечами. — Арабские женщины не работают и вообще почти не выходят на улицу, они сидят дома и занимаются хозяйством и воспитанием детей. Работать считается неприличным для местной женщины, независимо от обеспеченности. Мужчины выполняют здесь даже ту работу, которая традиционно считается женской. Они работают официантами в кафе и даже «горничными» в отелях…

Этот экскурс в область местных нравов был прерван появлением хозяина, который принес на подносе две чашечки кофе, по размеру больше похожие на наперстки, и два высоких стакана холодной воды. Маша пригубила кофе. Он оказался удивительно вкусным, чересчур, на ее взгляд, сладким и таким крепким, что потолок кофейни поплыл по кругу, как площадка карусели.

— Запивайте! — посоветовал ей Старыгин. — К настоящему, хорошо заваренному кофе потому и подают воду, что без воды этот напиток слишком ударяет в голову!

Маша торопливо запила кофе ледяной водой и тут же почувствовала необыкновенный прилив бодрости. Старыгин тоже оживился и разложил на покрытом инкрустацией столике дневник профессора Магницкого и свои записки с расшифровкой клинописных значков. Он отпил еще глоток кофе и начал расшифровывать дневник, произнося вслух каждое прочитанное слово.

«Как красива Испанская лестница весной! Чудесные азалии стекают с ее ступеней, наполняя воздух божественным ароматом…»

— Никогда не думала, что мой дедушка был поэтом! — хмыкнула Маша. — Неужели все эти предосторожности с шифром были предназначены только для того, чтобы скрыть от посторонних глаз его сентиментальные римские воспоминания?

— Постойте, это только начало… — пробормотал Старыгин, выписывая перевод на отдельный листок, и продолжил:

«Странная встреча на улице Четырех Фонтанов. Этот господин С. скорее всего сумасшедший. Интересно, откуда он знает о моем происхождении?»

— Это уже немного интереснее… — Маша придвинулась к Дмитрию Алексеевичу и заглянула в дневник. Однако без помощи Старыгина клинописные значки молчали.

«Однако то, что он говорил о Древней Матери не лишено смысла. Мадонна Леонардо и фреска в катакомбе… сюжет и сходная композиция… тут несомненно есть связь, особенно если принять во внимание то, что я видел в Гизе».

— Еще одно упоминание Гизы! — проговорила Маша. — Продолжайте, прошу вас!

— Дальше — какая-то странная запись, кажется, это стихи:

«Три величайших тебя охраняют,
Стрелы разящие жарко роняют,
Самый высокий поделишь на шесть,
Но к чаепитью прислужники есть».

— Абсолютная бессмыслица! Не понимаю, что дедушка хотел этим сказать!

– Здесь пропуск, – продолжил Старыгин. – Он снова возвращается к записям через несколько дней:

«Господин С. излишне настойчив. Я немного подыграл ему, чтобы выяснить, как много он знает. Однако то, что мне удалось узнать…»

– Снова пропуск… – Старыгин потер глаза. – Дальше значки становятся неровными, словно тот, кто их писал, был сильно взволнован.

«Это невероятно! То, что такое возможно в наши дни… мне кажется, что я перенесся в Средние века! Эти дикие ритуалы… кажется, я сунул руку в осиное гнездо… самое ужасное, все, что говорит С., не лишено смысла. И моя кровь… кто бы мог подумать!»

– Кровь? – удивленно переспросила Маша. – Он говорит о своем аристократическом происхождении?

– Надо думать, – кивнул Старыгин. – А вот дальше:

«Кровь, Образ и Ключ. Так вот почему я их так заинтересовал! Кровь, кровь! Сколько можно страдать из-за нее! Кто бы мог знать! Счастье еще, что они не знают того, что я видел в Гизе. Страшно подумать, что могло бы… однако именно там – спасение… »

– Кровь, Образ и Ключ! – воскликнула Маша. – То же, что говорили люди в катакомбах! И опять Гиза!

– Господа хотят посетить Гизу? – прожурчал рядом вкрадчивый голос. – Я могу показать вам такую Гизу, которую не видел ни один турист! Вы увидите настоящие тайны Древнего Египта!

Маша оглянулась. Возле их столика стоял тот маленький усатый старичок, который прежде курил кальян в углу кофейни.

– Спасибо, друг, – ответил Старыгин с вежливой улыбкой. – Может быть, в другой раз… мы заняты, у нас дела…

– Не отказывайся, хабиби! – не сдавался старик. Он выпучил глаза и распушил усы, как кот при виде мыши. – Не отказывайся! Я покажу вам такое, чего никто не видел! Я покажу вам тайны тысячи и одной ночи! Хасан! – он обернулся к бармену и щелкнул пальцами. – Хасан, принеси гостям *твой особый кофе!*

– Думаю, что нам лучше уйти! – прошептала Маша, выскальзывая из-за стола.

– Спасибо, друг! – Старыгин так широко улыбнулся, что едва не вывернул челюсть, положил на столик купюру и двинулся вслед за Машей к выходу.

Спутники стремительно взбежали по ступенькам, а вслед им несся разочарованный голос:

– Зря ты отказываешься, хабиби! Я раскрыл бы тебе все секреты Шехерезады...

– Придется поискать более удобное место для чтения дневника, – разочарованно проговорила Маша. – Кажется, здешние жители слишком общительны...

– Однако дневник вашего покойного деда по-настоящему заинтриговал меня. – Старыгин шагал, задумчиво глядя себе под ноги. – И это его стихотворение... как оно начиналось?

«Три величайших тебя охраняют», – процитировала Маша по памяти.

– Три величайших... но ведь это наверняка пирамиды! Три пирамиды Гизы! Ведь профессор именно Гизу несколько раз упоминал на прочитанной нами странице, и на той, первой табличке было сказано – спасение в Гизе!

– Так поедемте в Гизу, – Маша остановилась. – Ведь это где-то совсем рядом?

– Это – ближайший пригород Каира.

– Знать бы только, что там нужно искать!

– Может быть, нам подскажут это стихи вашего деда?

Старыгин на ходу развернул листок со своими записями и выразительно продекламировал:

– ...Стрелы разящие жарко роняют.

Самый высокий поделишь на шесть,

Но к чаепитью прислужники есть...

– Вы что-нибудь понимаете? – Маша скосила на спутника зеленые глаза. – По-моему, дедушка просто развлекался!

– А мне кажется, что это головоломка! – отозвался Старыгин и наморщил лоб. – Стрелы разящие жарко роняют...

– Как можно что-то «жарко ронять»! – возмутилась девушка. – У деда явно было неважно с грамматикой!

– А может быть, весь вопрос в запятой! – прервал ее Старыгин. – Знаете эту фразу – «Казнить нельзя помиловать»? От того, куда поставить запятую, полностью меняется смысл предложения! Так и здесь, может быть, профессор имел в виду «Стрелы, разящие жарко»!

– И что это такое?

– Гомер называл так солнечные лучи!

– Ну и какой же смысл вы во всем этом видите?

– Честно говоря, пока не знаю... в стихотворении упомянуты три пирамиды Гизы. «Самый высокий» – это, наверное, великая пирамида Хеопса. Может быть, на древнем рельефе внутри пирамиды Хеопса есть условное изображение солнечных лучей, число которых нужно поделить на шесть...

– Может быть? – передразнила спутника Маша. – А я-то думала, что вы все на свете знаете! А при чем здесь чаепитье и прислужники?

– Не знаю... на многих египетских рельефах и настенных росписях изображены прислужники фараона, но вот чаепитье – это совершенно не свойственное древним египтянам занятие! Сейчас местные жители пьют чай, особенно красный, но их далекие предки не были знакомы с этим напитком...

— В общем, я поняла, что нам нужно ехать в Гизу. Там, на месте, мы что-нибудь придумаем!

Три огромные пирамиды громоздились посреди каменных осыпей своими серыми, источенными временем боками. Полные таинственности усыпальницы древнеегипетских царей неодолимо влекли к себе на протяжении тысяч лет как античных путешественников, так и современных людей. Вокруг пирамид толпились яркие, разномастные группы туристов со всех концов света — сдержанные, медлительные скандинавы, шумные американцы, юркие миниатюрные японцы. Все то и дело прикладывались к пластиковым бутылкам с водой, необходимым на беспощадном египетском солнцепеке, торопливо щелкали фотоаппаратами, ловили в объективы телекамер одно из семи чудес света — пирамиды, величественных бедуинов в длинных балахонах и белоснежных чалмах, невозмутимых верблюдов в яркой сбруе, увешанной разноцветными кистями и бронзовыми колокольцами.

Здесь, возле пирамид, нищие были не такими, как в любой другой туристской Мекке. Они не сидели на земле с шапкой на коленях, не толкались среди туристов с протянутой рукой. Египетский нищий подъезжал к иностранцам на верблюде, свешивался сверху с протянутой рукой и величественно произносил:

— Мани! Мани! — как будто не просил подаяния, а требовал законно причитающуюся ему дань.

Но большая часть кочевников пустыни не просила милостыню, а честно (или почти честно) зарабатывала деньги, предлагая бесчисленным туристам сфотографироваться рядом со своим верблюдом или прокатиться на нем.

В этом бизнесе тоже были свои маленькие хитрости. Толстая веснушчатая американка, прельстившись такой экзотической прогулкой, заплатила бедуину пять долларов, тот скомандовал, и верблюд послушно опустился на землю, дав возможность туристке с удобством устроиться на высоком, обитом красным бархатом седле. Верблюд неспешным шагом обошел вокруг пирамиды Хеопса и остановился на прежнем месте. Американка всеми доступными ей средствами принялась объяснять погонщику, что хочет слезть, спуститься на землю, но бедуин невозмутимо стоял рядом, делая вид, что не понимает, чего от него хотят. Наконец он обратил внимание на перепуганную даму и с большим достоинством сообщил ей, что за это придется еще заплатить, причем на этот раз уже не пять, а пятьдесят долларов.

— Глядите! — Старыгин указал вдаль. — Там, на другом берегу Нила, заброшенные каменоломни. Оттуда десятки тысяч рабов добывали камень для строительства и ждали осенних разливов Нила, чтобы переправить эти миллионы тонн на противоположный берег.

Маша и Старыгин, смешавшись с шумной группой американцев, подошли ко входу в пирамиду. Американцы переговаривались, выясняя, кто пойдет внутрь, а кто не пойдет.

— Внутри пирамиды очень плохая экология! — вещал сухопарый господин лет шестидесяти в шортах и выгоревшей футболке. — Тем, у кого проблемы с сердцем или сосудами, посещать пирамиду не рекомендуется! Я вам это говорю как врач!

— Джордж, но ведь вы стоматолог! — попыталась возразить сухонькая старушка в элегантной соломенной шляпке.

— Ну и что, — ответил тот без тени смущения. — Стоматолог — это тоже врач!

– Дмитрий, смотрите! – шепнула Маша, схватив своего спутника за руку.

Среди толпы туристов медленно пробирался очень высокий, необычайно худой человек в черной рубашке, неуместной в этом тропическом климате. Его лицо было узким и сухим, его наполовину закрывали большие черные очки и низко нахлобученная черная шляпа с опущенными полями.

– Это он, тот самый человек! – шептала Маша, теребя руку своего спутника. – Тот самый, который преследует нас еще с Петербурга! Тот, которого мой покойный друг сфотографировал *тем вечером* возле пропавшей картины в Эрмитаже! Тот, кого мы видели в подземелье! Это Азраил!

Черный человек внимательно огляделся по сторонам и ненадолго снял очки. Всякие сомнения отпали: на ярком египетском солнце пронзительно сверкнули два разных глаза – зеленый, как полуденная морская вода, и карий, точнее, янтарно-золотой.

Неожиданно на площадке возле пирамиды наступила кратковременная тишина. Говорливые туристы замолчали, словно задумавшись о смысле жизни. Маша удивленно оглянулась. Бедуины, минуту назад просившие подаяния или красноречиво предлагавшие туристам свои нехитрые услуги, торопливо расходились в стороны, ведя в поводу своих величественных верблюдов.

Мгновение тишины прошло, американцы снова загалдели, отстаивая достоинства и недостатки пирамид, но бедуины исчезли, как будто их сдуло горячим ветром пустыни.

Черный человек тоже куда-то исчез, как будто провалился сквозь землю. Маша приподнялась на цыпочки, чтобы найти его среди разноязычного человеческого моря, но вокруг были только светлые легкие костюмы и шляпы.

— Мисс, — раздался вдруг совсем рядом с Машей негромкий голос с сильным акцентом, — хотите увидеть восьмое чудо света?

Маша испуганно оглянулась и увидела бедуина. В отличие от своих соплеменников, он был облачен не в белый или цветной, а в черный балахон, и чалма на его голове тоже была черного цвета.

— Хотите увидеть восьмое чудо света? — повторил этот кочевник. Маша пригляделась к нему. Выжженное до черноты смуглое лицо бедуина казалось испуганным. С таким лицом человек подходит к краю бездонной пропасти или к хищному зверю.

— Какое еще чудо? — недовольно проговорила девушка. — Я ничего не хочу. Если вам нужно денег — вот доллар...

— Мне не нужно денег, — бедуин величественным жестом отвел ее руку с мятой бумажкой, — я хочу показать вам восьмое чудо света. Бесплатно!

В это время наконец появился долгожданный экскурсовод, и группа туристов двинулась внутрь пирамиды. Маша и Старыгин пристроились в хвосте экскурсии.

Двигаясь впереди шумной группы любителей древностей, высокий молодой египтянин хорошо поставленным голосом рассказывал о похоронных обычаях древних, о том, сколько рабов участвовало в возведении великой пирамиды, сколько лет продолжалась стройка, сколько камня пошло на это колоссальное сооружение.

Вначале американцы слушали его невнимательно и разговорами заглушали голос проводника, но вскоре массивные каменные стены, гулко отражающие голоса, и немыслимый груз нависающей над ними каменной громады заставили всех замолчать, и только рассказ экскурсовода без помех звучал под мрачными сводами.

— Высота пирамиды Хеопса, или, как его называли древние, Хуфу, составляет сто сорок шесть с половиной метров. Раньше она была еще выше, но время сделало свое дело, и часть камня за прошедшие тысячелетия осыпалась. Хеопс оставил своим потомкам строгий приказ, чтобы никто из них не смел превзойти высоту его пирамиды. Однако следующий фараон, Хефрен, решил перехитрить отца. Не нарушая его завещания, он построил собственную пирамиду несколько меньшей высоты, но зато поставил ее в более высоком месте каменного плато, поэтому пирамида Хефрена в результате оказалась ближе к небу…

Сегодня на вершине Хеопсовой пирамиды вы найдете площадку в несколько квадратных метров. Вершина ее теперь на десять метров ниже, чем после окончания строительства пирамиды. Во время Второй мировой войны площадка эта даже была превращена в военный наблюдательный пункт, так как была самой высокой и доступной точкой во всей бескрайней окрестности.

— Как же так? — вцепилась в экскурсовода дотошная американка. — Вы только что сказали, что пирамида Хефрена на самом деле выше пирамиды Хеопса?

— Это так, но первоначальная облицовка на Большой пирамиде не сохранилась, в отличие от пирамиды Хефрена, стены которой в нескольких метрах от вершины до сих пор защищаются внешней гранитной облицовкой, что делает восхождение на пирамиду почти невозможным. Один известный английский альпинист, покоривший многие горные вершины, погиб при попытке покорить ее…

— Объем пирамиды Хеопса, — продолжал гид, — составляет головокружительную цифру — два миллиона шестьсот тысяч кубических метров. Думаю, вам будет интересно, если я выражу эту цифру более наглядно. Сегодня для перевозки строительного материала для пирамиды Хеопса потребовалось бы более двадцати тысяч товарных поездов в тридцать вагонов каждый. Если из этих вагонов составить один поезд, он протянулся бы на всю длину североафриканского прибрежного шоссе между Касабланкой и Каиром...

Американцы, обожающие такие наглядные примеры, восторженно заахали.

Каменный коридор закончился, и туристы оказались в погребальной камере.

— Расскажите о сокровищах усыпальниц фараонов! — настойчиво просили американцы.

— К сожалению, никаких сокровищ в пирамиде Хеопса не нашли, — признался египтянин. — На протяжении тысячелетий пирамиды уничтожали и грабили и древнеегипетские охотники за золотом, и римские солдаты, и фанатичные христианские монахи, и бесчисленные любители древностей.

Поиски в пирамиде Хефрена в начале девятнадцатого века тоже были безрезультатными. Нашли там лишь пустой саркофаг, а на стене усыпальницы арабскую надпись, поясняющую, что здесь уже был каирский султан, но не нашел ничего ценного, потому что все уже было разграблено до него.

В пирамиде Микерина, третьей по счету, нашли саркофаг из камня и кедровый гроб для мумии с именем погребенного фараона. Эта находка была отправлена морем в Англию, однако у испанских берегов корабль потерпел крушение. Саркофаг, весивший более трех тонн, канул на дно морское вблизи города Картахены, гроб фараона с трудом выловили и отправили в Британский музей. Заговорили о «проклятии фараонов».

Маша потянула Старыгина в сторону от основной группы, пытаясь разглядеть надписи и рисунки на стенах.

– И где же здесь изображение солнечных лучей? – разочарованно проговорила наконец Маша.

– Я же говорил вам, что ни в чем не уверен! – отозвался Старыгин, внимательно разглядывавший стены гробницы.

– А вот это, смотрите! – воскликнула Маша, застыв перед едва проступающим на поверхности камня рельефом. – Вы видите, как это похоже на ту фреску в римских катакомбах? Женщина с ребенком на коленях... она кормит младенца грудью...

– Это – Исида, – пояснил Дмитрий Алексеевич. – Исида, кормящая Хора... ведь образ кормящей матери гораздо древнее христианства, и египетское искусство сыграло огромную роль в создании образа Богоматери Галактотрофусы, или Млекопитательницы. Видите, чуть в стороне изображен сокол, священная птица Хора...

– Вижу. Только вот нам это нисколько не помогает. Солнечных лучей нет ни на одном рельефе...

Подоспел экскурсовод и проговорил профессионально быстро хорошо заученный текст.

– На этом рельефе изображена Исида – богиня плодородия, воды и ветра, символ женственности, семейной верности, богиня мореплавания. Сестра и супруга Осириса, сестра Сета, мать Гора. После убийства Осириса Сетом она, отыскав с помощью Нефтиды тело мужа, погребла его и, зачав от мертвого Осириса, родила Гора, который должен был отомстить Сету...

– Зачала от мертвого? – перебила экскурсовода старушка в шляпке. – Какой ужас! Это же извращение!

– Это всего лишь миф, мадам, – успокоил ее экскурсовод и продолжил: – Спасаясь от Сета, она воспитала сына в болотах дельты Нила. Однажды в ее отсутствие ядовитая змея укусила Гора, но Тот своими заклинаниями исцелил его. Когда Гор вырос,

Исида явилась на суд богов и стала требовать для него, как для сына Осириса, царский престол. Сет потребовал, чтобы ее отстранили от участия в суде. Боги-судьи собрались на Внутреннем острове и запретили перевозчику Немти перевозить Исиду. Приняв образ старухи, Исида подкупила перевозчика золотым кольцом и переправилась на заповедный остров. Там она приняла образ прекрасной девушки и рассказала Сету историю о сыне пастуха, которого ограбили чужеземцы, лишив отцовских стад. Сет возмутился такой несправедливостью и тем самым осудил самого себя и признал, что наследство отца следует передавать сыну.

— Слушайте, мы теряем время! — сердито зашептала Маша. — Он может сколько угодно заговаривать нам зубы! У меня уже все имена богов в голове смешались!

— Напрасно вы не хотите вникнуть, — упрекнул Машу Старыгин. — Классический образ Исиды — образ любящей жены и матери, защищающей права своего мужа и сына. Существовала легенда о том, что Нил разливается весной, переполненный слезами Исиды, оплакивающей своего мужа. Образ Богоматери с младенцем на руках восходит к образу Исиды.

— То есть вся идея христианства имеет языческие корни? — прищурилась Маша.

— Ну, сейчас нет времени развивать эту тему, — уклонился от диспута Старыгин. — Но я думаю, что не случайно наши злоумышленники переместились в Египет. В Риме они выбрали местом своих собраний помещение под катакомбами, где находится самая древняя христианская фреска — изображение Богоматери, кормящей своего божественного сына. Здесь они выберут место для своей Церемонии, где обязательно должно присутствовать изображение Исиды, кормящей своего сына Хора. Эх, если бы я мог прочитать дневник вашего деда! Возможно, тогда все было бы гораздо проще и яснее!

– Скучаете по своему письменному столу? – с усмешкой спросила Маша. – Тоскуете по своей мастерской, по своей лупе и химическим составам? По пыльным средневековым манускриптам и старинным трактатам?

Она хотела добавить еще, что Старыгин скучает по Танечке из отдела рукописей, но вовремя прикусила язык. Совершенно незачем ему знать, что она придает такое значение этой очкастой зануде! Да разве это правда? Маша не любила врать самой себе, это глупо. Сейчас же она совершенно запуталась.

– А вы разве не скучаете по своему компьютеру? – отозвался Дмитрий Алексеевич. – Вы, вообще-то, не забыли, что вы – журналистка, а не тайный агент?

Маша подумала, что Старыгин научился отвечать достойно на ее выпады, и замолчала.

Обойдя гробницу, группа выбралась на свежий воздух.

Перед входом уже собралась следующая экскурсия, состоящая из сухопарых сдержанных англичан. Дети туманного Альбиона выясняли у своего гида, сколько времени займет посещение пирамиды.

– Мы должны успеть к чаепитию, – объяснял седовласый джентльмен как нечто само собой разумеющееся. – Не можем же мы пропустить пятичасовой чай!

– Чаепитие! – Маша взволнованно схватила своего спутника за руку. – Чаепитие!

– Вы хотите чаю? – удивленно обернулся к ней Дмитрий Алексеевич. – Я видел неподалеку одно заведение! Не знаю, правда, насколько оно приличное...

— Да ну вас! — Маша поморщилась. — Я совершенно не о том! В загадке моего дедушки говорится о чаепитье… Так вот, я поняла, что он имел в виду! Время традиционного английского чаепития — пять часов! Мы пошли по ложному следу, отыскивая солнечные лучи на рельефе. Нам нужно посмотреть, куда падает тень от «самого высокого», то есть от пирамиды Хеопса, в пять часов!

— Маша, вы гений! — воскликнул Старыгин. — Беру назад все свои слова о журналистах!

— То-то же! — девушка взглянула на часы. — Как раз половина пятого. Пойдемте, это ведь совсем близко!

Она обежала пирамиду и остановилась на ровной каменной площадке, к которой медленно приближалась тень пирамиды. В десятке шагов от нее пестро одетый торговец предлагал туристам глянцевые альбомы и буклеты с видами пирамид.

— И что мы должны здесь найти? — разочарованно протянула Маша. — До самой пирамиды совершенно ровная площадка, никаких подземелий, никаких тайников, даже камней нет, которые можно было бы сдвинуть с места!

— Но ведь еще нет пяти, — неуверенно отозвался Старыгин. — Наверное, нужно подождать…

— Тень двигается очень медленно, и вряд ли в пять она укажет нам на что-то особенное…

— Да, пожалуй… не думаю, что ваша идея была такой уж гениальной!

«Сам тогда что-нибудь придумай!» — сердито подумала Маша.

Движение тени действительно было едва заметным. Стрелки подошли к пяти, но ровным счетом ничего не произошло.

— Там сказано, что нужно поделить на шесть, — Старыгин не хотел сдаваться. Он дошел до основания пирамиды, считая шаги. Поделил полученную цифру на шесть, снова отсчитал шаги и остановился в недоумении. Ничего, даже отдаленно напоминающего на вход в тайник, перед ним не было.

— Зря мы все это затеяли! — Маша подошла к Старыгину и мрачно уставилась в землю. — Возможно, дедушка просто пошутил. Или впал в детство, такое тоже бывает…

— Постойте, — Старыгин зашевелил губами, — не такой он был человек… Давайте-ка еще раз вспомним его загадку:

> «Три величайших тебя охраняют,
> Стрелы разящие жарко роняют,
> Самый высокий поделишь на шесть,
> Но к чаепитью прислужники есть».

— Я уже наизусть вызубрила этот дурацкий стишок! — раздраженно проговорила Маша. — Но это ровным счетом ничего не дает!

— Не спешите. Вы слушали, что говорил экскурсовод?

— Да ничего интересного. Обычный текст для туристов…

— Я имею в виду слова о высоте пирамид. Пирамида Хеопса действительно самая высокая, если считать от основания. Но если считать от уровня моря — пирамида Хефрена выше. Может быть, профессор Магницкий имел в виду именно ее?

— Так что же мы стоим? — Маша оживилась. — Пойдемте скорее туда! Правда, пять часов уже миновало…

— Тень двигается очень медленно. Будем надеяться, что то, что мы ищем, — не с булавочную головку размером…

Около пирамиды Хефрена было гораздо менее людно, а на той ее стороне, куда падала тень, вообще не было ни души. И место там было куда менее прибранное: каменные обломки громоздились друг на друга, нога скользила по известняковым осыпям.

— Ну вот она, верхушка тени, — озабоченно проговорил Старыгин. — Допустим, в пять часов она была на полметра ближе к пирамиде и чуть левее... Ну-ка, встаньте на этом месте...

Он снова дошел до пирамиды, считая шаги, только на этот раз идти было труднее, приходилось то и дело обходить огромные камни и ямы. Около пирамиды Дмитрий Алексеевич развернулся и пошел обратно. Отсчитав тридцать шагов, он остановился и пожал плечами.

— Ну, что там? — окликнула его Маша. — Можно мне сойти с этого места?

— Подождите! — Старыгин подбежал к ней, оглянулся на пирамиду и зашагал прочь от нее, в сторону пустыни, отсчитывая шаги.

— Двадцать пять... двадцать шесть...

— Да бросьте вы, ясно, что все это пустой номер! — крикнула вслед ему девушка. — Все, я ухожу! Мне надоело изображать землемерную вешку!

— Двадцать восемь... двадцать девять... — продолжал считать Старыгин, не оборачиваясь.

— Хватит! — Маша топнула ногой и двинулась вслед за Старыгиным... но никакого Старыгина перед ней уже не было. Реставратор исчез, словно сквозь землю провалился!

— Дмитрий Алексеевич! — испуганно закричала девушка и побежала туда, где только что виднелась мужская фигура. — Что за шутки! Куда вы подевались?!

Она подбежала к тому месту, где только что видела своего спутника, и едва успела остановиться на краю глубокой ямы. Старыгин стоял на дне, отряхиваясь от известковой пыли.

— Осторожно, — проговорил он, потирая ушибленное колено. — Попробуйте спуститься справа, там, кажется, не так круто!

Маша съехала по боковой стенке и оказалась рядом со Старыгиным на дне колодца глубиной около двух метров.

— Ну и что здесь внутри?

— Кое-что есть, — Дмитрий Алексеевич показал на выщербленную временем плиту.

Кроме царапин и борозд, оставленных на ее поверхности тысячелетиями, можно было разглядеть несколько прямых, глубоко прорезавших камень линий, исходящих от скупо намеченного круга.

— Стрелы, разящие жарко, — вполголоса проговорил Старыгин. — Солнечные лучи! И их, между прочим, ровно шесть! — Он коснулся рукой шестого луча… и вдруг каменная плита легко подалась и повернулась на оси, как потайная дверь.

— Нашли! — восхищенно прошептала Маша, заглядывая в душную темноту подземелья. — Дедушка не обманул!

— Я никогда не сомневался в профессоре! — проговорил Старыгин и шагнул вперед, включив фонарь.

За каменной дверью оказался узкий, высеченный в камне коридор, полого уходящий в глубину.

— Интересно, кто соорудил этот туннель? — подала голос Маша, шагая вслед за реставратором.

— Думаю, что это сделали еще древние египтяне, во время постройки пирамид или позднее. Они всегда делали множество тайников и подземелий, чтобы перехитрить грабителей гробниц. Ведь говорил же экскурсовод, что все те тысячелетия, когда египтяне хоронили своих фараонов, шайки воров проникали в их гробницы, чтобы поживиться спрятанными там сокровищами! Их не останавливал ни страх перед смертной казнью, которая полагалась расхитителям гробниц, ни даже страх перед богами потустороннего мира или «проклятье фараона». Сильнее всякого страха была алчность, желание завладеть сокровищами фараонов, потому что эти сокровища были просто несметными! Ведь в одной только гробнице Тутанхамона археологи нашли сотни драгоценных изделий древних мастеров, статуи и вазы, драгоценные украшения, золотые носилки и ложа, четыре позолоченные колесницы, огромный золотой трон... один только саркофаг Тутанхамона содержит около двухсот килограммов чистого золота! Это самое большое в истории человечества ювелирное изделие! На самой мумии фараона археологи насчитали сто одну группу драгоценных украшений! Браслеты, ожерелья, золотые наконечники на пальцах рук и ног – да всего не перечесть! И ведь это была гробница совершенно незначительного фараона, который правил совсем недолго и умер восемнадцати лет отроду. Если даже его похоронили с такой неслыханной по европейским понятиям роскошью, то какие же сокровища должны были находиться в захоронениях великих фараонов, таких как Рамсес Великий или Сети! Каким колоссальным богатствам суждено было попасть в руки грабителей!

Голос Старыгина замолк, и Маше показалось, что сзади, там, откуда они только что пришли, слышны чьи-то негромкие, крадущиеся шаги. Она прислушалась... нет, ни звука! Наверное, это эхо ее собственных шагов разносилось в подземелье.

Коридор расширился, впереди показалась довольно большая пещера. Старыгин осветил ее фонарем... и тут что-то черное сорвалось с потолка пещеры и пролетела у Маши над головой, задев ее.

Девушка закричала от ужаса, бросилась к своему спутнику в поисках защиты, поддержки...

Старыгин обнял ее, прижал к себе, погладил по волосам, по дрожащей от страха спине.

– Что... что это было? – прошептала Маша, постепенно успокаиваясь.

– Летучая мышь. Они всегда живут в подземельях. Совершенно безобидное создание.

— Ужас какой!

— Вы же ничего не боитесь, — поддразнил ее Старыгин, — вы — современная решительная молодая женщина, а тут вдруг впадаете в полную панику из-за безобидной летучей мышки! Ладно бы еще крыса, этих я и сам боюсь…

— Час от часу не легче!

Маша с негодованием отстранилась от Старыгина. Вначале ей было так спокойно, так уютно у него на груди! Так этому ходячему справочнику обязательно нужно все испортить!

«Язык мой — враг мой», — огорченно подумал Старыгин, неохотно выпуская девушку. Такой — милой, испуганной, ищущей защиты — она нравилась ему гораздо больше. Впрочем, сейчас не время для таких мыслей.

— Кажется, вот оно, то, что мы искали! — взволнованно проговорил Дмитрий Алексеевич, шагнув вперед.

Луч фонаря выхватил из темноты гладкую черную плиту, не тронутую временем, выступавшую из серой неровной стены на противоположной стороне пещеры. На поверхности плиты можно было рассмотреть нанесенный тонким контуром рисунок — женщина с ребенком на коленях. Кормящая мать.

— Это снова она, Древняя Мать — Млекопитательница, Исида, вскармливающая Хора! — Старыгин понизил голос, как бы смущенный присутствием богини. — Видите — снова рядом изображен сокол, священная птица Хора, и на этот раз еще и лягушка, еще одно священное животное древних египтян!

Старыгин пересек пещеру, подошел к черной плите и опустился перед ней на колени. Он сделал это для того, чтобы лучше рассмотреть изображение, но со стороны могло показаться, что он молитвенно преклонил колени перед древней богиней.

Маше снова послышались шаги за спиной, но она была слишком увлечена тем, что делал Старыгин, и не обратила на них внимания.

Дмитрий Алексеевич внимательно разглядывал поверхность черной плиты, словно читал послание, оставленное ему древними. Впрочем, так оно и было.

– Здесь тоже изображен солнечный диск с исходящими от него лучами, – пробормотал он, вглядываясь в рисунок на камне, – и лучей тоже шесть… Смотрите, шестой луч указывает на лягушку!

Старыгин слегка нажал пальцем на изображение священного животного, и черная плита с негромким скрипом отодвинулась в сторону, открыв глубокую нишу. На дне этой ниши лежал продолговатый черный предмет.

– Вот из-за чего было принято столько предосторожностей! – Дмитрий Алексеевич осторожно вынул спрятанный в тайнике предмет и осветил его фонарем.

Это была удлиненная призма из черного камня. Три ее грани были гладкими, хотя их поверхность носила отчетливые следы беспощадного времени. Но когда Старыгин повернул призму треугольным основанием к свету, он увидел вырезанный на черном камне глубокий рельеф. Тот же самый рисунок – кормящая мать с младенцем на руках… Древняя Мать, Исида, Богоматерь…

– Это печать… – проговорил Старыгин, осторожно поворачивая каменную призму, – или ключ…

– Ты прав, – раздался громкий голос у Маши за спиной, – это Ключ! Но ты не должен был прикасаться к нему своими грязными руками! Ты нашел его для меня, и больше ты не нужен! Ты привел меня сюда и привел сюда Священный Сосуд Королевской Крови!

Маша в ужасе оглянулась. Позади нее, перегораживая вход в пещеру, стоял удивительно высокий и худой человек. Тот, кого называли Азраил.

Маша вспомнила, что так же в древних поверьях звали ангела смерти… И они сами беспечно привели его за собой!

Старыгин вскочил, подняв фонарь.

Луч света упал на лицо Азраила, осветив его разноцветные глаза – один зеленый, как полуденное море, другой янтарно-золотой. Но тут же эти глаза странно изменились, сделавшись бесцветными, прозрачными, как талая вода. И такими же холодными.

Азраил шагнул вперед и, казалось, только коснулся Старыгина своей рукой. Реставратор рухнул на пол пещеры, как подкошенный. Его голова безжизненно откинулась. Азраил торжествующе поднял над головой каменную призму.

Маша застыла на месте, как громом пораженная. До сих пор все происходящее казалось ей чем-то нереальным, приключением из голливудского боевика. Оттого она не теряла головы и твердо была настроена выпутаться из любой ситуации. Она знала, что разноглазый человек очень опасен, ведь, судя по всему, именно он убил в Петербурге Мишку Ливанского. Но только теперь, увидев, как Старыгин упал замертво, Маша поняла, что это не шутки, что судьбе было угодно столкнуть ее с темными силами, которые действительно существуют. И перед нею – опасный, безжалостный убийца, который служит этим темным силам.

Маша бросилась к Старыгину, опустилась перед ним на колени. Глаза его были закрыты, он не шевелился и вообще не подавал никаких признаков жизни. Маша схватила его за руку, рука была холодна, она окликнула его, пыталась найти на руке пульс, потом потрогала шею. Никакая жилка не билась, возможно Маше это показалось с испугу. Она подняла голову Старыгина и положила себе на колени. На первый взгляд не было у него никаких повреждений, но вид безвольно раскинувшегося тела наводил на самые нехорошие мысли.

– Оставь его! – сказал Азраил. – Он тебе больше не нужен! Он значит теперь не больше, чем сломанная кукла или отслужившее свое огородное пугало!

– Что ты с ним сделал? – крикнула Маша. – Он умер?

– Еще нет, но умрет вскоре, – последовал равнодушный ответ, – во всяком случае, он не станет больше мне мешать. Идем же! Нужно торопиться!

Маша склонилась над Старыгиным в полном отчаянии, потом осторожно сняла его голову с колен и поднялась. Она поняла, что если сейчас поддастся этому человеку с разными глазами, все будет кончено. Погибнет не только Дмитрий, но и она сама, и еще много, очень много других людей. Но этого не будет никогда! Она вдруг поняла, как много значит для нее этот странный, старомодный, погруженный в свою работу мужчина.

Азраил был высок ростом, но и Маша не маленькая. Ей не пришлось задирать голову, чтобы поглядеть ему в глаза.

– Без него я никуда не пойду! – твердо сказала Маша. – Сделай так, чтобы он пришел в себя!

– Не в твоем положении ставить условия! – с угрозой сказал Азраил. – Не испытывай мое терпение!

– Я тебя нисколько не боюсь! – крикнула Маша. – Ты – всего лишь прислужник, послушный инструмент в руках того, кто приказывает! Это он, Повелитель, читал Пророчество, а ты лишь делаешь то, что он прикажет! Ты не можешь причинить мне вред! Если ты убьешь меня, Церемония никогда не состоится!

– Откуда ты знаешь про церемонию? – Азраил отступил на шаг.

— Я знаю многое, ты и не представляешь, сколько всего может знать женщина, в жилах которой течет древняя царская кровь!

Маша почувствовала, что еще немного, и злодей сдастся. Но нет, он повернулся к ней янтарным глазом, из которого полилась на Машу такая волна ненависти, что на мгновенье ей стало страшно. Она вспомнила снимок, который прислал ей Мишка Ливанский, вспомнила, как надвигалось на картину с изображением Мадонны темное облако, и почувствовала, что точно такое же облако надвигается сейчас на ее душу. Из последних сил Маша уставилась в этот янтарный глаз. Ее глаза полыхали такой же ненавистью. Азраил отступил еще на шаг.

— Если надо, я приволоку тебя к Повелителю силой!

— А понравится ли Повелителю то, как ты обращаешься с женщиной царской крови?

Он наклонил голову, и Маша поняла, что победила. Азраил рывком поднял Старыгина на ноги и поглядел ему в лицо. Глаза Дмитрия медленно приоткрылись. Он покрутил головой и поморщился. Рядом с Азраилом возникли двое мужчин самого зверского вида.

— Идите за мной! — глухо приказал Азраил и пошел вперед, прижимая к груди каменную призму.

Старыгин пропустил Машу вперед. Они прошли длинным коридором, свернули налево, и в это время из темного бокового прохода выскочили какие-то люди с факелами. Подручный Азраила выронил фонарь, когда бедуин в развевающемся черном одеянии с размаху ткнул ему пылающим факелом в лицо. Фонарь не разбился, тогда бедуин ударил ногой, и фонарь раскололся. В неверном свете факелов Старыгин увидел, как двое бедуинов схватили Машу и потащили куда-то в сторону. Азраил зарычал и прыгнул за ними, но ему преградили путь мелькающие факелы. Послышался крик боли и запах паленого, потом один из бедуинов взмахнул черным плащом, и факелы погасли.

В полной темноте Старыгин пытался драться. Он наугад пинал кого-то ногами, хватал за одежду и даже заехал кому-то кулаком в лицо. Судя по крику, который издал его противник, заехал удачно. Однако недолго радовался, потому что тут же получил в ответ такой удар в солнечное сплетение, что согнулся и оглох от боли. Минуты две он находился как под водой, а когда звуки прорезались, он услышал крик Маши где-то вдалеке. Ее уводят эти бандиты, уводят, чтобы принести в жертву или что там они собираются делать с ее кровью! Азраил, этот ангел смерти выследил их, чтобы отобрать Ключ. И теперь у них в руках есть три составляющих, Образ, Кровь и Ключ. И ничто не мешает этим страшным людям приступить к своей церемонии.

Эти мысли придали ему сил. Старыгин рванулся, отбросив двоих противников, но споткнулся в кромешной тьме и упал, ударившись головой о каменный выступ. Последнее, что он слышал, это приглушенное ругательство и крик досады. Потом все стихло.

Очнулся Старыгин оттого, что щека, касавшаяся холодного камня, едва ли не заледенела. Он поднял левую руку и ощупал голову. Крови не было. Тогда он попытался сесть, опершись руками. Правая рука что-то сжимала, и Старыгин с изумлением понял, что это – потрепанная тетрадка, дневник профессора Магницкого! В темноте злоумышленники ее не заметили. Да и зачем им теперь дневник? Он им нужен был, чтобы найти Ключ. Но Старыгин сам привел их на место. Они забрали Ключ, а тетрадку оставили. Старыгин спрятал тетрадку в карман куртки и попытался встать. Голова кружилась, дыхание было учащенным, перед глазами в темноте плясали красные мухи. Старыгин понятия не имел, куда идти. Но нужно было выбираться из этой преисподней.

И тут он увидел в одном из коридоров далекие отблески сильного фонаря. Он сумел сдержать первый порыв закричать и броситься на свет. Вряд ли это ищут его спасатели. Никто не видел, как они с Машей вошли в подземелье. А если кто и заметил, то не обратил внимания. В этакой толпе туристов двое людей, старающихся не привлекать к себе внимания, могут исчезнуть весьма легко. Скорее всего, это возвращаются за ним его преследователи.

Старыгин как мог быстро бросился в противоположную сторону, свернул в узкий боковой проход, пробежал, стараясь не шуметь, несколько метров и спрятался в нише, которая больше напоминала каменную щель.

Он не ошибся, это шел Азраил.

— Зачем вы оставили его здесь? — ругался он по-английски. — Нужно было взять его с собой!

— Мы торопились в погоню за женщиной, — отвечал ему низкий мужской голос, — к тому же Повелитель сказал, что мужчина нам больше не нужен. Он уже сделал свое дело — привез к нам девушку…

— Ее вы тоже упустили! — раздраженно вскричал Азраил, и Старыгин обрадовался.

— Эти чертовы бедуины дрались, как дьяволы! — возразил голос. — Их было гораздо больше, чем нас! Они в этом проклятом подземелье как у себя дома, мы не могли долго их преследовать, они исчезли вместе с девушкой!

Преследователи покрутились еще на месте драки, осветили боковые коридоры и ушли. Старыгин решил, что он не слишком был им нужен. Если бы они искали Машу, они разобрали бы тут все по камешку.

Он выждал некоторое время и направился в тут же сторону, что и преследователи. Коридор был прямой, так что долго видно было отблески их фонарей. Машу увели в другую сторону, но идти туда одному без света было бы глупостью. К тому же прошло слишком много времени, он все равно никогда не догонит этих бедуинов. Старыгин понятия не имел, зачем им понадобилась Маша. Откровенно говоря, он вообще не знал, что же сейчас делать.

Голова кружилась все сильнее. Старыгин брел тихонько, опираясь рукой о стену. Свет фонарей впереди давно пропал, он брел по инерции. И наконец услышал впереди звуки голосов. Сначала неразборчивое гуденье, потом отдельные возгласы. А вот чей-то хорошо поставленный голос долго рассказывает что-то.

«Слава тебе, Господи, – подумал Старыгин, – это туристы».

Не привлекая к себе внимания, он смешался с группой, потом потянулся за другими, которые шли уже к выходу. В полумраке никто не заметил его пыльной одежды и огромной шишки на голове. Но когда Старыгин выбрался на площадку, залитую косыми лучами заходящего солнца, силы оставили его и он упал бы, если бы не поддержала его могучая американка в полосатом платке, завернутом на голове на манер турецкого тюрбана.

Старыгин все заваливался на бок, американка кудахтала так громко, что сбежались остальные туристы.

– Врача, врача! – кричала сухонькая старушка в элегантной соломенной шляпке. – Джордж, где же вы? Человеку нужна ваша помощь!

– Но я же стоматолог! – отнекивался мужчина в выгоревшей футболке.

– Но вы же говорили, что стоматолог – тоже врач!

Под давлением общественности Джордж взял Старыгина за руку и с глубокомысленным видом стал считать пульс.

— Я говорил, что в пирамидах очень плохая экология! — сказал он. — Наверное, у вас слабые сосуды.

— Благодарю вас, — сказал Старыгин, настойчиво пытаясь освободить свою руку, — мне уже лучше…

Американка в тюрбане протянула ему пластиковую бутылку с минеральной водой, которой Дмитрий Алексеевич обрадовался несказанно. Он вылил воду себе на голову, допил остатки и встал довольно решительно.

— Не надо врача! — пресек он попытки сердобольной старушки. — Я найду своих…

Американцы отпустили его с большой неохотой. Но Старыгину вовсе не улыбалось сейчас объясняться с какими бы то ни было властями. Ему совершенно нечего было им сказать. Да и времени не было.

Он отошел в сторону и с трудом нашел небольшой пятачок в тени. Американка в полосатом платке все оглядывалась по сторонам, так что Старыгину пришлось спрятаться за выгоревший шатер.

Наконец американские туристы с шумом погрузились в автобус и уехали в Каир. Старыгин с облегчением выпрямился и сел свободнее.

Выветренные камни пирамид понемногу окутывал легкий вечерний туман. Горы Мукаттама на другом берегу Нила розовели в лучах заходящего солнца.

Площадь перед пирамидами быстро пустела. Солнце село очень быстро, как это всегда бывает на юге, и люди торопились уехать до темноты. Торговцы свертывали свои палатки, торопливо собирали товар. Старыгин закрыл голову руками и почувствовал, что силы совершенно его покинули.

Из полосатого выгоревшего шатра вышел пожилой араб, тронул его за плечо и сказал что-то по-своему.

— Мне нужно быть здесь, я жду свою подругу, — ответил Старыгин по-английски.

– Скоро будет совсем темно и холодно, – возразил настойчивый араб на ломаном английском, – здесь никого не останется, кроме меня и еще нескольких сторожей. Поезжайте в город!

Старыгин не глядя протянул ему денежную купюру. Араб разгладил ее на смуглой ладони и уважительно замолчал. Потом он жестом пригласил Старыгина в палатку.

Старыгин пил красный душистый чай и слушал, как на улице араб шаркает метлой. Мысли понемногу возвращались на место, но были по-прежнему безрадостны. Маша пропала, а он не смог ее защитить. Но если рассуждать логически, то те люди, что увели ее, являются врагами людей Азраила. И если Азраил – злодей, то, возможно, бедуины не собираются причинять Маше вред.

Логика не помогала, Старыгин все больше волновался за Машу. Чтобы отвлечься, он раскрыл дневник ее деда. Расшифровка шла медленно. Старыгин листал пожелтевшие страницы. Кое-где записи так стерлись, что разобрать их не было никакой возможности, тем более что в палатке было полутемно. Вот попались несколько страниц, заполненных текстом, но без заглавия. Приглядевшись, Старыгин увидел, что кое-что вырвано из тетрадки. Кем, когда? Нужно будет спросить у Маши…

Он вспомнил, что Маша где-то далеко, в опасности, и может быть именно сейчас ей плохо, больно и страшно. От этой мысли самому стало нехорошо, и Старыгин с удвоенной энергией принялся за чтение, чтобы отвлечься.

«…Серебряной парчи на 15 лир 4 сольда, алого бархата на отделку на 9 лир, шнурков на 9 сольдов, пуговиц на 12 сольдов. Настаджио, мошенник, опять требует денег на овес, а ведь я только на той неделе дал ему пять лир. И его-то тоже грех не понять: три месяца ведь жалованья ему не платим. Ох, Учитель,

Учитель! Вот уже больше года от герцога ни гроша не получает, герцогский казначей, Амброджио Феррари, каждый день только обещает – завтра, мол, будут вам деньги, а сам только насмехается… а все деньги, что есть, уходят на прихоти Учителя – на лошадей, да на трупы для его анатомии, да на диковинных зверей, да на рыб, да на прочих гадов. Одному только палачу, что ворует для анатомии трупы повешенных, пять флоринов намедни заплачено. Виданное ли дело! Да три флорина на починку стекол и печей в теплице, где рыбы и гады содержатся, да четыре флорина Учитель дал в долг Пачиоли, который ни в жисть этих денег не вернет! Ох, Пресвятая Дева, и за что мне только эти мучения! Сам я, по своей воле, взвалил на себя хозяйство, что же теперь делать? За одного этого полосатого дьявола, за жирафа, что Учителю для его штудий понадобился, шесть золотых дукатов заплатили! А ведь все равно подохнет, зачем только эту проклятую тварь откармливать! И ученики недовольны, один Джакомо, маленький мошенник, ходит и посмеивается, потому как на руку нечист, а Учитель все ему прощает. Сколько на него денег ушло, одному Господу известно. Только на одежду в первый год: плащ – 2 лиры, 6 рубашек – 4 лиры, 3 куртки – 6 лир, 4 пары штанов – 7 лир 8 сольдов, одежда на подкладке – 5 лир, 24 пары сапог – 6 лир 5 сольдов, шапка – 1 лира, поясов, шнурков – 1 лира. Как только этот паршивец истоптал за год двадцать четыре пары сапог? А 7 сентября пропал у меня серебряный штифт ценою в 22 сольдо, и я вдоволь наискался и нашел его в сундуке того Джакомо. И когда Учитель брал его с собою в дом мессера Галеаццо да Сансеверино, Джакомо подобрался к кошельку одного из слуг и вытащил из него деньги, 2 лиры 4 сольда. И когда Учителю магистр Агостино ди Павия подарил турецкую кожу на пару башмаков, этот Джакомо ее украл и продал сапожнику за 20 сольдов. А Учитель все ему прощает и водит с собою всюду, а когда он повел его с собою ужинать, тот мошенник поужинал за двоих и набедокурил за четырех, разбил три графина и разлил вино, а платить опять мне. Ох, Пресвятая Дева!»

Старыгин отложил тетрадку и протер усталые глаза. В свое время он очень много читал про жизнь и творчество Леонардо да Винчи, так что теперь без труда понял, что речь в заметках идет о нем. Его неизвестный ученик называет почтительно Учителем. Каким образом эти записи попали в тетрадку? Где нашел их профессор Магницкий, в какой библиотеке, в каком архиве и зачем-то переписал себе в дневник, не только переведя, но и зашифровав?

Старыгин внезапно забеспокоился. Отчего-то ему казалось очень важным прочитать записи, возможно именно там таится разгадка всех странных событий, которые случились с ним за последнее время? Он допил остывший чай и продолжал читать.

«А прочие ученики недовольны, особенно Чезаре. И можно их понять, потому что Учитель малому их учит, а занимается все больше своими диковинными машинами, анатомией да математикой. Однако Чезаре…»

Дальше был пропуск, и записи снова возобновлялись как бы с полуслова:

«…Настаджио, мошенник, за лошадьми ухаживает худо, и Пегий захромал. Так он повел его к коновалу, который лечил Пегого дрянной вонючей мазью, от которой только хуже стало. И опять на овес денег требует, а денег нет. Ох, Пресвятая Дева!

Вчера прогуливались с Чезаре и с Джиованни по садам, и Чезаре, меня не замечая, будто я камень или истукан бессловесный, начал перед Джиованни изрыгать свою злобу на Учителя, как василиск или ехидна изрыгает яд.

– Чему ты научился у него за все время? Сделал ли он тебя мастером, сделал ли художником? Нет, даже имени твоего – Бальтраффио – никто не знает! Да и сам он… много ли он работ закончил? Много ли заказов выполнил? По году и более делает одну картину! Оттого и заказы ему не идут, и живем мы чуть не впроголодь! Давно уже пошла о нем слава, что не может закончить Леонардо ни одной работы!

– Чезаре! – попытался остановить его Джиованни. – Ты же видел лик Господень в "Тайной Вечере"! Как ты можешь дурно говорить об Учителе! Ангелы кистью его водят!

Чезаре же только рассмеялся в ответ и злобно передразнил друга:

– Ангелы! Так оно кажется, только покуда не раскусишь! Умиляйся, коли тебе любо, а меня уволь! Конечно, мастерства у него не отнимешь, но в том ли дело?

– Что ты хочешь сказать?

– А будто сам ты не знаешь! Все тут есть – и перспектива, и анатомия, и законы света и тени, да только сам ты понимаешь – все это один только разум, одна математика! Все с природы списано, числами исчислено. Все геометрическими фигурами изображено – тут тебе треугольники, тут тебе золотые сечения, с числами Фибоначчи совместно. А жизнь-то где? Где душа? Душу свою Учитель потерять боится, оттого и не вкладывает в свои творения! А не потерявши души – не обретешь! Хоть дьяволу ее заложи, да только чтобы было в картине вдохновение!

– Что ты такое говоришь? – перепугался Джиованни. – Не поминай имя врага человеческого!

А Чезаре по сторонам огляделся, голос понизил и проговорил:

– Художник ничего не должен бояться! Если надо – и дьяволу поклонюсь, и душу ему заложу! Но только докажу, что Чезаре да Сэсто — не мальчик на побегушках, а художник, и может, ничуть не хуже вашего Леонардо!

— Может, уже и заложил? — спросил я его как бы в шутку.

Только тут он на меня обратил внимание, взглянул удивленно, как будто камень заговорил или кисть в его руке.

— Может, и заложил… — ответил тихо.

И так страшно мне стало от этих слов, что показалось, будто среди лета зима наступила. И задумался я, не следует ли рассказать об этой беседе отцу Доминику…»

Снова в записях последовал пропуск. И опять они возобновились с полуслова:

«…Пресвятая Дева! До сих пор трясутся руки, и сердце колотится, будто кто меня сглазил… Джакомо, мошенник, рылся в чужих сундуках. Я его застукал и хотел как следует вздуть, но тут увидел… О, Матерь Божия, спаси меня и помилуй!

Джакомо открыл сундук Чезаре да Сэсто и достал оттуда доску, обернутую холстиной. Как я в горницу вошел, он эту доску выронил и бросился наутек. Холстина с той доски упала, и я разглядел, что на доске написана картина, вроде как копия той Мадонны, что недавно закончил Учитель. Подумал было я, что Чезаре копировал Мадонну, дабы лучше изучить мастерство Учителя, и хотел завернуть картину и убрать ее обратно в сундук. Взял ее в руки и только тут как следует разглядел…

Лик Мадонны точь-в-точь, как на той картине, что написал Учитель, и одежды ее таковы же, и задний план — два полукруглых окна с пробегающими по небу облаками.

Но там, где Учитель изобразил Святого Младенца, коему и надлежит быть на руках у Пресвятой Девы, этот еретик Чезаре поместил такое чудовище, страшнее которого не приходилось мне видеть ни в страшном сне, ни в теплице Учителя, куда помещает он всевозможных редкостных гадов. Страшное это создание, о двух головах, обеими пастями своими яд источает, взор же его лучится такой злобой, что руки мои ослабели и уронил я кощунственную картину.

И тут сзади послышались шаги, и появился Чезаре.

— Все вынюхиваешь? — проговорил он обманчиво спокойно. — Ох, Марко, Марко, не доведет тебя до добра длинный нос!

Не стал я ему объяснять, как это получилось и что я не по своей воле увидел его картину. Ох, хоть бы вовек ее не видеть! А только спросил, вспомнив прежний разговор:

— Неужто заложил ты душу, как грозился?

— А хоть бы и заложил! — рассмеялся он в ответ. — Не потерявши души, не обретешь! Зато вижу, что есть душа в этой картине. Вон как ты трясешься! Будто воистину дьявола увидел!

— Разве же это душа? — ответил я, как только собрался с силой. — Это тьма черная, зло кромешное, а не душа! Вот в той картине, с которой эта списана, — вот в ней есть душа, и во взоре Пресвятой Девы, и в чистом лице Младенца! А ты над ними только надругался! Только грязью их забросал, будто можно святыню грязью запачкать! Она чистотой своей от любой грязи оборонится!

— Ох, Марко, Марко! — прошипел он в ответ. — Что ты понимаешь! Никогда тебе не стать художником, занимайся лучше овсом для лошадей и капустой для супа! Это для тебя в самый раз, не зря Леонардо поручил тебе вести хозяйство! А что есть добро и что есть зло — того тебе никогда не понять, то не по твоему разуму! И кому я душу заложил и кто на этой картине изображен — о том ты никогда не узнаешь!

А если хочешь выдать меня отцу Доминику — так не держу, вольному воля! — и страшно так улыбнулся, как будто смертью мне пригрозил.

И понял я, что ничего не расскажу отцу Доминику, хоть и добр он, и умеет выслушать, так что сразу легче становится на душе, потому что не захочу больше вспоминать ту картину, и не захочу видеть ее, и не захочу ни с кем о ней говорить.

А только потом, под вечер, когда я все дела переделал, и конюшню проведал, и теплицу Учителя — только тогда вспомнил я, откуда у Чезаре такие страшные мысли могли появиться.

Жила в Милане, неподалеку от нас, одна знатная донна. Не буду даже имя ее поминать, не хочу будить зло к ночи. Жила она вместе со своим родственником, почтенным старцем, и нередко к нам приходила, то с одним, то с другим делом. Хотела было Учителю портрет свой заказать, да он не взялся, не в духе был. Хотя и была эта донна на диво хороша собой. В отсутствие Учителя не раз виделась донна с его учениками, перекидывалась парой слов и смеялась их шуткам, словно звенела серебряным колокольчиком. Чаще других говорила эта донна с Джиованни нашим Бальтраффио. И рассказывала ему всякие чудеса и небылицы про страны Востока, где она побывала, и про людей тамошних, и про зверей диковинных, и про дворцы восточных владык, по сравнению с которыми дворец нашего герцога — все равно что хижина простолюдина. А потом кто-то донес отцу Доминику, что донна та ведьма и еретичка и летает по ночам на шабаш, где совокупляется с дьяволом. И отец Доминик призвал ее на суд, и суд признал ее виновной, и отправил на костер. Потому как отец Доминик добр и всем сердцем грешников жалеет, и не хочет допустить, чтобы горели они в огне вечном. Лучше краткая мука на костре, чем бесконечное страдание в адском пламени. И перед казнью та донна смеялась, и говорила, что все правда, и что дьявол много лучше всех мужчин. И старика, родственника ее, тоже сожгли, потому что оказался он колдуном и чернокнижником. Так вот, Бальтраффио мне после той казни шепотом рассказывал, что, может, та донна и не ведьма, но уж точно еретичка, потому как на Востоке спозналась она с офитами, которых иначе зовут змеепоклонниками, и поклонялась тайно в доме у себя змею с двумя головами, а богатство ее от этого змея и проистекло, потому как тот змей всем, кто ему поклоняется, отворяет тайны богатства и вручает ключи от неисчерпаемой сокровищницы. И я тогда посоветовал Джиованни про все то помалкивать и донну даже не вспоминать, поскольку костры отца Доминика горят жарко.

И видно по всему, что Джиованни про то забыл, а вот Чезаре да Сэсто очень даже помнит, и то чудовище, что он на греховной своей картине изобразил, — это и есть тот змей с двумя головами, коему поклоняются те восточные еретики…»

Старыгин отложил дневник и уставился прямо перед собой невидящими глазами. «Джиованни Бальтраффио, Чезаре да Сэсто…» несомненно речь идет об учениках Леонардо да Винчи. Был там и некий Марко, от лица которого пишутся записки.

Некоторые искусствоведы высказывают мнение, что именно Бальтраффио писал одежды Мадонны Литта. Дескать, не слишком прописаны складки и все такое. У Старыгина было свое мнение на этот счет. Возможно, таков был замысел самого Леонардо — четко прописать лица, уловить малейшую черточку, малейшее изменение выражений, легкую материнскую улыбку и переменчивый взгляд младенца. Он добился своей цели, потому что люди, любующиеся картиной, обращают внимание только на лица…

Правда ли то, что он сейчас прочел? Возможно ли, чтобы Чезаре да Сэсто сумел написать картину, где вместо младенца на руках у Мадонны покоится уродливый монстр? Но ведь Старыгин видел эту картину собственными глазами, держал ее в руках и исследовал ее с помощью специальной аппаратуры! Он сам говорил тогда Маше, что и состояние холста, и краски говорят о том, что картина написана примерно в то же время, что и «Мадонна Литта». Но зачем, зачем это все нужно?

Старыгин почувствовал, что еще немного, и он рехнется от таких мыслей. Не лучше ли сосредоточиться на одной, самой простой. Он приехал в Рим, чтобы найти похищенную картину. Как выяснилось, его кто-то заманил в Рим, чтобы он привез за собой Машу. Маша и картина Леонардо да Винчи связаны. Стало быть, если он найдет Машу, то найдет и картину.

Тут же возникла непрошенная мысль, что если бы пришлось выбирать, кого спасти – Машу или картину, – он выбрал бы девушку. Причем ни секунды бы не сомневался. Мысль эта так его поразила, что он взял себя в руки и отогнал ее, как несвоевременную.

Дальше в дневнике были отрывочные записи, трудно поддающиеся расшифровке.

Вот попалось слово, которое он быстро разгадал – «Исида». Старыгин взял себя в руки и заставил внимательно вглядываться в пожелтевшие страницы дневника и сравнивать их с глиняными табличками. Профессор писал наспех, заметки для себя, на первый взгляд в них не было никакой системы.

«Богиня Исида. В греко-римском мире ее называют "Та, у которой тысяча лиц".

Храмы Исиды были во многих греческих и римских городах – в том числе в Помпеях, в Риме…

Во многих средневековых соборах статуэтки Исиды сохраняются как священные реликвии…

В Каире древние рельефы с изображением Исиды есть в государственном Египетском музее, в Гизе, а также в древнем святилище Абд-аль-Касим…»

Старыгин закрыл дневник и снова обхватил тяжелую голову руками. Азраил со своими подручными ушел, он торопился отнести Ключ Повелителю. Значит, очень скоро у них произойдет эта их Церемония. Наверное, Азраил сейчас усиленно ищет Машу. И не успокоится, пока не найдет.

Старыгин встряхнул головой, отгоняя тяжесть и боль. В голове забрезжила парадоксальная мысль.

Азраил наблюдал за ними здесь, в Гизе. Еще в Риме злоумышленники поняли каким-то образом, что у Маши есть дневник ее деда, который содержит нужные сведения. Они наняли воришку, чтобы выкрасть дневник. Вряд ли он помог бы им, потому что только он, Старыгин может расшифровать дневник. После того как они с Машей очень удачно вернули дневник обратно, злодеи выбрали более простой путь – наблюдение. Они с Машей разгадали загадку и поднесли Азраилу Ключ, можно сказать, на блюдечке с голубой каемочкой!

Теперь Старыгин решил действовать так же. Если они привели Азраила к Ключу, то Азраил приведет его к Маше. Совершенно очевидно, что Церемония будет проводиться там, где есть изображение Исиды, кормящей грудью своего сына Хора. Не в музей же они пойдут… И не здесь, потому что полиция охраняет пирамиды. Значит…

Старыгин выглянул из шатра и поманил пожилого араба.

– Мне нужно в Каир, срочно. Здесь можно достать такси?

– Мой племянник отвезет вас куда надо, – с готовностью ответил араб и исчез.

Старыгин огляделся. Площадь была пустынной. По темному куполу ночного неба плыла луна, и огромные глыбы известняка казались в ее неверном свете еще больше. Серебряный поток лунного света стекал по стенам пирамид, сглаживая края каменных блоков. На юго-востоке за расплывчатыми силуэтами сфинксов просвечивали посеребренные луной вершины песчаных холмов и черные тени от них.

Старыгин вздохнул. Лицо обвевал ветерок. В стороне виднелось зарево ночных огней над Каиром, длинная цепочка огней сверкала по набережной Нила, как драгоценное ожерелье.

Послышался шум и треск. К палатке подъехал автомобиль, такой старый и ржавый, что жуть брала. Рыдван громко чихнул и остановился.

— Куда ехать? — спросил толстый усатый араб, выглянув в окно.

Старыгин замешкался, с опаской поглядывая на допотопный автомобиль.

— Не беспокойтесь! — обнадежил араб. — Доставлю куда скажете.

— К мечети Абд-аль-Касим! — негромко сказал Старыгин.

Араб молча кивнул. Старыгин влез в машину, и она понеслась через пески к городу.

Маша шла, вернее, почти бежала, подталкиваемая жесткими руками. Идти было тяжело. Один раз она едва не упала, споткнувшись на каменной ступеньке, но ее тут же подхватили и поддержали те же жесткие руки. Когда прошел первый шок, Маша попыталась оглядеться. Но вокруг были темные стены узкого подземного коридора, определить направление движения, а уж тем более запомнить дорогу не было никакой возможности.

Куда ее ведут? — думала Маша на бегу. — Кто эти люди, которые с боем отбили ее у тех, которыми руководил Азраил? Можно ли ей радоваться избавлению, или же в этой пустыне среди диких бедуинов ее ожидает еще более жестокая участь? Зачем она нужна этим детям пустыни? Судя по тому, как они решительно дрались с людьми Азраила, Маша представляет для них большую ценность.

Она все-таки упала, не удержавшись на скользком полу, и больно ударилась коленкой. Старший из бедуинов что-то сердито сказал тому молодому, который не успел в этот раз ее поддержать.

– Он говорит, что если ты устала, то мы понесем тебя, – на ломаном английском сказал Маше бедуин.

– Не нужно, – Маша хотела спросить, долго ли еще продлятся ее мучения, но решила не унижаться. Она гордо вскинула голову и постаралась идти быстрее, несмотря на боль в колене.

Они долго петляли извилистыми коридорами, потом оказались в подземном зале, откуда выходили несколько одинаковых ходов. Насколько Маша могла судить в неверном свете факелов, зал был огромным. Предводитель бедуинов, нисколько не колеблясь, свернул в нужный коридор.

– Теперь недолго, – шепнул Маше ее провожатый. Она сделала вид, что не слышала.

Однако скоро и вправду потянуло свежим воздухом, и все прибавили шагу. Они вышли из подземелья. Местность вокруг была пустынной. Уже наступила ночь, и над ними в полной тишине висели крупные яркие звезды.

Предводитель отряда сложил руки рупором и издал странный хохочущий звук. Видимо, он подражал лаю шакала или какого-то другого зверя пустыни. Издалека донесся такой же лай, и через минуту из темноты появились несколько бедуинов, ведя в поводу верблюдов.

Предводитель что-то сказал на своем гортанном языке. К Маше подвели одного из верблюдов, смуглый погонщик выкрикнул короткое повелительное слово, и верблюд послушно лег на землю. Даже в темноте было видно, что он был белоснежный. Медленно двигая из стороны в сторону мягкими губами, верблюд посмотрел на девушку. Кажется, в его больших глазах промелькнуло сочувствие.

Маша подумала, что наступил последний момент, когда можно попытаться убежать. Если бедуины увезут ее в пустыню, такой возможности больше не представится. Однако она вспомнила о людях Азраила, и ее охватила странная апатия. Ей сделалось вдруг совершенно безразлично, что произойдет в будущем.

Бедуины помогли Маше устроиться в высоком удобном седле, верблюд поднялся и плавно двинулся в темноту.

Небольшой караван шел дальше и дальше. Верблюды постепенно увеличили скорость, и теперь они бежали по ночной пустыне длинной растянутой цепочкой. Маша слегка покачивалась в седле, как в весельной лодке. Она поняла, почему верблюда называют кораблем пустыни. Эта неторопливая раскачка вместе с накопившейся за бесконечный день усталостью постепенно усыпляли ее. Внезапно она вздрогнула и отогнала дрему, подумав, что ждет ее впереди.

Прямо по курсу каравана из темноты выступили приближающиеся горные отроги, еще более темные, чем ночная тьма. Верблюды постепенно замедлили шаг и вскоре остановились.

Предводитель отряда что-то прокричал повелительным голосом. К Маше подошел погонщик, ее верблюд плавно опустился, и девушка соскочила на землю. Дальше нужно было идти по узкой тропинке среди скал, и верблюды стали бесполезны.

Тропинка постепенно поднималась вверх. Рядом с Машей шел прежний молодой бедуин, поддерживая ее на особенно крутых и обрывистых участках пути. Маша чувствовала, что силы постепенно покидают ее. Слишком много случилось за последние сутки. Прошлую ночь они со Старыгиным провели на катере, который вез их из Италии к побережью Африки. Не выспались, и с утра она толком ничего не ела. Внезапно голова закружилась, и бедуин обхватил ее за плечи.

– Долго еще идти? – спросила его Маша, чувствуя, что ее силы уже на исходе.

– Недолго, – отозвался тот, – скоро вы увидите Святого Старца.

Маша не стала задавать лишних вопросов, решив, что все само разъяснится.

Тропинка забирала все круче и круче в горы. Идти становилось труднее, но к Маше пришло второе дыхание, она не жаловалась и старалась не отставать от своих спутников. В темноте было трудно находить место, куда можно поставить ногу, и если бы не молодой бедуин, Маша давно уже сорвалась бы в пропасть.

Наконец тропка проскользнула, как змея, между двумя скалами и закончилась на ровной площадке перед входом в пещеру.

Отряд остановился. Предводитель вышел вперед и что-то громко крикнул.

Маша обратила внимание на то, как изменилась его интонация. Если прежде голос вожака звучал повелительно и сурово, теперь он был почтительным и даже немного робким, что было совершенно неожиданно для этого сурового воина пустыни.

Из пещеры донесся короткий ответ, и через минуту оттуда появились двое рослых бедуинов с носилками.

На носилках восседал очень худой, высушенный солнцем пустыни старик в черной рубахе и такой же чалме. На глазах старца была плотная повязка.

Бедуины упали на колени и затихли.

Носилки старца поставили на землю, он поднял правую руку и сделал благословляющий жест. Машины спутники поднялись с колен и молча застыли, словно чего-то ожидая.

Старец что-то негромко произнес, и молодой бедуин перевел Маше:

— Он просит, чтобы вы подошли.

Маша приблизилась к старику и остановилась в нескольких шагах перед ним. Он снова что-то проговорил, и один из его телохранителей снял повязку с его глаз.

Маша увидела два мутных, лишенных зрачков пятна и невольно попятилась. Старец протянул к ней руки и заговорил.

— Святой Старец говорит, что он счастлив, — вполголоса переводил Маше ее молодой спутник. — Он счастлив, что дожил до дня, когда увидел тебя, госпожа. Хотя его глаза уже давно ничего не видят, однако они увидели исходящий от тебя свет. Это свет твоей царственной крови и свет твоей судьбы.

Старик троекратно склонил голову и снова заговорил. Переводчик продолжил:

— Святой Старец говорит, что ему выпала счастливая судьба, самая счастливая среди всех его предшественников. Он уже второй раз видит своими незрячими глазами свет царственной крови. Не так давно здесь уже побывал человек с такой же кровью, как у тебя, госпожа. Это был потомок святых королей, отец твоего отца...

— Не так давно? — удивленно переспросила девушка. — Мой дед умер двадцать лет назад!

— Что такое для него двадцать лет! — проговорил переводчик. — Это много для тебя, госпожа, прости мою дерзость, для меня двадцать лет — это вся жизнь, но Святому Старцу гораздо больше ста, и время утратило для него свой быстрый ход! Но не перебивай его, госпожа!

Старик снова заговорил.

– Тысячу лет назад наши предки пришли на эту землю под знаменем Святого Короля, того, от кого ведешь ты свой род. Тогда наша одежда была украшена крестом…

– Так вы – потомки крестоносцев? – удивленно воскликнула девушка.

– Да, это так, – подтвердил переводчик. – Когда-то нас называли крестоносцами, но тысячу лет назад твой предок, госпожа, оставил нас здесь и повелел охранять найденный им Ключ. С тех пор мы именуем себя Стражами, Стражами Ключа… Сменялись хозяева этой земли, проходили войска разных племен, но мы свято хранили Ключ. Святой Старец – двадцатый Великий Страж, и только ему выпало счастье дважды встретить людей царственной крови… Это значит, что наша миссия скоро будет закончена…

Старец снова трижды склонился и заговорил громче:

– Ты рождена в особенный день, звезды так сияли над твоей колыбелью, что даже здесь, в этой пустыне, виден был их свет. Тебе суждено, госпожа, предотвратить великое зло! Твоему родичу передали Малый Ключ, который он должен был беречь его, как талисман, но вскоре после этого он погиб…

– Наверное, потому, что отдал мне этот талисман! – проговорила Маша и протянула старику пентагондодекаэдр. – Вот он!

Старец бережно коснулся талисмана руками, поднес его к губам и вернул Маше.

– Это по праву твое! – перевел его слова молодой бедуин. – Но это – не все, сегодня Старец отдаст тебе и Великий Ключ, тем самым закончив свое служение!

– Но какой же ключ мы нашли в подземелье? Какой ключ захватили люди Азраила?

— Это – святыня чуждой нам веры, печать египетской богини. Твои преследователи пошли по ложному пути!

Старик замолчал, закрыл свое незрячее лицо ладонями, как будто его слепил какой-то невидимый свет, и снова заговорил:

— Тысячу лет назад, когда крестоносцы пришли в Святую Землю и завоевали для твоего предка священный иерусалимский престол, они захватили двух пленников из числа ученых сарацин, от которых узнали, что в землях Востока с глубокой древности существует тайное общество, члены которого поклоняются темным силам. Во главе этого общества стоит Неизвестный Повелитель, а на щите их изображено чудовище, именуемое Амфиреус...

Маша вспомнила монстра на руках Мадонны, вспомнила его равнодушный, безжалостный взгляд и невольно вздрогнула. Это чудовище действительно было воплощением древнего зла.

— Раз в десять лет, – продолжал Старец, – раз в десять лет проводят члены этого общества свои ритуалы, черпая силы из темного источника и приближая темное царство на земле. Раз от раза крепнет их сила, и скоро, когда звезды займут благоприятное положение, победа зла станет необратимой. Твой предок, Священный Король, разгромил святилище Амфиреев и захватил Ключ, без которого их ритуалы не могли быть завершены. Своей священной кровью заклял он темное святилище и приказал нашим предкам хранить этот Ключ, что бы ни случилось на этой земле и сколько бы лет ни прошло над нею.

Старик снова замолк. Наступила глухая тишина, нарушаемая только неясными шорохами далекой пустыни да шелестом ночного ветра, запутавшегося в колючем кустарнике.

Все происходящее казалось Маше немыслимым, невозможным. Она ли, современная девушка, практичная и насмешливая, как все журналисты, стоит сейчас перед безумным слепым стариком и выслушивает весь этот средневековый бред? Может быть, все это ей только снится, и она проснется в своей квартире в Петербурге и поспешит на работу, с удивлением вспоминая этот удивительный сон? А может быть, наоборот – вся ее прежняя жизнь – только сон, а в действительности существуют только древняя пустыня и эти смуглые воины, стоящие на защите света и жизни?

– Прошло пятьсот лет, – неожиданно снова заговорил старик, нарушив молчание пустыни. – Мы бережно хранили Ключ, и казалось, что силы добра и зла находятся в равновесии. Но положение звезд изменилось, и жернова судьбы снова пришли во вращение. Далеко отсюда, на севере, в Италии, родился живописец и мудрец, который проник в древние тайны Амфиреев и решил покончить с их могуществом раз и навсегда. Он создал изображение Древней Матери, Той, у кого тысяча лиц, вложив в это изображение семь священных чисел. Созданный им Образ обладал огромным могуществом и должен был лишить силы все темные ритуалы.

«Леонардо да Винчи»! – мысленно ахнула Маша.

– Однако нарушение равновесия никогда не бывает во благо… Один из учеников живописца, завистливый и злобный, посвященный в учение Амфиреев, похитил краски Учителя и создал вторую картину. В этом ложном образе достиг он торжества зла, поместив в самом центре, на руках у Древней Матери, свое священное чудовище – Амфиреуса. Питаясь молоком Той, у которой тысяча лиц, Амфиреус начал снова набирать силы… Но для решительной победы его почитателям необходимо соединить три начала – Ключ, который охраняем мы, священную царскую кровь, которая течет в жилах потомков нашего властелина, и Образ, созданный великим живописцем и содержащий в себе священные числа. В греховном ритуале они должны снять наложенное Святым Королем заклятие и выпустить на свободу древнее зло. Прошло еще пятьсот лет, и звезды снова встали в прежнее положение...

— Чего же вы хотите от меня? — прервала Маша речь слепого старца. — Для чего вы привели меня сюда?

— Для того, чтобы завершить свое служение и отдать тебе Великий Ключ.

— Что я буду с ним делать? Вы берегли его тысячу лет, и для вас это стало привычной задачей. Я же далека от ваших сражений...

— Ошибаешься, госпожа! Ты — в самой гуще битвы. Ты несешь в себе священную кровь, и ты же рождена под знаком числа света. Мне было видение, открывшее твою великую роль. Тебе суждено поставить последнюю точку в древней битве...

Старик обернулся к одному из своих телохранителей и громко хлопнул в ладоши. Тот почтительно склонился и скрылся в пещере. Через минуту он вышел оттуда, бережно держа на вытянутых руках небольшой ларец из черного дерева, инкрустированного золотом. На крышке ларца было изображение матери с младенцем на руках.

Бедуин склонился перед стариком и поставил ларец на землю перед ним. Старец поднял руку и что-то повелительно произнес. Все его соплеменники упали на колени и закрыли ладонями глаза. Только молодой переводчик подполз на коленях еще ближе к девушке, чтобы переводить ей слова старика.

— Никто, кроме тебя, госпожа, не может видеть содержимое этого ларца! — значительно произнес старец.

Он осторожно поднял черную крышку и вынул из ящичка странное, тускло блестящее кольцо из незнакомого металла.

– Дай мне твой талисман! – приказал хранитель Ключа.

Маша протянула ему пентагондодекаэдр.

Старик вложил легкий шарик в середину кольца, и со странным звуком два этих предмета соединились, слились в одно целое. На ладони старца лежало что-то напоминающее планету Сатурн – шар, окруженный плоским блестящим кольцом. Причем Маше показалось, что кольцо это быстро вращается.

– Прими, госпожа, Великий Ключ вместе со своей судьбой! – проговорил старик гулким и удивительно молодым голосом. – Моя миссия на этом закончена!

Маша испуганно попятилась, но потом взяла себя в руки, шагнула вперед и приняла из рук старца удивительный предмет. Ключ показался ей одновременно горячим и ледяным.

Неожиданно наступила невероятная, оглушающая тишина. Затих ветер, смолкли звуки пустыни. Маша подняла взгляд, оторвав его от удивительного Ключа, и увидела Старца.

Хранитель сидел в прежней позе, но из его тщедушного тела словно ушли жизнь и сила. Руки безвольно упали на колени, и незрячие глаза закрылись.

– Святой Старец умер! Он удалился к своим великим предкам! – громко воскликнул переводчик и повторил эти же слова на своем непонятном языке.

Ночь огласилась горестными криками осиротевших соплеменников.

Казалось, что потомки крестоносцев забыли о Машином присутствии. Они полностью отдались своему горю, нисколько не заботясь о том, какое впечатление могут произвести на постороннего человека. Маша присела в стороне, под скалой, на охапку ветвей и задумалась о том, что ей делать дальше, как поступить. Без помощи бедуинов она не смогла бы даже вернуться в Каир...

Ее невеселые размышления были прерваны молодым переводчиком. Он подошел к девушке, почтительно поклонился ей и сказал:

— Прости, госпожа, что мы так предались своему горю. Святой Старец был для нас всем, он был больше, чем отцом для нас. Его смерть — это больше, чем смерть обычного человека. Это конец существования всего нашего племени. Теперь нам не для чего жить. Наша миссия закончена. Но у меня есть еще долг, и я его не забыл. Прежде чем послать нас за тобой, старец призвал меня и сказал, чтобы после разговора с ним я препроводил тебя в место, которое называется Абд-аль-Касим. Как гласит пророчество, именно там свершится твоя судьба.

Обратный путь по горной тропе показался Маше еще труднее. Спуск вообще труднее подъема, а тут на нее навалилась бесконечная усталость от всего пережитого за день. Силы почти оставили девушку, и если бы не молодой спутник, она наверняка сорвалась бы с тропы и рухнула в пропасть. То и дело из-под ее ноги скатывались камни, с грохотом пролетая по крутой осыпи.

Наконец спуск закончился, и они оказались на краю пустыни. Молодой бедуин сложил руки рупором и издал прежний то ли лающий, то ли хохочущий звук. Из-за скалы отозвался точно такой же голос, и через минуту из темноты появился молчаливый погонщик, ведущий в поводу двух верблюдов.

Благородные животные послушно опустились на землю. Бедуины помогли Маше сесть на того же белого дромадера, на котором она в начале ночи проделала путь через пустыню, чтобы встретиться со Святым Старцем. Переводчик объяснил ей, что только это белоснежное животное достойно нести ее, в чьих жилах течет благородная королевская кровь. Сам он сел на второго верблюда, светло-коричневого, издал короткое гортанное восклицание, и снова началась бесконечная скачка через ночную пустыню. Впрочем, это только условно можно было назвать скачкой. Верблюды неслись плавной, мягко раскачивающейся иноходью, так что Маша начала понемногу задремывать. Ей казалось, что она плывет на лодке по гладкому широкому озеру, и на далеком берегу ее ждет близкий, любимый человек… вот только лица его она никак не могла разглядеть. Лодка раскачивалась, она схватилась за ее борта, чтобы не свалиться в воду, и проснулась от окрика своего проводника:

— Госпожа, проснись! Не упади с верблюда! Скоро мы подъедем к Каиру!

Действительно, далеко впереди, немного ниже их дороги, показалась яркая россыпь огней ночного города. Верблюды ускорили ход, словно почувствовав, что впереди их ждет вода и, возможно, отдых.

Ночью в пустыне было холодно и, как ни странно, очень сыро: воздух отдавал накопленную влагу. Маша зябко ежилась и не могла дождаться, когда же наконец завершится эта ночная скачка.

И вдруг, когда она меньше всего ждала каких-то неожиданностей, сбоку наперерез их маленькому каравану выехал из темноты джип с погашенными фарами.

— Берегись, госпожа! — крикнул бедуин, поворачивая своего верблюда и вытаскивая из седельной сумки винтовку с коротким стволом. — Я отвлеку их, спасайся!

Легко было сказать! Маша совершенно не умела управлять верблюдом. Хотя, кажется, это умное животное не нуждалось ни в каком управлении. Белоснежный верблюд повернул в сторону и, кажется, удвоил скорость. И в это время сзади прогремел выстрел. Маша оглянулась и увидела, как ее проводник на своем верблюде зигзагами несется рядом с джипом и пытается попасть из винтовки по колесам. Но он успел выстрелить только один раз: послышалась автоматная очередь, и молодой кочевник слетел с седла и рухнул на песок под колеса машины. Оставшийся без наездника верблюд поднял морду к луне и издал долгий, жалобный рев.

Джип объехал труп бедуина и на полной скорости устремился за Машей. Ее белый верблюд несся прочь, сколько было сил, но мощный мотор делал свое дело, и расстояние между Машей и ее преследователями неуклонно сокращалось.

Снова сухо протрещала автоматная очередь, и верблюд споткнулся, его длинные ноги подломились, и огромное животное рухнуло на холодный песок ночной пустыни. Маша вылетела из седла, перелетела через труп верблюда и упала на сырой плотный песок. Рядом с ней затормозила машина, хлопнули дверцы, прозвучали шаги двух человек.

— Кретин, зачем ты стрелял! — прозвучал знакомый голос. — Если она погибла, я закопаю тебя в одну могилу с ней!

— Азраил, она могла уйти! — отозвался второй человек и наклонился над Машей, обдав ее запахом крепкого дешевого табака. — Да нет, все в порядке! Она жива! — и сильные руки рывком подняли Машу на ноги.

— Твое счастье! — проговорил Азраил.

Девушку поволокли к машине.

— Что вам от меня нужно? — слабым, измученным голосом спросила она. — Как вы со мной обращаетесь?!

— Ах, ну да! — прозвучал рядом с ней насмешливый голос Азраила. — Ведь с тобой нужно обращаться как с особой королевской крови! Извини, я забыл!

Ее втолкнули на сиденье джипа. Азраил сел рядом, закатал рукав, обнажив Машину руку, и неожиданно в его руке появился шприц. Маша изумленно вскрикнула, попыталась протестовать, но игла уже вошла под кожу, и через несколько секунд все вокруг затянуло розовым колеблющимся туманом.

Дмитрий Алексеевич пожалел, что сел в эту машину. Старый «Форд» дребезжал, дверцы его грозили отвалиться, мотор кашлял, как старый курильщик, и то и дело норовил заглохнуть. Тем не менее лихой водитель выжимал из своего антиквариата сумасшедшую скорость, обгонял другие машины и при этом еще напевал марш из оперы «Аида».

Промчавшись мимо застывшей в темноте громады мечети, «Форд» резко развернулся и затормозил с душераздирающим скрежетом. Старыгин не сомневался, что при таком торможении от машины отвалится капот или мотор, но этого не произошло. Водитель обернулся и с какой-то странной интонацией проговорил:

– Приехали! Абд-аль-Касим!

Старыгин расплатился, дав щедрые чаевые, и выбрался из машины, с трудом справившись с проржавевшей дверью. Едва он ступил на тротуар, древний «Форд» резко сорвался с места и с дребезгом и грохотом исчез из поля зрения.

Наступила тишина, нарушаемая только негромким журчанием. Не верилось, что вокруг раскинулся многомиллионный город.

Старыгин пошел в том направлении, откуда доносилось журчание, и увидел открытую калитку в высокой беленой стене. За этой калиткой виднелся большой сад с прямыми широкими дорожками, в центре его – цветник, посреди которого журчал фонтан. Белые цветы светились в полутьме ночи, распространяя пряный аромат.

Неожиданно из тени под стеной выскользнула невысокая фигура. Старыгин попятился, но незнакомец стремительно подскочил к нему и прижал к левому боку сверкнувший в темноте клинок. Сверкнув белками глаз, человек что-то яростно проговорил по-арабски. Старыгин уже мысленно простился с жизнью, но в последний момент, повинуясь внутреннему голосу, торопливо проговорил:

— Та, у которой тысяча лиц!

Незнакомца словно подменили. Он спрятал нож, угодливо склонился перед Старыгиным и проговорил на ломаном английском:

— Пойдемте, господин! Скоро начнется! Простите мою грубость, но вы знаете, как мы должны быть осторожны!

— Все верно, — кивнул Старыгин, разглядывая того, кто только что чуть не лишил его жизни.

Это был араб лет пятидесяти, со смуглым, изрытым оспой лицом и густыми, коротко подстриженными усами. Выпуклые глаза светились в темноте, как глаза ночного хищника.

Араб развернулся и вошел в калитку, сделав Старыгину знак идти следом.

Они быстро миновали ночной сад, полный свежести и благоухания, вошли в высокую дверь, покрытую тонкой изящной резьбой. За этой дверью оказался просторный холл, вымощенный цветной узорной плиткой и освещенный несколькими медными фонарями, укрепленными на кованых кронштейнах.

— Сюда, господин! — проговорил проводник и открыл низкую, окованную медью дверцу.

За ней оказалась лестница, круто уходящая вниз. Старыгин на секунду задержался на верхней площадке, подумав, не делает ли он большую ошибку, следуя за этим подозрительным человеком. Впрочем, если бы тот хотел убить его, он мог бы сделать это раньше, на улице перед входом в сад…

– Идемте же, господин! – окликнул его проводник. – Скоро начнется!

Старыгин быстро зашагал по лестнице.

Вскоре она закончилась, и начался длинный сводчатый коридор, по сторонам которого виднелись многочисленные темные помещения.

Судя по всему, Дмитрий Алексеевич оказался в большом подвале под одним из старинных каирских дворцов.

Проводник уверенно шел по коридору, изредка сворачивая то в одну, то в другую сторону. Было видно, что он очень хорошо знал дорогу. Старыгин пытался запомнить все эти повороты, но очень скоро сбился и понял, что без провожатого он отсюда не выберется.

Наконец проводник остановился перед высокой запертой дверью, обитой чеканной медью. Он несколько раз ударил в дверь подвесным молотком, отчего под сводами подвала раскатился густой долгий звук.

Возле двери стоял открытый шкаф с резными дверцами черного дерева. В этом шкафу висели несколько длинных черных плащей с капюшонами. Повинуясь все тому же внутреннему голосу, Старыгин протянул руку, взял один из плащей и надел его, низко опустив на лицо капюшон.

Гулкий звук от ударов проводника затих. Дверь распахнулась, и на пороге появился высокий широкоплечий человек в таком же, как у Старыгина, черном плаще с капюшоном.

– Кто стоит на пороге? – произнес он по-латыни.

– Перевозчик душ! – отозвался на том же языке проводник.

– Принимаю от тебя заботу об этой душе! – проговорил человек в плаще и отступил в сторону.

Старыгин склонился, чтобы его лицо не было видно из-под капюшона, и вошел в дверь.

За ней оказался огромный, ярко освещенный зал, похожий то ли на бальный зал дворца, то ли на внутреннее помещение собора. Каменные стены были покрыты тонкой, удивительно искусной резьбой, на высоте более десяти метров вдоль них проходила узкая деревянная галерея. Окон в этом зале не было, но в противоположной от входа стороне был огромный витраж, подсвеченный изнутри тусклым красноватым светом. Витраж этот изображал изогнувшееся перед прыжком чудовище – полуящерицу, полузмею, покрытое сверкающей чешуей монстра со второй, маленькой головой на хвосте. То самое чудовище, которое было изображено на картине в Эрмитаже.

Обе пасти монстра были приоткрыты, и из них высовывались два красных раздвоенных языка. Чудовище смотрело, кажется, прямо в глаза вошедшему в зал Старыгину, и в этих глазах читался весь ужас, вся ложь, весь бесконечный цинизм мира... Дмитрию Алексеевичу показалось, что он заглянул в ад.

Изображенное на витраже чудовище так привлекло его внимание, что он не сразу заметил наполнявших зал людей.

Их было много, может быть, несколько сотен, но в огромном помещении не было тесно, и каждый человек здесь был как бы отдельным, самостоятельным островком, никто не разговаривал, все сторонились друг друга, как будто каждый хранил свою собственную страшную или постыдную тайну. И при том, что они не разговаривали друг с другом, зал был наполнен ровным, неумолчным гомоном, как будто каждый человек безостановочно говорил сам с собой или повторял одну и ту же нескончаемую молитву.

Все были, как и Старыгин, одеты в длинные черные плащи, и капюшоны скрывали лица присутствующих. И во всех фигурах, в том, как напряженно они держались, как медленно перемещались по залу, повернувшись в одну и ту же сторону, чувствовалось нетерпеливое и вместе с тем настороженное ожидание. Все присутствующие чего-то ждали, и в то же время чего-то страшились.

Старыгин медленно двинулся вперед, стараясь ни с кем не сближаться, старательно обходя облаченные в длинные плащи фигуры.

Там, в дальнем конце зала, под витражом, изображающим древнее чудовище, стояло что-то вроде алтаря, на котором виднелась огромная книга в черном кожаном переплете. Возле алтаря на каменных плитах тускло светилась жаровня из кованой меди, и над ней курился голубоватый дымок, медленно расползаясь по залу. Позади алтаря, возле самой стены, стоял громоздкий саркофаг из черного камня.

Двигаясь к алтарю, Дмитрий Алексеевич случайно бросил взгляд на стену и разглядел покрывавшую ее каменную резьбу.

Он никогда не видел ничего подобного. Вся стена была покрыта переплетающимися, извивающимися чудовищами – василиски, амфисбены, мантикоры и другие адские создания сражались между собой, совокуплялись, пожирали друг друга, перетекали одно в другое, превращались в новых, еще более чудовищных монстров. Вот василиск с чудовищным хвостом амфисбены, вот другой – с двенадцатью когтистыми лапами, а у этого выросли за спиной кожистые крылья летучей мыши…

Старыгин вздрогнул и отвернулся от стены, пораженный и взволнованный страшной фантазией древнего мастера.

Неожиданно в высоте, над головами присутствующих, раздался долгий, протяжный, тоскливый звук, напоминающий колокольный звон, но чем-то неуловимо от него отличающийся. Этому звуку ответили хриплые голоса труб.

Все присутствующие затихли и замерли, дружно повернувшись в сторону алтаря.

На возвышении за алтарем появился еще один человек. Так же, как остальные, он был одет в длинный черный плащ с капюшоном, закрывающим лицо, но в его фигуре, в его осанке чувствовались уверенность и сила.

Старыгин понял, что это – тот же самый человек, которого он видел в Риме, в святилище под катакомбами святой Присциллы, тот, кого Азраил называл Повелителем.

Звуки труб смолкли, и Повелитель поднял руку, как бы требуя внимания. Впрочем, это было совершенно излишне, все взоры и так были прикованы к нему, все присутствующие и так внимательно ловили каждое его слово.

И тогда он запел.

Старыгин внутренне был готов к тому, что произойдет, потому что помнил сцену в катакомбах, но все равно та странная песня, что зазвучала в каменных стенах святилища, невольно захватила его. Напоминающая католический хорал, но несравненно более древняя и мрачная, эта песня наполнила его тоскливым предчувствием чего-то ужасного и неминуемого и вместе с тем вызвала желание присоединиться к мрачному хору, стать одним из посвященных, слиться с ними… Казалось, что стены расступились, вокруг раскинулась безграничная степь, по которой бежали люди с пылающими дымными факелами, то ли кого-то преследуя, то ли от кого-то убегая, и Старыгин был одним из них…

Он почувствовал опьянение от этого бега, его голова кружилась, казалось, еще немного, и он утратит самого себя, утратит собственное «я», сольется со своими попутчиками, со своей стаей…

Он встряхнул головой, сбросив жуткое наваждение, и огляделся. Все окружавшие его люди были захвачены пением, они раскачивались в такт мелодии, у некоторых упали капюшоны и стали видны лица – мужские и женские, старые и молодые, но одинаково опустошенные, с полузакрытыми глазами...

Старыгин повернулся к алтарю и увидел Повелителя. Он один не пел; начав эту древнюю песню и убедившись, что все присутствующие подхватили ее и подпали под ее власть, он замолчал и теперь медленно обводил зал взглядом, как бы проверяя свою паству. Вот он повернулся в сторону Дмитрия Алексеевича. Лица его по-прежнему не было видно, но из темноты, скрывающейся под капюшоном, блеснули яркие, внимательные, все замечающие глаза. Старыгин приоткрыл рот, делая вид, что подпевает своим соседям, и всей своей фигурой изобразил опьянение древней музыкой. Тем не менее внимательный взгляд Повелителя подозрительно задержался на нем, и только через бесконечно долгую секунду переместился дальше.

Оглядев свою паству, Повелитель отступил в сторону и бросил на тускло рдевшую рядом с алтарем жаровню несколько крупных красноватых зерен. Струящийся над жаровней сизый дым стал гуще. Старыгин почувствовал его сладковатый, дурманящий аромат и невольно задержал дыхание.

Пение прекратилось так же неожиданно, как и началось. Несколько секунд в зале царила напряженная, гнетущая тишина, затем люди зашевелились, как бы оживая или просыпаясь после тяжелого, мучительного сна, полного кошмаров.

И тогда, не давая им опомниться, Повелитель заговорил.

– Братья! Вы верно и преданно служили мне. Нет, не мне – вы служили нашему общему Повелителю, более древнему, чем сама Земля. Ваше служение не пропадет напрасно, каждому из вас воздастся сторицей. Как было предсказано, вы будете равны богам. Безграничная власть, бесконечная жизнь, полная невиданных радостей и наслаждений, – вот что ждет вас. Остальные же, те, кто молился своим слепым богам или жил, закрыв глаза и не задумываясь о завтрашнем дне, – они будут ввергнуты в пучину ада! – И Повелитель показал на стены зала, покрытые чудовищной резьбой.

По рядам прокатился одобрительный гул.

Выждав, когда все затихнут, повелитель снова поднял руку и продолжил:

– Я не раз повторял вам эти слова, и вы вправе спросить: когда же? Нам надоело ждать!

Ряды слушателей задвигались, раздались голоса:

– Нет, мы готовы ждать! Мы верим тебе, Повелитель!

Человек перед алтарем взмахнул рукой, как опытный дирижер, и тут же снова наступила тишина.

– Да, ожидание было слишком долгим. Тысячу лет верные служители Великой Силы ждали, когда наступит это мгновение. Многие поколения преданно несли свою службу и сходили в могилу, так и не дождавшись, так и не получив воздаяния. Но вам повезло несравненно больше, потому что великий миг наконец настал! В наших руках все три святыни: Образ, Кровь и Ключ!

По рядам прокатился глубокий, взволнованный вздох. Все застыли в немом ожидании.

Старыгин сжал руки и невольно вскрикнул: неужели они захватили Машу и сейчас произойдет что-то страшное, что-то непоправимое?

К счастью, никто не обратил на этот крик внимания: все были слишком захвачены тем, что происходило перед алтарем. Кроме того, его крик могли принять за проявление радости в преддверии давно ожидаемого чуда.

Повелитель повернулся и широко взмахнул рукой.

Этот человек был настоящим мастером театральных эффектов.

Сразу после его взмаха за алтарем, на стене, расположенной под витражом с изображением древнего чудовища, распахнулось небольшое окно, за которым оказалась ярко освещенная картина.

«Мадонна Литта». Та самая картина, за которой Старыгин колесил по двум континентам. Та картина, из-за которой ему пришлось бросить свою спокойную, налаженную жизнь.

– Образ! – пробежал по залу восхищенный крик. Люди в черных плащах двинулись вперед, стремясь приблизиться к алтарю, к тому, что должно произойти на их глазах.

– Образ! – подтвердил Повелитель и снова повернулся к залу, сжимая в руке какой-то продолговатый темный предмет.

Вглядевшись в этот предмет, Старыгин узнал каменную призму с изображением Исиды, найденную им в подземелье возле пирамиды Хефрена.

– Ключ! – как один человек, воскликнули все присутствующие.

– Ключ! – повторил Повелитель и так повернул каменную печать в своей руке, чтобы каждый в зале смог ее разглядеть.

– Но где же Кровь? – в страстном нетерпении выкрикнул кто-то из первых рядов.

Повелитель словно ждал только этого выкрика, послужившего сигналом для следующего действия, разыгрывающегося на глазах потрясенных зрителей спектакля.

– Вот она! – воскликнул он, подняв руку и хорошо рассчитанным взмахом указав на что-то, находящееся высоко над головами присутствующих.

Все участники действа обернулись и подняли головы, чтобы проследить за этим жестом. Старыгин точно так же, как все, повернулся и увидел, что по узкой резной галерее, опоясывающей зал на большой высоте, двигаются два человека в таких же, как у всех прочих, черных плащах. Несмотря на эти длинные и бесформенные одеяния, было видно, что первый из двух людей – женщина, а идущий следом за ней – мужчина, причем мужчина удивительно высокий и худой, так что плащ висел на нем, как на вешалке, и развевался, обметая длинные худые ноги.

Несмотря на худобу, фигура мужчины излучала нечеловеческую силу и болезненную, лихорадочную энергию. Женщина же, напротив, двигалась как автомат, опустив голову и безвольно переставляя ноги.

– Вот она, та, кого мы так долго искали! Сосуд священной королевской крови, та, кто поможет снять древнее заклятье и открыть для нас двери рая, врата могущества!

Слова Повелителя потонули в криках радости. Весь зал ликованием встретил приближающихся по галерее людей.

Старыгин подумал, как тонко и безошибочно организовано это действо. Появление новых персонажей над головами зрителей, на галерее, многократно усилило психологический эффект. Однако он почти не сомневался, что женщина в плаще – это Маша, и не мог понять, почему она послушно идет туда, где ее ожидает неизвестная участь, а скорее всего – смерть.

Двое новых участников действа медленно, как во сне, спустились по узкой ажурной лесенке и очутились за алтарем, рядом с Повелителем. Тот повернулся и резким жестом сбросил капюшон, закрывавший лицо женщины.

Старыгин издал стон, заглушенный радостными восклицаниями его соседей. Как он и ожидал, это была Маша.

– Вот она! – прокричал Повелитель, перекрывая шум зала. – Вот она, наследница великих королей, чья кровь откроет для нас священные врата! Вот она, та, которой суждено завершить наше тысячелетнее ожидание! Поклонитесь принцессе, дети мои!

Все присутствующие, как один человек, упали на колени. Старыгину пришлось сделать то же самое, чтобы раньше времени не привлечь к себе внимание Повелителя или кого-нибудь из его подручных. Опустившись на колени, он осторожно передвинулся вперед, стараясь оказаться как можно ближе к алтарю и к главным героям трагедии.

Шум в зале постепенно затих, и воцарилась напряженная, звенящая тишина. Именно ее ждал Повелитель, чтобы приступить к следующей части своего плана. Он поднял руку, требуя внимания, хотя каждый человек в этом зале и без того не сводил с него глаз, и без того задерживал дыхание, чтобы не пропустить ни одного слова.

И вдруг, когда он уже готов был заговорить, внезапное вмешательство нарушило настороженную тишину зала.

Высокий человек, стоявший за его спиной, резким движением сбросил с головы капюшон, открыв лицо, узкое и худое, как профиль на стертой от времени старинной монете, и шагнул вперед, уставившись на Повелителя своими разноцветными глазами.

– Повелитель! – воскликнул он хриплым, взволнованным голосом, дрожащим от напряжения, как туго натянутая струна.

– Что тебе, Азраил? – недовольно откликнулся Повелитель, повернувшись к своему подручному, как к докучному насекомому, отвлекающему его от важного дела.

– Повелитель! – повторил Азраил, сделав еще один шаг. – Верно ли я служил тебе?

— Ты служил не мне, — ответил ему недовольный голос из-под капюшона, — ты служил Иной Силе и Высшему, тому, у чего нет имени и названия!

— Да, это так, но я исполнял каждое твое слово! Я был послушным орудием в твоих руках!

— И чего же ты хочешь за свою верную службу? — в голосе Повелителя явственно прозвучала насмешка.

— Позволь мне совершить великий ритуал! Позволь пролить Кровь и вставить Ключ в замок Вечности!

— С Вечностью нельзя торговаться, — отозвался Повелитель. — Но Иная Сила, чью волю я исполняю, милосердна, и я позволю тебе сделать то, о чем ты просишь!

— Благодарю тебя, Повелитель! — воскликнул Азраил и упал на колени перед алтарем.

— Встань и приготовься, — приказал ему Повелитель.

Азраил сбросил с плеч длинный плащ, оставшись в черном облегающем костюме, еще больше подчеркивающем его удивительную худобу, и взял в руки широкий каменный нож, лежавший на алтаре между страницами книги. По залу, как легкий ветер по траве, пробежал взволнованный шепот.

— Приготовьтесь и вы, братья! — воскликнул повелитель. — Скоро произойдет то, чего мы ждали тысячу лет!

Он перевернул страницу лежавшей на алтаре книги и начал читать молитву на незнакомом Старыгину языке, казавшемся древним, как само время.

С каждым словом этой молитвы свет в зале понемногу тускнел, и когда прозвучало последнее слово, большая часть помещения погрузилась во тьму, только главные действующие лица предстоящей трагедии и алтарь с лежащей на нем книгой были ярко освещены тревожным багровым светом. И еще ярко горел подсвеченный изнутри витраж, особенно злобные глаза чешуйчатого монстра.

– Приступай! – приказал Повелитель, повернувшись к Азраилу.

Тот схватил за плечо безвольно стоящую девушку и подвел ее к стене, на которой была укреплена картина. Свет тут же переместился, ярко осветив лик Мадонны. Азраил поднял каменный нож... Но тут Старыгин, вплотную подобравшийся к алтарю, схватил огромную книгу в черном переплете и бросил ее в голову разноглазого убийцы. Азраил злобно вскрикнул, покачнулся и выпустил девушку. Старыгин в два прыжка подскочил к ней, схватил за руку и потащил прочь от алтаря. Маша не сопротивлялась, но и не помогала своему спасителю, она только безвольно переставляла ноги и смотрела прямо перед собой пустыми, лишенными жизни глазами.

Повелитель выкрикнул какое-то непонятное слово, и из незаметной до того двери выскочили двое людей в одинаковой монашеской одежде. Они бросились к Старыгину, вырвали Машу из его рук и в мгновение ока связали реставратора обрывком грубой веревки.

Азраил выпрямился, встряхнул головой и шагнул вперед, униженно проговорив:

– Прости меня, Повелитель! Я понял, что недостоин...

В ответ ему раздался спокойный, немного насмешливый голос:

– Я уже сказал тебе, что Иная Сила милосердна! Продолжай!

Азраил снова шагнул к девушке, взял ее за руку и подвел к освещенной картине. Он поднял каменный нож... Старыгин напрягся в руках монахов, но те держали его, как в стальных тисках.

– Помни, что принцесса послужит нам на всех этапах Церемонии! – напомнил Повелитель.

Азраил кивнул и полоснул широким ножом по Машиной руке. Девушка дернулась и негромко вскрикнула. Струя крови брызнула на картину, окропив нежное лицо Мадонны. Старыгин скрипнул зубами, не в силах помешать происходящему.

Азраил провел лезвием ножа по холсту, собрав с него кровь, и повернулся лицом к алтарю. Повелитель протянул ему каменную призму с изображением Исиды. Приложив черный камень к окровавленному лезвию, Азраил произнес несколько непонятных слов и подошел к каменному саркофагу. Только сейчас Старыгин разглядел рельеф, высеченный на темной каменной поверхности этого саркофага.

Это было условное, но полное силы и выразительности изображение женщины, кормящей грудью младенца, – Богоматери, Исиды, Мадонны, Древней Матери, Той, у которой тысяча лиц.

Азраил вставил каменную призму в отверстие, проделанное в передней стенке саркофага. В зале снова наступила напряженная, торжественная тишина. Повелитель встал перед алтарем и снова запел свою странную, гипнотическую песню. Ее тут же подхватили сотни людей, которые, казалось, только этого и ждали.

И под этот древний, удивительный аккомпанемент Азраил повернул каменный ключ в скважине.

Тут же раздался страшный скрежещущий звук, и с потолка зала обрушился огромный кусок камня. Участники церемонии продолжали петь, как будто ничего не заметили, и только несколько человек замолчали – замолчали навеки, погребенные каменным обломком.

Но на этом катастрофа не прекратилась. В разных углах зала слышались треск и грохот, и по стенам зазмеились многочисленные трещины. Тут и там рушились колонны, куски каменной облицовки обваливались, убивая и калеча облаченных в черные плащи людей. Стоны раненых смешивались с торжественным пением, но Азраил, не поворачиваясь к залу и, кажется, ничего не слыша, продолжал церемонию.

Он еще раз повернул ключ в скважине, и по крышке саркофага пробежала кривая широкая трещина. В то же время еще один огромный каменный обломок откололся от сводов зала, в какую-то долю секунды лишив жизни несколько десятков человек. Со всех сторон раздавался грохот падающих камней, крики искалеченных людей и постепенно стихающее пение. Только чудовище на витраже безмолвно и равнодушно взирало на происходящее, и его глаза горели все ярче и ярче. Да еще Повелитель стоял перед алтарем с безразличным видом, как будто все происходящее нисколько его не касается.

Огромный камень сорвался со стены и рухнул рядом с алтарем. Повелитель отступил в сторону, но по-прежнему не сводил глаз с каменного саркофага. И тут его крышка со страшным грохотом раскололась пополам. Оба обломка разлетелись в стороны, как будто их разметало взрывом, и одна из них погребла под собой Азраила. Только теперь Повелитель ожил, как будто дожидался именно этого момента. Он что-то приказал державшим Старыгина монахам. Один из них подошел к обломкам саркофага и вытащил из него странный черный ящик из незнакомого, тускло мерцающего материала. Ящик, должно быть, был очень тяжел, во всяком случае, облаченный в монашескую рясу силач с трудом поднял его. Сам Повелитель вытащил из рамы картину Леонардо, свернул ее и спрятал под своим плащом. Повелитель отдал монахам еще одно приказание.

В стене под витражом открылась маленькая дверца, и монахи повели туда вяло сопротивляющегося Старыгина и безвольно передвигающуюся Машу. Повелитель замыкал шествие. Напоследок он бросил взгляд на свою гибнущую паству. В зале почти не осталось живых, стены все еще рушились, но из каких-то уголков все еще доносились отдельные голоса, поющие древнюю песню.

За дверью оказался узкий темный коридор. Миновав его и поднявшись по скрипучей деревянной лестнице, маленькая группа оказалась перед еще одной дверью. Первый из монахов толкнул ее, и воздух сразу стал свежее. Один за другим все вышли наружу и оказались на пустынной ночной улице. В небе горели крупные южные звезды, пахло цветами и ванилью.

Невдалеке от двери стоял черный автомобиль с погашенными фарами.

Повелитель взмахнул рукой, и автомобиль подкатил ближе. Монахи втолкнули Старыгина и Машу на заднее сиденье, Повелитель сел рядом с молчаливым шофером.

В полном молчании поехал автомобиль по ночному Каиру, и за всю дорогу не было сказано ни слова, только Маша тихо стонала и мотала головой, точно пыталась пробудиться от тяжелого сна.

Старыгин долго гадал, куда их везут.

Тихие безлюдные кварталы сменились ярко освещенными улицами, на которых никогда не спят. Из кофеен и ресторанов неслась тягучая восточная музыка, по тротуарам шли веселые компании, многие прохожие явно были подвыпившими, несмотря на строгий запрет пророка.

Затем снова пошли темные улицы, потом – безлюдные пустыри, освещенные лишь неверным светом луны, наконец машина свернула на узкое шоссе и через несколько минут въехала на летное поле небольшого частного аэродрома.

Самолет уже дожидался пассажиров.

В прежнем безмолвии в него перенесли таинственный черный ящик, извлеченный Повелителем из саркофага, перевели Старыгина и Машу, которая уже начала понемногу приходить в себя. Их поместили в салоне, под охраной все тех же молчаливых монахов.

Повелитель, по-прежнему скрывая лицо под капюшоном, прошел в кабину пилота, и самолет вырулил на взлетную полосу.

Короткий разбег – и сверкающий россыпью огней ночной Каир остался далеко внизу.

– Куда мы летим? – спросил Старыгин одного из мрачных охранников, но это было так же бесполезно, как задавать вопросы каменному сфинксу или великой пирамиде.

Старыгин выглянул в окно и увидел, как внизу проплыла темная полоса пустыни, затем снова загорелись огни большого города, судя по всему, Александрии, потому что после тускло заблестела поверхность моря. Вскоре самолет поднялся над облаками, и можно было только догадываться, что его курс лежит обратно в Европу.

Старыгин попытался ослабить веревку на руках, но охранник тут же заметил его попытку и больно ткнул кулаком в бок.

– Дали бы хоть кофе, – проворчал Дмитрий Алексеевич. – Для ужина, конечно, поздновато…

Как и прежде, никакого ответа на его слова не последовало.

Небо в иллюминаторе начало светлеть. Часы были на запястье, запястье было за спиной, туго перетянутое веревкой, и оставалось только гадать, сколько времени длится полет, но Старыгину казалось, что они летят уже не меньше трех часов. Наконец самолет начал медленно снижаться.

– Безобразный сервис, – не прекращал Старыгин попыток разговорить охранников. – Нет чтобы вышла симпатичная стюардесса и объявила, что мы через двадцать минут прибываем в аэропорт города Милана, температура в Милане двадцать пять градусов…

Самолет коснулся колесами земли, слегка подпрыгнул и покатился по дорожке. Наконец он остановился, мотор стих. Пассажиров все так же без единого слова вывели наружу и усадили в черный автомобиль, точно такой же, как тот, в котором они ехали по Каиру.

– Такое впечатление, что мы сделали круг и прилетели обратно, – без надежды на ответ проговорил Старыгин.

Впрочем, здесь воздух был суше и прохладнее, чем в Каире. Несомненно, они вернулись в Европу. В машину принесли таинственный черный ящик, Повелитель занял свое прежнее место, и машина выехала с аэродрома.

Некоторое время дорога извивалась среди ночных виноградников, обнесенных невысокими каменными оградами, потом потянулись бесконечные складские и хозяйственные постройки, говорящие о приближении большого города. Наконец показались высотные дома новостроек, и Старыгин, напряженно вглядывавшийся в строения за окном, узнал знаменитый римский район ЭУР.

«Как я и подозревал, мы вернулись в Рим, – подумал он. – Все закончится, как и началось, в Вечном городе… впрочем, закончится ли?»

Новостройки сменились старыми районами, вместо широких проспектов пошли узкие извилистые улочки, затем машина выехала на виа Деи Коронари, а оттуда – на древнюю набережную Тибра. Свернув в сеть переулков недалеко от моста Сан-Анджело, она еще немного попетляла и остановилась перед воротами в высокой каменной стене, на которой Старыгин разглядел чудом сохранившийся полустертый герб – змея, обвивающая раскидистое дерево.

Водитель вышел из машины, открыл ворота, и автомобиль медленно въехал во двор.

Здесь царили глубокая тишина и запустение, свойственные многим старым домам, знавшим долгую и славную историю, которая давно уже подошла к концу. Впрочем, здание, около которого они находились, было даже не домом, а дворцом, старинным римским палаццо, сильно пострадавшим от беспощадного течения времени. Стены палаццо грозили обвалиться, во многих окнах не хватало стекол, но здание еще сохраняло очарование старины.

Посреди двора виднелся фонтан, то есть то, что когда-то было фонтаном, – квадратный каменный бассейн с полуобвалившимися краями, статуя какого-то мифического животного в центре – то ли черепаха, то ли ящерица, разглядеть точнее Старыгин не сумел, потому что статуя тоже была тронута разрушением. В бассейне было немного воды, но скорее всего она осталась после недавнего дождя. Воздух был влажен, в нем витал аромат незнакомых цветов, аромат печали и запустения.

На стене дома, над полукруглой, покрытой сетью трещин аркой, перекрывавшей вход, сохранился такой же, как снаружи, каменный щит с гербом – змея, обвивающая раскидистое дерево.

Тот же водитель открыл дверь, и все прибывшие один за другим вошли внутрь палаццо.

В руках одного из монахов затеплилась свеча, едва озарившая помещение, в котором они оказались. При ее слабом свете можно было разглядеть только мраморные плиты пола да выделяющиеся в темноте очертания статуй. Иногда тусклый отсвет свечи случайно вырывал из темноты остатки старинной росписи на стене. Человек со свечой двинулся вперед, за ним следовал Повелитель, водитель вел Машу. Старыгин замешкался, и второй монах, замыкавший шествие, грубо толкнул его в спину.

Миновав просторный холл, процессия поднялась по широкой лестнице и оказалась в огромном темном помещении. Человек со свечой обошел его, зажигая многочисленные канделябры, и скоро все вокруг было залито их ярким красноватым светом.

Это была большая комната, нечто вроде библиотеки, со стенами, сплошь заставленными старинными книжными шкафами. В дальнем конце комнаты виднелся камин, такой огромный, что в него вполне мог бы въехать автомобиль. Посреди комнаты стоял огромный стол.

Впрочем, все в этой комнате тоже носило печать запустения. Инкрустация с книжных шкафов была ободрана, стеклянные дверцы разбиты, облицовка камина местами осыпалась, цветная лепнина потолка тоже большей частью обвалилась, персидский ковер на полу наполовину истлел и кое-где продрался, обнажив каменные плиты пола, столешница источена древоточцами, бархатные портьеры на огромных окнах изорваны в клочья.

Повелитель прошел в дальний конец помещения, сбросил на хромоногое кресло свой длинный плащ и проговорил, стоя спиной к остальным:

– Добро пожаловать в мое родовое гнездо – палаццо Сэсто!

С этими словами он обернулся и в упор уставился на гостей.

Старыгин ахнул.

Перед ним стоял его давний итальянский друг и коллега профессор Антонио Сорди.

– Антонио! – растерянно воскликнул Дмитрий Алексеевич. – Как это понимать?

– Не все можно понять слабым человеческим разумом, – ответил профессор.

– Вот почему мне показался знакомым этот голос! – проговорил Старыгин, перед которым наконец начала приоткрываться завеса тайны. – Но почему... этот дворец... какое отношение...

– Самое прямое, – Антонио гордо выпрямился. – Я подписывал свои научные работы фамилией матери, Сорди, в действительности же я принадлежу к старинному роду да Сэсто! Этот полуразрушенный дворец – все, что осталось от владений моей семьи! Но так будет недолго, слава рода да Сэсто вновь засияет на небосклоне Италии и всего мира...

– Значит, один из учеников Леонардо да Винчи, Чезаре да Сэсто...

– Мой прямой предок! – Антонио отступил от стола и величественным жестом показал на висящий над камином потемневший от времени портрет старого, желчного человека в черном бархатном камзоле.

– Но, кажется, он не был так уж предан своему учителю, маэстро Леонардо...

– Напротив! – Антонио побагровел от злости и сделал шаг вперед, словно выпад во время фехтовального поединка. – Напротив, только он один из всех его учеников сумел перенять мастерство великого художника и, может быть, даже превзойти его! А это ли не лучший способ доказать верность учителю? Ведь никто из остальных учеников Леонардо да Винчи не оставил сколько-нибудь заметного следа в искусстве, в то время как мой благородный предок...

– Чезаре да Сэсто вспоминают сейчас не чаще остальных его учеников!

– Ты глубоко ошибаешься! Знаешь ли ты, что Стендаль считал лучшей картиной, созданной Леонардо, хранящейся в Эрмитаже, «Святое семейство со святой Екатериной»? И не он один! Многие знатоки предпочитали эту картину «Джоконде» и «Мадонне в гроте»! Многие считали ее самым выдающимся живописным полотном эпохи Возрождения! Эта картина еще в конце девятнадцатого века числилась среди величайших сокровищ Эрмитажа, и только в двадцатом веке научная экспертиза установила, что она не принадлежит кисти Леонардо, а создана моим великим предком – Чезаре да Сэсто.

– Почему же о нем самом так редко говорят и пишут?

– Только потому, что сам он так захотел. Он и руководившие им тайные силы. Потому что подлинное величие должно сохраняться в тайне. Но мастерство его потрясает! Как ты можешь оспаривать это, Дмитрий? Ведь ты видел Мадонну работы моего предка! Она ничем не уступает Мадонне самого Леонардо…

– Разве может жалкая копия сравниться с чудесным оригиналом? Сказать так – все равно что сказать, что зеркало, отражающее красавицу, нисколько не уступает ей самой!

– Зеркало? – раздраженно повторил Антонио. – Он намного превзошел Леонардо! Ведь в его картине все сказано об окружающем нас злом и греховном мире! Ты смотрел в глаза царственного создания, которое покоится на руках Древней Матери? Смотрел, я знаю! Я вижу это по твоему лицу! А если ты смотрел в его глаза – значит, ты заглянул в ад! И такова была воля моего великого предка!

Голос Антонио разросся, он звучал теперь под сводами старинного зала, как некогда звучал в римском подземелье, а после – в египетском святилище… в святилище, которого больше не существует, которое погребено под каменными обломками. Глаза профессора горели безумным огнем.

– Что такое Мадонна самого Леонардо, эта ваша эрмитажная Мадонна? – продолжал Антонио, все больше распаляясь. – Это лживое, фарисейское произведение, пытающееся убедить нас, что жизнь прекрасна и Бог смотрит на нас глазами ласкового младенца! «Я с вами, я вас вижу, я не оставлю вас своей заботой»! – Антонио состроил издевательскую гримасу. — Кто может поверить в это, вспоминая флорентийскую чуму, унесшую тысячи жизней во времена Леонардо, вспоминая все войны, все моровые язвы прежних лет, вспоминая поля сражений и лагеря смерти века минувшего? Нет, мой предок сказал о нашей жизни куда более правдивые слова! Чудовищен взгляд нашего повелителя, но он правдив! Он следит за нами своим ужасным взором, и Древняя Мать, первооснова всего сущего, Та, у которой тысяча лиц, с любовью прижимает его к себе и вскармливает своим молоком!

«Да он совершенно безумен! — подумал Старыгин, отступив под горящим взглядом своего недавнего друга. — И наши жизни в руках этого ненормального!»

Он скосил глаза на Машу и увидел, что девушка начинает понемногу оживать, что на ее лице проступает румянец, а взгляд делается более осмысленным. Нужно было отвлечь хозяина палаццо, хотя бы немного оттянуть время...

— Если не ошибаюсь, твой предок принадлежал к секте змеепоклонников, — проговорил Дмитрий Алексеевич, дождавшись паузы в безумном монологе Антонио.

— Змеепоклонников? — профессор удивленно уставился на Старыгина. — Что знаешь ты о благородных александрийских офитах? Что, кроме тех глупых и пустых сплетен, которые распространяли о них христиане?

— Я знаю, что они называли себя гностиками, то есть знающими, — лихорадочно припоминал Старыгин, надеясь отвлечь безумца разговором. — Знаю, что совершенное знание и совершенную веру считали они равноценными, более того — утверждали, что это одно и то же, чем и навлекли на себя гнев христиан, для которых вера была неизмеримо выше знания...

Антонио быстро пересек комнату, снял с книжной полки старинный том в безжалостно поврежденном временем черном кожаном переплете, стряхнул с него многолетнюю пыль, бережно опустил на стол, открыл и стал читать с какого-то места, звучно и четко выговаривая латинские слова:

«Над всеми небесами есть Мрак безымянный, Мрак неподвижный, нерожденный, прекраснее и светлее всякого света, Отец непознаваемый – Молчание и Бездна. Единородная дочь его, Премудрость Божия, от отца своего отделившись, познала бытие, и опечалилась, и преисполнилась скорби. И сын ее скорби был Иальдаваоф, Бог созидающий, Бог творящий. Захотел он быть един и, от Матери отпав, погрузился в бытие еще глубже, чем она, и создал мир плоти, искаженный образ духовного мира, и создал в нем человека, который должен был отразить величие Создателя и свидетельствовать о безграничном могуществе его. Но помощники Иальдаваофа, духи стихийные, сумели вылепить из персти только бессмысленную массу плоти, пресмыкающуюся, как жалкий червь в первозданной грязи. И когда привели ее к своему владыке, Иальдаваофу, дабы он в нее вдохнул жизнь – Премудрость Божия, сжалившись над человеком, вместе с дыханием телесной жизни через уста своего неверного сына вдохнула в человека искру божественной мудрости, полученной ею от Непознаваемого Отца. И жалкое создание, прах от праха, на котором Творец хотел показать могущество свое, стало выше своего Создателя, сделалось образом и подобием не Иальдаваофа, а Бога истинного, Отца Непознаваемого. И Творец, при виде его, исполнился гнева, и устремил свои очи в самую глубь вещества, и там отразился мрачный пламень его, и сделался Ангелом Тьмы, Змеевидным, Офиоморфом, Сатаною ползучим и лукавым – Проклятой Мудростью. И с помощью его создал Иальдаваоф все царства природы, и в глубь их, как в темницу, бросил человека, и дал ему закон, и сказал: если преступишь его, смертью умрешь. Но Премудрость Божия не покинула человека и послала ему Утешителя, Духа Познания, Змеевидного, Крылатого, подобного утренней звезде, Ангела Денницы, о ком сказано: "Будьте мудры, как змеи". И сошел Ангел Денницы к людям, и сказал: "Вкусите и познаете, и откроются глаза ваши, и станете как боги"».

Антонио оторвался от книги, поднял взгляд на Старыгина и проговорил с непонятным волнением:

— Вот чему учили александрийские офиты! Вот о чем они говорили нам сквозь толщу времен! Гностики, знающие, избранники Премудрости Божией, отличаются от обычных людей, от рабов Иальдаваофа, как золото отличается от праха и глины! Рабы Иальдаваофа, сыны Змея лукавого, трепещут пред законом, дрожат в смертном страхе. Но мудрые, дети Света, посвященные в тайны Софии, попирают законы, преступают границы. Свободны они, как боги, крылаты, как духи. Во зле они остаются чистыми, никакая грязь к ним не пристает...

— Значит, могут они совершать любые злодейства, и все им будет прощено змеевидным покровителем? — перебил Старыгин своего недавнего друга.

Но тот словно не слышал его, продолжая:

— Что ты можешь знать о нем! Даже древние гностики Александрии не знали еще подлинного вида того Змеевидного, Крылатого, которого они провидели и которого почитаем мы, амфиреи! Не видели его истинного облика, пугающего и прекрасного, облика, который запечатлел на своей картине мой предок Чезаре да Сэсто! Мы пошли дальше их, и дойдем до конца, до предела! Нас много, во многих странах есть наши братья, верные слуги великого Амфиреуса, но только мне уготована великая судьба, которая свершится сегодня...

Антонио замолчал, и Старыгин воспользовался этой паузой:

— Я помню, что ты рассказывал нам в первый день по прибытии в Италию о тайных обществах. Какую цель ты преследовал своим рассказом? Запугать нас? Предупредить, чтобы держались подальше от средневековых мистических тайн?

— Ни в коем случае! — Профессор расхохотался. — Неужели ты думаешь, что я хоть сколько-нибудь боялся вашего вмешательства? Ты о себе слишком много возомнил, мой друг, если так подумал! Наоборот, я хотел еще больше разжечь ваше любопытство... в особенности любопытство твоей прекрасной спутницы. Ведь она — журналист, а эту братию хлебом не корми, только дай хоть малейшую надежду раскопать какую-нибудь древнюю тайну! А она мне очень нужна, ведь в ее жилах течет кровь королей Иерусалимских, та самая кровь, которая необходима мне в одном маленьком эксперименте... в маленьком эксперименте, который будет иметь большие последствия для всего мира!

— Слышали, слышали уже! — поморщился Старыгин. — И в подземелье под госпожой катакомб, и в святилище Абд-аль-Касим... Слышали эти истеричные вопли — «Кровь, Образ и Ключ»... И чем закончилась эта восторженная истерика для большинства твоих преданных сторонников? Смертью под каменными обломками! Тем же, чем закончились истеричные вопли о чистоте крови для огромной части сторонников мюнхенского безумца! Они нашли свою смерть в полях под Сталинградом или в горах возле Монте Кассино...

— Толпа слепа, — мрачно отозвался Антонио. — И в своей слепоте она лишена подлинной мудрости, а значит — и не достойна лучшей участи. Толпа существует только для того, чтобы послужить ступенями, по которым Избранные поднимаются к вершинам истинного знания. А что касается упомянутого тобой мюнхенского безумца… Он извратил учение, которому должен был служить. «Общество Туле», в которое Гитлер входил вместе с Рудольфом Гессом и Альфредом Розенбергом, вступало в тесный контакт с тайным орденом «Золотая Заря», основанным в 1887 году в Британии Самюэлем Мазерсом, который, по его собственным словам, не раз встречался с Высшими Неизвестными…

— С кем? — переспросил Старыгин не столько из любопытства, сколько для того, чтобы еще немного потянуть время.

— С Высшими Неизвестными, — повторил Антонио. — С теми таинственными существами, которые управляют судьбами нашего мира. Кто-то считает их выходцами с другой планеты, кто-то — подземными жителями, но Самюэль Мазерс утверждал, что несколько раз встречался с ними и что они — человеческие существа, живущие, как и мы, на Земле, но обладающие чудовищными, сверхчеловеческими способностями… И обычный человек может ценой своей жизни стать таким же, как они!

— И что — удалось этому Мазерсу стать одним из них, или он умер старым и немощным, как все остальные? — насмешливо осведомился Дмитрий Алексеевич.

— Мазерсу удалось приоткрыть только маленький краешек тайны, самый краешек черного полога, и его судьба осталась судьбой обычного человека. Видимо, он и не был достоин большего. Но мне повезло несравненно больше! — Антонио повысил голос, так что жалобно зазвенели хрустальные подвески на канделябрах. — Мне уготована великая судьба! Вскоре я стану одним из тех, для кого нет невозможного!

Он заговорил тише, как будто опасался, что его могут услышать посторонние:

— Мне попали в руки записи моего предка, Чеза ре да Сэсто, которому были известны многие с щенные тайны древнего Востока. Познав эти тайны, Чезаре пошел в учение Леонардо да Винчи, поскольку тот многому мог его научить. Сам того не подозревая, Леонардо создал картину, обладавшую огромным могуществом. Картина эта могла снимать заклятья, открывать скрытое, делать невидимое видимым. Но в ту картину Леонардо вложил число света, и для целей моего предка она не подходила. По крайней мере, так он думал… И тогда он создал свою картину, такою же мощью обладающую, но содержащую в себе число тьмы. Эта великая картина досталась мне, и благодаря ей мне открылось высшее знание. Я прочел в дневнике своего предка, как он совершил Великий Ритуал, как он попытался открыть Тайник Могущества… Из его попытки ничего не вышло, только эпидемия чумы, прокатившаяся в конце пятнадцатого века по городам Италии…

— О чем ты говоришь? – ужаснулся Старыгин. – Должно быть, ты бредишь! Как твой предок мог быть причастен к эпидемии чумы?

— Тайник Могущества – опасная вещь, – со странной усмешкой ответил Антонио. – Как ящик Пандоры, он хранит в себе много неожиданного. Открыв его, можно обрести невиданную силу и огромную власть, но за это многие должны будут заплатить своей жизнью! Мюнхенский безумец, которого мы сегодня несколько раз вспоминали, тоже попытался открыть его, и за это заплачено еще большим числом жизней… Впрочем, не будем отвлекаться! У меня нет времени на пустые разговоры. Из записей своего предка я узнал, как могу обрести несравненное могущество. Мне нужно было раздобыть три элемента, три составляющие… не буду повторять, ты уже знаешь, какие. Чезаре, предок мой, ошибался, он считал Образом свою картину, потому у него ничего и не вышло. Образ – это Мадонна Леонардо. Кровь же… Мне еще раз повезло, я встретил человека, происходившего от королей Иерусалима, чья кровь была необходима для ритуала…

– Профессора Магницкого! – воскликнул Старыгин.

Он заметил, что при имени деда Машины глаза расширились, она хотела что-то сказать, и поспешно загородил ее собой от безумца, чтобы он не заметил происшедших с девушкой перемен.

– Принца Бодуэна де Куртенэ, – уточнил Антонио, – прямого потомка древних королей.

– Скажи, почему кровь иерусалимских королей, потомков Бодуэна, так важна для тебя?

– Ты хочешь узнать опасные вещи, – усмехнулся профессор. – Впрочем, жить тебе осталось недолго, и тайна умрет вместе с тобой. Знай же, что тысячу лет назад, когда первый король Иерусалима герцог Бодуэн с братом своим Готфридом Бульонским занял святой город и взошел на его престол, в руки его попало много поразительных вещей. Крестоносцы – полудикие европейские крестьяне, жадные и суеверные – носились по городу, разыскивая гвозди от Креста Господня, мощи святых, драгоценности… Простой солдат откопал под развалинами дома копье, которым был пронзен бок Иисуса, в один день прославившись и разбогатев. Но самым драгоценным сокровищем, самой священной реликвией считался Святой Грааль, и за ним охотились все пилигримы. Они перерыли святой город, допрашивали его жителей, подвергая их жестоким пыткам, чтобы разузнать, где скрыта знаменитая святыня.

И вот, когда кто-то из них обнаружил в подземелье вооруженных людей, оберегающих некую святыню, он ни минуты не сомневался, что Святой Грааль найден. Стражи святыни готовы были сражаться за нее до последней капли крови, тем самым укрепляя подозрения крестоносцев. В конце концов они были все перебиты. Вернее, почти все: самый последний юный защитник, тяжело раненный, был вместе с предполагаемым Граалем доставлен к Бодуэну.

Вид святыни несколько охладил пилигримов. Это был ящик из непонятного металла, тяжелый и некрасивый. Кто-то предполагал, что найден Ковчег Завета, кто-то – что это сундук с сокровищами Иерусалимского храма. Никому из них и в голову не приходило, что в руки им попало величайшее сокровище Земли, тайно и свято оберегаемый Тайник Могущества.

Кто-то из воинов попытался открыть удивительную находку – и умер в страшных мучениях. Король Бодуэн допросил последнего стража. Тот приоткрыл перед ним самый краешек тайны, но и того оказалось достаточно. Бодуэн убоялся того, что узнал, и запечатал Тайник своей кровью, наложив страшное заклятье, поэтому открыть его можно тоже только кровью кого-то из его прямых потомков! Еще для этого необходим Ключ, которым заперли Тайник в глубокой древности, третье же – Образ, та картина, которой пятьсот лет назад Леонардо, сам того не зная, наложил запрет на действия моего предка...

– И что же случилось с Магницким? – спросил Старыгин.

– Я поделился с ним кое-чем из своих тайных знаний, в надежде, что принц добровольно примет участие в Ритуале, захочет разделить со мной эту великую честь, но он отказался наотрез, не захотел даже слушать меня... предпочел умереть... старый дурак! – Антонио скрипнул зубами, видимо, даже по прошествии двадцати лет он не мог простить убитого им человека.

– Так это ты подстроил его смерть! – ужаснулся Старыгин. – Это ты убил его!

– А что еще мне оставалось делать? – Антонио пожал плечами. – Старик слишком много знал! Я не мог допустить, чтобы великие тайны стали известны десяткам случайных людей! Тут еще примешался этот его приятель, профессор Манчини. Очевидно, старик доверил ему тайну. Уж слишком забеспокоился Манчини, развил бешеную деятельность, обратился в полицию! Ну этого-то мы быстро утихомирили – утонул, и все…

– Значит, это ты – тот господин С., которого профессор часто упоминает в своем дневнике! – проговорил Старыгин и тут же прикусил язык, сообразив, что выболтал лишнее.

– Господин С.? – усмехнулся Антонио. – Ну да, как ни крути – и Сэсто, и Сорди начинаются на С!

Тут до него полностью дошли слова Старыгина, и он насторожился:

– Дневник? Дневник старика сохранился? Как он попал к вам?

– Не твое дело! – грубо ответил Старыгин.

– Так значит, старый упрямец нашел все же способ передать его ей! – Антонио кивнул на Машу. – Где он сейчас?

– В безопасном месте, – поспешно ответил Старыгин. – Достаточно далеко отсюда…

– Его могут прочесть непосвященные… – озабоченно проговорил Антонио, но тут же махнул рукой. – Впрочем, после того, что произойдет очень скоро, это будет уже совершенно неважно! Все равно уже нет времени на поиски…

Он взглянул на часы и взволнованно добавил:

– Осталось всего несколько минут! Скоро наступит тот момент, которого я так ждал! Рассвет! Семь часов утра седьмого июля! Рассвет новой эпохи в человеческой истории!

– Три семерки… – почти неслышно пробормотал Старыгин.

– Да, три семерки! – торжественно произнес Антонио. – Число света!

Он оглянулся на своих безмолвных помощников и коротко приказал:

— Несите ящик к колодцу!

Монахи подхватили таинственный предмет, извлеченный из каменного саркофага в святилище Абд-аль-Касим и двинулись следом за своим хозяином.

Профессор открыл высокие двери, которые вели в сводчатую галерею с развешанными по стенам старинными гравюрами. Вся небольшая группа двинулась следом за ним. Замыкал процессию водитель, вооруженный пистолетом.

Проходя по галерее, Старыгин бросил взгляд на одну из гравюр. Она изображала муки ада. Многочисленные дьяволы терзали грешников. Кого-то они пронзали вилами, кого-то рвали на части раскаленными клещами. Среди адских созданий одно удивительно напоминало чудовище с картины Чезаре да Сэсто — страшную ящерицу с двумя головами.

Пройдя галерею, Антонио спустился по полуразрушенной лестнице в небольшой внутренний дворик и остановился. Перед ним был окруженный каменной балюстрадой колодец.

— Этот колодец выкопан в незапамятные времена, — произнес профессор, словно он был экскурсоводом, развлекающим досужих американских туристов. — Никто не знает его глубину. Во всяком случае, если бросить туда камень, звук от его падения раздастся очень нескоро! Именно возле этого колодца, по древнему пророчеству, удастся открыть Тайник Могущества!

Монахи поставили ящик возле балюстрады колодца и молча отступили в сторону.

Антонио еще раз взглянул на часы и проговорил:

— Время близится! Приступим к Ритуалу!

– Постой, – снова заговорил Старыгин. – Прежде чем ты начнёшь, ответь мне ещё на один вопрос. Для чего ты, вернее, твой человек подменил картину в Эрмитаже?

– Любопытство – худший из человеческих пророков! – поморщился профессор. – Я говорил уже, что картина Леонардо даёт возможность открыть Тайник Могущества, поэтому она была мне необходима. Но тот человек, которого я послал за картиной…

– Азраил!

– Да, Азраил… он был очень суеверен и искренне считал, что, поместив на место «Мадонны Литта» образ амфиреуса, которому он преданно поклонялся, он сможет нарушить равновесие добра и зла в мире и приблизит торжество своего страшного повелителя… я не стал ему противоречить, хотя и не хотел расставаться с картиной своего предка.

Он снова взглянул на часы и заторопился:

– Осталось всего три минуты!

Наверху, над головами людей, розовый рассветный луч осветил край стены сумрачного палаццо. Отразившись от уцелевших стёкол, он коснулся каменной кладки древнего колодца. Антонио что-то неслышно шептал и озабоченно следил за солнечным лучом. Убедившись, что он падает только на балюстраду колодца, профессор повернулся к своим бессловесным слугам и раздражённо выкрикнул:

– Свет! Солнечный свет должен падать на Тайник! Поставьте его на край колодца!

Монахи безмолвно подчинились.

– А теперь проваливайте! Проваливайте, если не хотите умереть! Ритуалу не нужны лишние свидетели!

Через минуту возле колодца остались только трое: профессор Сорди, Старыгин и Маша.

– Но теперь, когда мы одни, ты можешь честно признаться? – проговорил Старыгин. – Неужели ты действительно веришь во всю эту средневековую ахинею? Во все эти глупости вроде Святого Грааля и Тайника Могущества? Признайся, ведь это сказки для твоих недалеких последователей! Ты же – умный, образованный человек!

– Человеческими суевериями грех не воспользоваться! – Антонио усмехнулся. – Но во всей этой, как ты выразился, ахинее, есть доля правды. Этот тайник сохранился с незапамятных времен, в нем древние жители Земли, те, кого называют атлантами, спрятали культуру страшного вируса, от которого погибла их цивилизация…

– Неужели ты намерен выпустить его на свободу?

– Но у меня есть противоядие! Я выпущу на волю смерть – и я же буду дарить спасение от нее! Представляешь, какая власть сосредоточится в моих руках? И только от тебя зависит, стать ли рядом со мной или погибнуть в страшных мучениях!

– А Маша? Какую судьбу ты уготовил ей?

Антонио оглянулся на девушку, как будто только сейчас увидел ее.

– Она – только ключ к тайнику, – проговорил он пренебрежительно. – Только сосуд с кровью, необходимой для проведения ритуала, всего лишь код, при помощи которого я открою дверь к могуществу! Все! Время настало! Не отвлекай меня пустыми разговорами!

Профессор развернул картину Леонардо, приложил ее к боковой стенке ящика и внимательно вгляделся в нее. Солнечный луч коснулся лица младенца, и его взгляд озарил взволнованных людей рассветным сиянием, казалось, благословляя их и даря вечное спасение. Но Антонио не обращал внимания на выражение лица, его интересовало только расположение деталей картины и точка, в которой ее коснулся луч. Высчитав что-то, Антонио выхватил из-за пояса тонкий кинжал и ткнул его острием в центр освещенного солнцем треугольника. Старыгин ахнул – казалось, нож, повредивший картину, ударил его прямо в сердце. Хотя ему, возможно, оставалось жить совсем немного, но рана, нанесенная великой картине, причинила ему невыносимую боль.

Профессор, не обращая внимания на эмоции реставратора, отбросил картину на каменные плиты двора и повернулся к Маше.

– Руку! – выкрикнул он безумным голосом. – Правую руку!

Девушка медлила, и тогда Антонио схватил ее за руку, уколол палец кончиком кинжала и приложил к той точке, которую определил при помощи картины. Кровь, попав на поверхность таинственного контейнера, зашипела, запенилась, и вдруг в этом месте приоткрылось небольшое отверстие, словно замочная скважина.

– Получилось! – выкрикнул профессор и, выхватив из кармана каменную призму с изображением Древней Матери, попытался вставить ее в открывшееся отверстие.

Ничего не произошло.

– Форма... форма не та... – бормотал профессор, вращая каменную призму, пытаясь вставить ее другим концом. Руки его тряслись от нетерпения.

– Ключ! – выкрикнул он в бессильной ярости. – Ключ не тот!

Вдруг он повернулся к Маше и прохрипел:

– Я знаю... я чувствую... ты пыталась обмануть меня, скрыть от меня настоящий Ключ!

Старыгин бросился вперед, заслоняя собой девушку. Антонио вытащил пистолет, нажал на спуск... но курок только сухо щелкнул. Тогда профессор ударил Старыгина рукояткой пистолета в висок. Дмитрий Алексеевич покачнулся и отступил, а Антонио яростно рванул одежду девушки.

– Ключ! Отдай его, или берегись!

И вдруг Маша почувствовала на груди едва ощутимую пульсацию. Ключ, как живое существо, шевельнулся, рванулся на свободу. И она поняла, что он сам распорядится своей и ее судьбой…

– Возьми, – проговорила она, протянув на ладони шарик, опоясанный плоским мерцающим кольцом.

– Вот он! – радостно воскликнул профессор. – Вот он, подлинный Ключ! Я чувствую это!

Суетливым поспешным движением он выхватил Ключ из рук девушки и вставил в выемку тайника. Шарик встал на место, как влитой, и с негромким щелчком погрузился в стенку металлического контейнера. Тотчас тайник окутался золотистым туманом, из него послышался грохот, будто внутри этого ящика разразилась гроза.

И тут с ковчегом тайны начали происходить удивительные превращения. Стенки его, секунду назад совершенно непрозрачные, тускло отсвечивавшие матовой металлической поверхностью, засветились пепельным лунным сиянием и постепенно сделались прозрачными, как будто растаяли под робким утренним светом. Сквозь них медленно проступила, проявляясь, как любительская фотография в кювете с проявителем, внутренность ковчега. Маша ахнула от ужаса.

Внутри ковчега, свернувшись, как младенец в утробе матери, покоился чешуйчатый монстр, напоминающий огромную уродливую ящерицу с двумя головами: одна на обычном месте, другая, маленькая – на массивном, изогнутом хвосте. Это было то самое чудовище, которое предок профессора, Чезаре да Сэсто, изобразил на своей кощунственной картине.

Вдруг монстр шевельнулся, как будто что-то прервало его тысячелетний сон. Он потянулся, приподнял голову – большую из двух – и открыл глаза, приподняв тяжелые кожистые веки. Сквозь стенки ковчега взгляд чудовища нащупал Машу. Голова девушки закружилась, она почувствовала отвратительную тошную слабость. Взгляд древнего зверя словно пронзил ее насквозь, лишив воли и способности к сопротивлению. Как ни страшен был взгляд на картине, но в этом читалось куда большее средоточие зла, древнего и мрачного, как само время.

И словно этого было мало, открылись глаза на второй, маленькой голове и так же, как первые, нащупали своим взором Машу. Этот взгляд казался еще отвратительнее первого, потому что в нем была не только застарелая ненависть ко всему живому, но и гнусная, издевательская насмешка над жизнью.

Монстр расправил короткие когтистые лапы и потянулся, как выспавшийся кот, на мгновение сладко зажмурив все четыре глаза. В это мгновение воля вернулась к Маше, она протянула руку и прикоснулась к впечатанному в стенку ковчега пентагондодекаэдру, словно прося его о помощи. Ведь ей подарил его дед, передал ей, как талисман, призванный уберечь от любой опасности… ведь он отдал его ей, тем самым лишившись защиты, из-за чего, может быть, и погиб…

Талисман словно только и ждал этого прикосновения. Он тихонько запел, зажужжал, как большой полосатый шмель, и начал медленно вращаться.

В то же время монстр, заключенный в ковчег, окончательно проснулся, широко открыл глаза и выгнул спину, упершись ею в верхнюю стенку своей темницы. Короткие лапы уперлись в пол, он напрягся, и Маша поняла, что еще немного — и ковчег треснет, как яичная скорлупа, выпустив на волю своего ужасного пленника. Не хотелось даже думать, к чему это приведет. Перед внутренним взором девушки возникли странные, чудовищные картины – поля, покрытые пеплом и трупами, реки, багровые от крови, смрад горящих городов…

Но тихий звон, издаваемый вращающимся талисманом, становился все громче, все слышнее и наконец заполнил собой весь внутренний двор палаццо да Сэсто. В то же время внутри ковчега засверкали короткие ослепительные молнии, пронзая чешуйчатое тело амфиреуса. Чудовище замерло, пытаясь разобраться в своих ощущениях. На его большей морде возникло недоумение, с каким всякий сильный хищник, не знающий достойных врагов, встречает неожиданный отпор. Недоумение сменилось детской обидой, словно у чудовища отняли обещанную игрушку – целый мир, который он приготовился осквернить и опустошить своим губительным дыханием. На смену обиде пришла гримаса боли, и зверь задергался, подгибая то одну, то другую лапу. Наконец он упал на дно ковчега, пытаясь когтистыми конечностями закрыть голову от разящих молний.

В то же мгновение Старыгин, до того в изумлении наблюдавший за происходящим, бросился к ковчегу, уперся в него руками и попытался столкнуть ящик в колодец. Наперерез ему устремился профессор Сорди. С жутким криком он схватил соперника за плечо и попытался оттащить его от своего тайника. Лицо профессора совершенно утратило осмысленное выражение, глаза горели безумным огнем, немногим отличающимся от того, который пылал во взгляде амфиреуса.

– Повелитель! – воскликнул он, не сводя мутного взгляда с умирающего монстра и в то же время нанося Старыгину удар за ударом. – Повелитель, я не допущу твоего поражения! Я верно служил тебе всю жизнь, и теперь, когда настал час твоего торжества...

Старыгин сбросил руки профессора, напрягся из последних сил... тяжелый ящик накренился над краем каменной балюстрады, перевалился через нее и на мгновение завис, прежде чем рухнуть в темную глубину колодца.

Профессор Сорди, или да Сэсто, как он предпочитал себя называть, дико взвизгнул, уцепился за ковчег, пытаясь удержать его на краю колодца… но ничто уже не могло остановить падения. Ковчег сорвался с каменного ограждения и полетел вниз, увлекая за собой безумного профессора.

Несколько долгих секунд из колодца доносился, постепенно удаляясь, человеческий – точнее, нечеловеческий вопль, в котором слились страх смерти и горечь поражения. Наконец из темной глубины послышался грохот падения. И сразу же вслед за ним из колодца донесся вдесятеро более громкий звук – рев погибающего чудовища. И этот звук в свою очередь был перекрыт звуком еще более громким – взрывом, от которого закачались многовековые стены палаццо.

Маша застыла, пораженная всем происшедшим, не в силах сбросить оцепенение, в которое погрузило ее своим взглядом древнее чудовище. Старыгин бросился к картине, поднял ее, и вовремя! Стены дворца покрылись глубокими трещинами, зашатались, от них откалывались громадные каменные обломки, которые с грохотом падали на замшелые плиты двора. В воздух поднималась многовековая пыль. Один из обломков упал совсем близко от девушки. Тогда Старыгин схватил ее за плечо и потащил прочь, подальше от места взрыва, подальше от древнего колодца, в глубине которого был навеки погребен безумный профессор Сорди и его кошмарный повелитель…

Девушка встряхнула головой, освобождаясь от тягостного транса, и огляделась, как будто пытаясь понять, кто она такая и где находится.

– Туда! – Старыгин потянул Машу к двери. Он боялся, что их завалит обломками рушащегося дворца, но опасался и того, что где-то бродят подручные Антонио и при встрече с ними им с Машей не поздоровится. Как объяснить им, что все кончено и нет никакого смысла убивать их? Это ни к чему не приведет. Но они никого не встретили, пока бежали к лестнице, очевидно люди Антонио поняли, что дело плохо и каждый должен спасаться в одиночку.

Старыгин увлек Машу к боковой двери, чтобы миновать холл и двор с бассейном. Кто-то мог слышать ужасающий грохот и вызвать полицию. По его подсчетам какая-то дверь должна выходить в боковой переулок. Он дернул дверь, она никак не поддавалась, тогда он передал картину, которую все время прижимал к себе, Маше и навалился на дверь всем весом. Отлетели какие-то планки, дверь поддалась, но Маша так закричала, что он застыл с поднятой ногой.

Лестницы не было, был проем, который круто уходил вниз. Целый лестничный пролет куда-то провалился, оттого и дверь была заколочена. Старыгин отпрянул назад.

– Бежим туда! К главному входу!

Но оттуда вдруг появился один из людей Антонио, монах огромного роста и недюжинной силы. Намереваясь отомстить за своего Повелителя, он бросился к Старыгину. Вдруг мраморная колонна с ужасным грохотом рухнула и задела преследователя. Раздался крик боли. Когда улеглась пыль, Старыгин увидел, что Маша спускается вниз по остаткам ступенек, которые осыпались прямо под ней. Вот она оступилась и рухнула куда-то в темноту.

– Прыгайте! – крикнула она через минуту. – Здесь мягко!

Старыгин оглянулся. Монах сумел выбраться из завала и шел теперь к нему, припадая на поврежденную ногу. Старыгин закрыл глаза и прыгнул. Он и вправду приземлился на что-то мягкое – не то многолетнюю пыль, не то какую-то ветошь. Сверху на них посыпались остатки каменной лестницы – это монах пробовал ее на прочность. Маша и Старыгин отползли в угол, чтобы огромный монах не свалился прямо на них. Но он, очевидно, передумал, потому что наверху все стихло.

Через некоторое время из полуподвального окошка заброшенного и полуразрушенного дворца Сэсто вылезли двое донельзя грязных людей и, боязливо оглядываясь и отряхиваясь на ходу, направились пешком в сторону улицы.

– Куда теперь? – спросил Старыгин. – В таком виде нам нельзя в гостиницу.

– Если я немедленно не приму душ, то умру на месте! – твердо сказала Маша.

Как ни странно, в гостиницу их пустили. И даже не поглядели косо. Видимо, ночной портье повидал и не такое в своей долгой, насыщенной событиями жизни.

В номере Маша оттолкнула Старыгина и бросилась в ванную. Ей не терпелось смыть вековую пыль. Впрочем, Старыгин и не собирался ей мешать, он бережно развернул картину и восторженно уставился на спасенную мадонну. Потом деловито проверил повреждение.

– Ничего, как-нибудь обойдется! – крикнул он Маше, но из ванной доносился только шум воды.

Когда Маша вышла из ванной, она увидела, что Старыгин лежит на кровати, нежно прижимая к себе картину. Глаза его были закрыты, лицо – бледно до синевы. Маша хотела сердито окликнуть его – что, мол, в грязной одежде на постель, но заметила на виске багровый кровоподтек и струйку засохшей крови. Она вспомнила, как Антонио Сорди ударил Старыгина пистолетом в висок, и ей показалось, что поза Старыгина неестественно неподвижна.

– Дмитрий! – окликнула она шепотом. – Дима!

Он не шевелился. Маша стрелой метнулась в ванную, намочила полотенце и осторожно прикоснулась к ране.

– Дима, Димочка, очнись! – взмолилась она.

– Вот это здорово, – он улыбнулся, не открывая глаз, – вот такой ты мне нравишься гораздо больше.

– Ты живой? – от неожиданности Маша слишком сильно прижала полотенце, и Старыгин тут же очень натурально застонал.

Потом он, страдальчески морщась, сел на кровати. Картина лежала рядом. Кудрявый младенец смотрел на своих избавителей серьезно и вдумчиво.

– Знаешь что, – сказал Старыгин, – убери ты картину подальше. Или хотя бы поверни к стене. Не годится ребенку смотреть на то, что будет происходить сейчас в этой комнате.

Когда он поцеловал Машу, она поняла, что именно этого ей хотелось с самой первой встречи.

Поздним утром они шли, обнявшись, по Вечному городу. Маша рассматривала Рим совершенно другими глазами. Красивые величественные здания, где нет-нет, да и мелькнет встроенная в стену древнеримская колонна или портик, широкие каменные лестницы, причудливые фонтаны, синее небо и цветы. Тысячи разноцветных цветов – в букетах, в ящиках на балконах и галерейках, в горшках на каждой ступеньке, в корзинах, подвешенных на стене…

Маша зачарованно глядела на все это великолепие и думала, что все теперь будет в ее жизни по-другому. Она выполнила свое предназначение, не обманула ожиданий своего деда, теперь все несчастья позади. На плече ее лежала рука человека, который за эти несколько дней стал самым близким. Маша теснее прижалась к Старыгину и заглянула в его лицо. Однако лицо близкого человека было омрачено тяжкими думами.

– Что с тобой? – удивилась она. – О чем ты думаешь?

– Я думаю о будущем, – признался он, – о будущем, которого у нас с тобой, похоже, нет. Что делать с картиной? И вообще что теперь делать? Если идти в итальянскую полицию, боюсь, они не поверят ни одному нашему слову. Путь в Россию для нас закрыт, а так хочется домой…

Маша подавила в зародыше мысль, что ему плохо с ней и что он хочет скорей к своей антикварной мебели, коту Василию и нудной Танечке из отдела рукописей.

Они вышли на Испанскую площадь – самую нарядную площадь Рима. Знаменитая Испанская лестница раскинулась перед ними во всей красе. У подножья ее торговали цветами, по бокам уличные художники расставили свои работы. На лестнице толпились туристы, прямо на ступеньках сидели юноши и девушки. Звучала музыка, все общество непрерывно перемещалось, галдело и смеялось. Лестница прерывалась террасой, огороженной красивой балюстрадой, и завершалась церковью, которая устремлялась ввысь двумя симметричными колокольнями.

– Церковь Святой Троицы на горах, – сказал Старыгин, – а перед ней – обелиск Саллюстия.

Маша взбежала по лестнице и уселась на ступеньки, подвинув растрепанного юнца с гитарой.

У подножья лестницы был мраморный фонтан в форме лодки, огороженный бассейном. Вода била из головы медузы Горгоны на корме, стекала из круглой чаши в середине лодки.

– Как красиво! – счастливо вздохнула Маша.

– В мае всю лестницу уставляют цветущими азалиями в кадках, – улыбнулся Старыгин, – я видел. А этот фонтан работы Бернини называется «Баркаччо», то есть лодочка.

Он сел рядом с Машей и затих.

– Насчет возвращения домой, – начала она, помолчав, – между прочим, именно сегодня в семь часов вечера улетает наш самолет в Петербург. Ты не забыл, что мы прилетели сюда с группой туристов? Я считаю, мы вполне можем вернуться этим рейсом. Конечно, существует вероятность, что мы во всероссийском розыске и прямо с самолета нас посадят в «воронок» и увезут в «Кресты», но что-то мне подсказывает, что до такого Легов еще не додумался. Хотя, конечно, пропал шедевр Леонардо да Винчи, национальное достояние… Но кто не рискует, тот не пьет шампанское!

– О чем ты говоришь? – вскричал Старыгин. – Какой риск? Какое шампанское? Да мы просто не доберемся до наших пограничников! Нас сцапает таможенная служба здешнего аэропорта. Ты думаешь, они не поймут, что у меня Мадонна Леонардо?

Маша задумчиво рассматривала художников, что сидели по бокам лестницы. Кто-то просто продавал свои работы, кто-то предлагал туристам нарисовать их портреты. Старыгин проследил за ее взглядом и все понял.

– Нет! – сказал он и даже вскочил со ступенек. – Нет-нет, ни в коем случае! Я никогда на это не решусь!

– Ты хочешь сказать, что замечательный, самый лучше реставратор города Санкт-Петербурга не сумеет нарисовать плохонький вид Рима?

– Да о чем ты говоришь! – махнул рукой Старыгин. – Рисовать я могу, и неплохо. Но рука не поднимется записывать шедевр Леонардо!

– А ты соберись с духом, наберись мужества, – посоветовала Маша, – пойми, это наш единственный шанс!

– Здесь, на виа Маргутта, – бормотал Старыгин, – район, где живут и работают художники. Наверня-

ка мы найдем тут магазин, где можно купить все не-
обходимое…

Он уже тащил Машу за руку по лестнице мимо
радующихся жизни туристов на нужную улицу.

В гостинице Старыгин долго искал самое свет-
лое место в номере, потом расположился с красками и занялся делом. Маше он велел не стоять над
душой, а то он не успеет. Маша тоже не теряла времени даром. Она прошлась по магазинам и купила
себе и Дмитрию более-менее приличную одежду
взамен старой и испачканной.

Вернувшись, она нашла Старыгина отдыхающим
от трудов. На столике стояла картина.

– Осторожнее! – лениво сказал Старыгин.– Еще
краски не высохли.

Маша долго вглядывалась в картину. Старыгин
нарисовал Испанскую площадь и фонтан в виде
лодки. Только в круглой чаше посредине лодки
свернулось каменное чудовище, амфиреус, изо рта
которого била вода. Чудовище было так ужасно, что
медуза Горгона на корме лодки казалась детской иг-
рушкой по сравнению с ним.

– Называется «Римская фантазия», – смеясь, сказал Старыгин. – Думаю, что Бернини меня простит.

– Синьор, покажите, что у вас в тубусе! – потребовал усатый итальянский таможенник. Маша побледнела, закусила губу и отступила подальше, чтобы
итальянец не заметил ее волнения.

Старыгин, напротив, держался совершенно спокойно. Он вынул из тубуса холст, развернул его перед таможенником и пояснил с дружелюбной улыбкой:

– Сувенир! На память о Риме! Рим – прекрасный город! Знаете, как сказал Гёте: человек, побы-
вавший в Риме, уже никогда не будет совершенно
несчастен!

– Г те? – с интересом повторил таможенник незнакомую фамилию. – Умный, наверное, человек... Проходите, синьор, все в порядке!

Старыгин двинулся к эскалатору.

– Постой, браток! – окликнул его приземистый бритый парень с татуировкой на мощном плече. – Мы ведь с тобой и сюда на одном самолете летели, верно?

– Ну допустим, – осторожно отозвался Дмитрий Алексеевич.

– Продай картину, а? – Парень зачарованно уставился на тубус. – Хорошая картина!

– Не могу! – Старыгин пожал плечами. – Самому нравится!

– Ну продай, друг! – не сдавался парень. – Я тебе хорошо заплачу! Штуку баксов хочешь? Хорошие деньги.

– Не могу!

– Ты не понял, друг, – парень понизил голос. – У меня, понимаешь, жена культурная, в художественной школе училась. Я ей подарю. Ей такая картина понравится. А то я тут, понимаешь, закрутился и никакого подарка ей не прикупил. Скандал будет, понимаешь?

– Понимаю, – кивнул Старыгин, – только извини, брат, все равно не могу! Любимая женщина подарила... Только ты ей не говори; – он скосил глаза на Машу, – она очень ревнивая!

– Любимая женщина? – переспросил браток. – А это тогда кто?

– Тоже женщина, и тоже любимая.

– Что-то я не врубаюсь!

– А чего ты не врубаешься-то? – Старыгин покосился на плетущуюся вслед за братком обильно накрашенную девицу в мини-юбке и маечке со стразами. – Ты же сам говоришь, что у тебя жена есть, а это кто?

— Люська, — с готовностью ответил браток.

— Ну вот! Теперь понял?

— Теперь понял! — браток с уважением взглянул на Старыгина и подхватил свою заскучавшую спутницу.

— Ну, дорогая, — сказал повеселевший Старыгин, когда они сидели в самолете, — если нам повезет и дома, то ты сделаешь замечательный репортаж! Эксклюзивный!

— О чем ты говоришь? — Маша холодно взглянула на него через плечо. — Какой репортаж? Стану я размениваться на такие мелочи, как репортаж! Да тут столько материала, что я напишу книгу!

— Да что ты? — удивился Старыгин. — А сумеешь?

— Возьму тебя консультантом! Если ты не против, конечно...

— Я не против, — Старыгин ткнулся губами в ложбинку между плечом и шеей, — я совершенно не против...

Дежурный поднял глаза. Его смена подходила к концу, скоро должна появиться сменщица, Елена Сергеевна. Дежурство прошло спокойно. Впрочем, здесь, около служебного входа в Эрмитаж, редко случались какие-нибудь чрезвычайные происшествия. Проверить пропуска у постоянных сотрудников, записать в журнал разовых посетителей — вот и все заботы. Посетители все люди спокойные, воспитанные, не то что в ночном клубе, где он дежурил прежде. Правда, после недавних событий Евгений Иванович Легов, начальник по безопасности, стал очень строг...

Вдруг входная дверь с грохотом распахнулась, и на пороге появился высокий, порывистый человек лет сорока с растрепанной седеющей шевелюрой. Следом за ним еле поспевала красивая девушка, шатенка с зелеными глазами. Мужчина махнул перед лицом дежурного пропуском, указал на свою спутницу:

– Это со мной! – и промчался мимо поста.

– Минуточку! – закричал вслед ему дежурный. – Что значит со мной? А паспорт? А в журнале записаться?

Но странные посетители уже взлетели по широкой лестнице.

Дежурный приподнялся, словно собираясь броситься вдогонку, но тут же передумал. Годы уже не те… Кроме того, этот мужчина предъявил ему пропуск, значит, он – постоянный сотрудник… И фамилия какая-то знакомая… Старыгин, что ли? Старыгин? Дежурный похолодел. Ведь это именно тот человек, о котором говорил Евгений Иванович!

Дежурный полез в карман за валидолом.

Александр Николаевич Лютостанский поднял глаза. Дверь его кабинета широко распахнулась. На пороге стоял… неужели он? Господи, и в каком виде!

– Дмитрий Алексеевич, батенька, – забормотал старый искусствовед. – Как же так… Вы тогда так неожиданно исчезли… Евгений Иванович тут очень скандалил… Батенька, вы можете все это объяснить?

– Вот, – Старыгин шагнул к столу и бережно положил на него свернутый в трубку холст. Мимолетно он отметил, как постарел Лютостанский за несколько дней, прошедших после их последней встречи. Постарел и сник.

– Это… – тихо проговорил Александр Николаевич, протирая очки и приподнимаясь из-за стола. – Это она?

Лицо его начало светлеть и даже молодеть, как будто кто-то всемогущий повернул для него одного время вспять.

– Да, это «Мадонна Литта», – со сдержанной гордостью ответил Старыгин. – Это было непросто, и мне очень помогла, – и он повернулся, указывая глазами на скромно стоящую в дверях зеленоглазую девушку, – мне очень помогла Мария Сергеевна Магницкая…

– Что вы говорите, батенька… – проворковал Лютостанский, почти не слушая Старыгина и нежно, осторожно прикасаясь пальцами к холсту, как к руке любимого человека, – Господи, это действительно она… Какое счастье…

– Александр Николаевич, вы представляете – он имел наглость вернуться! – прорококал в дверях деловито-раздраженный басок Легова. – Мне только что звонили с третьего поста…

Тут он увидел Старыгина, и на круглом лице Евгения Ивановича в долю секунды сменились одно за другим несколько выражений: недоумение, охотничья радость и сдержанное торжество.

– Та-ак! – протянул он, шагнув к Старыгину. – Надеюсь, вы сможете все это объяснить!

– Евгений Иванович, батенька! – прервал его Лютостанский. – Вы только посмотрите, он ее нашел!

– Нашел? – теперь на лице Легова возникло разочарование, как у кота, упустившего жирную, упитанную мышь. – Он нашел картину? Как нашел? Где нашел? Где она?

Он заметался, то порываясь подскочить к Старыгину, то возвращаясь к столу Лютостанского. Наконец решился, протянул руку и начал медленно разворачивать скрученный в трубку холст. Показалась верхняя часть картины – полукруглые окна, тюрбан на голове Мадонны…

– Это еще вопрос, не сам ли он все это подстроил… – бормотал Легов, раскручивая холст.

– Евгений Иванович, батенька, это не…

Но реплика Лютостанского была прервана самым неожиданным и грубым образом. Тяжелая бархатная портьера на окне его кабинета резко качнулась, откинулась, и из-за нее вышел высокий и необычайно худой человек, узкое, неприятное лицо которого напоминало профиль на стертой от времени старинной монете. Теперь это сходство еще усилилось благодаря наискось пересекавшему лицо длинному уродливому шраму. Уставившись на Легова своими разноцветными глазами — один карий, точнее — густого и глубокого янтарного оттенка, другой зеленый, как морская вода в полдень — этот удивительный человек проговорил, вернее, прохрипел со странным акцентом:

— Отдай мне картину!

— Он живой! — ахнула Маша. — Азраил выжил!

— Отдай картину! — повторил Азраил.

— Почему, собственно… с какой стати… — испуганно забормотал Легов, отступая к двери кабинета. — Какое вы имеете право… Как вы вообще сюда проникли… Мы в этом разберемся…

— Я сказал — отдай! — рявкнул Азраил, повелительно протягивая худую твердую руку. Его разноцветные глаза неожиданно изменились, сделавшись прозрачными, бесцветными и холодными, как талая вода.

И Евгений Иванович, жалко скривившись лицом, протянул этому страшному человеку свернутый холст.

— Мы не смогли победить, — торжественным, гулким голосом проговорил Азраил, сжимая холст в руке, — но и она не восторжествует! Пусть я отправлюсь в ад — но и картина Леонардо последует туда вместе со мной!

Затем на глазах потрясенных, окаменевших зрителей Азраил достал из кармана зажигалку, щелкнул и поднес к своей одежде бледный язычок пламени. Его одежда, видимо, заранее пропитанная горючим веществом, мгновенно вспыхнула, и Азраил запылал, как огромный живой факел. Прижав свернутую картину к груди, он принялся читать какую-то молитву, или заклинание на незнакомом языке и двинулся к окну.

– Стоять... остановить... – бормотал Легов, но сам не сделал и шага в сторону пылающего человека.

Азраил легко вскочил на подоконник, распахнул окно и бросился в него, как бросаются в ледяную воду.

Все присутствующие подбежали к окну и уставились в него.

Внизу, на тротуаре, быстро догорала жалкая кучка плоти, которая совсем недавно внушала ужас сотням людей.

– Ну на этот-то раз, надеюсь, он не оживет! – шепнула Маша Старыгину, заглядывая через его плечо.

– Хорошо, что он ничего не поджег, – озабоченно проговорил Лютостанский, оглядывая свой кабинет. – Здесь собрано столько культурных ценностей!

– Как – не поджег? – возмущенно перебил его Легов. – А «Мадонна Литта»? Это, по-вашему, не культурная ценность? За это еще кто-то ответит! – и он угрожающе уставился на Старыгина.

– Батенька, – прервал его Лютостанский, – я же вас пытался предупредить, но вы меня не слушали! Вы перепутали картины!

– Что значит – перепутал?

– Картина, которую вы *так любезно* отдали этому странному господину с разными глазами, – это не «Мадонна Литта»! Это – та странная работа, которую повесили на ее место! Ваши люди вернули ее накануне... Конечно, это некоторая редкость, она представляет безусловный интерес, но все же не Леонардо... И вообще она не числится на балансе Эрмитажа!

– Действительно? – Легов несколько оживился. – А где же «Мадонна Литта»?

– Картина, которую принес Дмитрий Алексеевич, – рядом, вот она лежит на моем столе!

Легов схватил второй холст и поспешно развернул его.

Перед присутствующими открылась картина, изображающая Испанскую площадь в Риме. Яркий летний день, фонтан в форме каменной барки... Только в центре его, свернувшись, покоилось каменное чудовище, похожий на огромную ящерицу двухголовый монстр, из пасти которого извергалась вода.

— Что это? — пророкотал Легов. — Старыгин, вы снова пытаетесь ввести нас в заблуждение? Имейте в виду, это не сойдет вам с рук!

— В самом деле, Дмитрий Алексеевич, батенька, объясните, — жалобно пробормотал Лютостанский. — В чем дело? Впрочем, я ведь чувствую, что это — та самая картина... я узнал ее...

— Все очень просто! — Старыгин торопливо сдвинул со стола бумаги и разложил на нем холст. Затем он достал ватный тампон, смочил его в растворителе и провел по картине.

Сквозь яркие, торопливые мазки начала проступать великолепная живопись Леонардо. Полукруглые арки окон, голубое итальянское небо с пробегающими по нему облаками, чистый высокий лоб Мадонны, озаренный мягким неярким светом, ее глаза, нежно опущенные к лицу младенца... В этих глазах светятся и счастье материнства, и светлая грусть в преддверии неизбежного расставания... Вот проступили его кудрявые золотые волосы, его живой, ласковый взгляд, обращенный к каждому из нас, обещая понимание и прощенье.

«Я с вами, — словно говорил этот взгляд, — я вас не покину!»

Наталья Александрова

АД ДА ВИНЧИ

Ответственный за выпуск:
Е. Г. Измайлова
Корректор *Л. С. Самойлова*
Оформление обложки *И. А. Андреева*
Иллюстрация на обложке *В. Б. Коробейникова*
Верстка *А. Б. Сушкова*

Подписано в печать 10.08.06. Формат 70×90¹/₃₂.
Гарнитура «Times». Печать офсетная. Бумага газетная.
Уч.-изд. л. 9,5. Усл. печ. л. 11,7.
Изд. № 05-0547-ард. Доп. тираж 5 000 экз. Заказ № 4704

Издательский Дом «Нева»
199155, Санкт-Петербург, ул. Одоевского, 29

Отпечатано в полном соответствии с качеством
предоставленных диапозитивов в полиграфической фирме
«Красный пролетарий»
127473, Москва, ул. Краснопролетарская, 16

Издательский Дом «Нева» представляет

Наталья Александрова

новый проект **Снежная королева**

Авантюрный детектив

Авантюрные детективы
Детектив-любитель Надежда Лебедева

Авантюрные иронические детективы
Наследники Остапа Бендера Лола и Маркиз

новая СЕКРЕТЫ плохой ХОЗЯЙКИ книга